D1267781

PASSAGES DE ZÉNON

DU MÊME AUTEUR

AUX MÊMES ÉDITIONS

Romans

Des lieux inhabitables
Une terreur précieuse
On ne se refait pas
L'Ouverture des terres

Essais

Jean Cayrol et son œuvre
Monsieur Valéry

Édition

Montesquieu, Œuvres complètes

CHEZ D'AUTRES ÉDITEURS

Essais

Jean Cayrol, *Seghers*
Guillaume Apollinaire, *Seghers*

Poésie

La poésie n'est pas une messe, *Wurms*
Les Aventures du capitaine Cook, *Seghers*

Éditions

Balzac, Splendeurs et Misères des courtisanes
Lautréamont, Œuvres complètes
Presses de la Renaissance

DANIEL OSTER

PASSAGES DE ZÉNON

Essai sur l'espace
et les croyances littéraires

ÉDITIONS DU SEUIL
27, rue Jacob, Paris VIe

ISBN 2-02-006611-4

Car je n'appelle pas, ni moi, ni vous ni personne.
Sous le masque j'ai mis le vide.
Dans le vide j'ai mis les mille lettres de l'alphabet,
Cela fait un beau concert
Bien qu'il n'y ait personne.
Et pourtant j'attends, j'attends,
J'attends le zéro qui ne viendra jamais.

Georges Ribemont-Dessaignes

A Jean Marie Goulemot
au maître et à l'ami

I

Biographie avec interruption

J'ai revu aujourd'hui, aussi nettement que dans un rêve, les gigantesques figures noires et blanches qui restaient accrochées pendant des mois à la façade de l'immeuble du PC. Le barbu un peu bouffi, poivre et sel, plein de bonhomie, genre Hugo mais plus mat, intemporel, comme si le regard ne se posait pas. Quand on arrivait de Paris, après l'usine à gaz, on apercevait, sur sa droite, les buttes gazonnées du fort de l'Est, et aussitôt le regard vague du barbu, son front gigantesque, sa bouche d'ogre. Quand mon père parlait de la banlieue rouge, dont nous habitions la lisière, je cherchais des traces de rouge sur le toit des usines, dans les fumées, sur les feuilles pâles et malingres des platanes. Puis j'imaginais que derrière ces murs lépreux, qui contrastaient si fort avec les vieilles pierres historiques de mon lycée dans la capitale, on avait autrefois commis tant de crimes que le souvenir des flots de sang versé, des enfants égorgés, des femmes éventrées était resté à jamais gravé dans la mémoire des autochtones. Le portrait du barbu était-il celui d'un empereur fou de ces temps anciens? Je ne parvenais pas à lier ce rouge à cette face bienveillante, plutôt tiède et douceâtre, qui contemplait quelque chose que je ne voyais pas. L'avenir? Le barbu, lui, voyait tout. Sa bonté n'avait d'égale que sa perspicacité. Mon père ne prononçait jamais son nom. Je n'ai jamais entendu le nom de Marx dans ma famille. L'autre avait des moustaches de coureur cycliste, un regard malicieux comme je n'en connaissais pas, car dans ma famille on n'était pas non plus très malicieux. Mon père avait toutes les qualités possibles mais il ne plissait jamais les paupières avec ces rides émouvantes au coin des yeux. Le barbu et le moustachu, je m'en doutais, ne pouvaient être que des étrangers. On percevait leur peau bronzée, hâlée par le soleil et le vent, et l'on devinait leur corps athlétique sous le visage, un corps qui pouvait bien atteindre la hauteur de trois cheminées d'usine empilées. Ni le moustachu ni le barbu ne ressemblaient à mon grand-père, qui avait le crâne totalement chauve et le visage glabre. Mon grand-père, comme mon père, était un petit homme. Il marchait comme un canard dans son bleu retenu au bas des mollets par des pinces. Avec ses airs d'ancien vainqueur du tour de France, le moustachu me paraissait incomparablement plus fort que mon grand-père qui trimbalait un vélo inconfortable dont la selle de carton, soulevée par des ressorts inflexibles, me meurtrissait les testicules. Il avait dû monter des cavales d'une autre force, le moustachu, lors de ses randonnées guerrières dans l'arrière-pays, du côté de Raincy ou de Bobigny, des alezans mongols, à moins qu'il n'eût promené sa terrifiante justice sur un char romain.

Ces deux cerbères postés aux portes de la banlieue rouge étaient donc immuables. On ne les rentrait qu'une ou deux fois par an, pour redonner une splendeur véritablement historique à leurs rides sans âge. Leur disparition se faisait durement sentir dans la ville : nous n'étions plus attendus. A l'angle du boulevard Jules-Guesde et de l'avenue Jean-Jaurès, nous n'étions plus qu'une progéniture sans tutelle.

Je suis né dans un angle. Toutes nos douleurs viennent d'une mauvaise occupation que nous faisons de l'espace et du temps. La souffrance naît de ces plissements de la durée, de ces pincements de l'espace, et l'angoisse n'est qu'une étroitesse de l'âme. L'angle où je suis né était d'un genre étroit, un sale petit angle angulaire, à la démarche (quand il marchait) anguleuse. Si j'étais né dans un angle plat, je serais vite devenu un cercle minimal, une spirale, j'aurais été sinueux très tôt. Les anciens avaient le bonheur de croire que la terre était plate. Je suis né dans une terre d'angles, constituée de coins. J'imagine quelle joie ce peut être de venir au monde, je ne dis même pas dans un angle plat, ce qui n'arrive qu'aux dieux, je ne dis pas dans un angle à moitié plat, légèrement bombé et renflé, ni même dans un angle nettement incurvé, méandre d'un ruisseau, découpe d'une montagne usée, paume de la main, mais dans un petit angle banal de quatre-vingt-dix degrés. Un angle classique. Le minimum vital. Il me fallait caser tant de choses en si peu d'espace, tant de reflets en si peu de miroirs, tant de routes en si peu de bifurcations! Il me fallait tout concentrer, réduire ma tête aux dimensions de l'angle. Voilà qui est bien compliqué. L'angle m'a toujours fait de l'ombre. J'ai fini par aimer cette ombre au centre de la tenaille. On est toujours cadastré, plus que castré, par sa mère. Longtemps je me suis demandé si ma mère ne cachait pas un triangle isocèle quelque part dans son corps. Je dis isocèle par esthétisme. Il est probable que le triangle qui m'enfermait au centre de ma mère était tout bonnement un ultra-triangle hyper-euclidien. Oui, je le vois bien maintenant le grand V qui m'a pressé. Il y en a pour qui le grand V est une sorte de battement d'ailes. Les anciens avaient la chance de croire que le mot AVIS venait du ciel et y logeait. Je n'ai jamais rencontré le grand V somptueux du vocatif. Maintenant je m'en fiche, et même je m'en réjouis, l'invocation me donne la nausée. Mais à vingt ans, j'éprouvais une difficulté insurmontable à échapper au V. Au début on ne se méfie pas. Amour, par exemple, c'est labial, laiteux, ça ressemble à une aspiration pour commencer, puis ça flotte un peu, ça fait la planche, et ensuite ça remonte tout doucement, vous êtes au creux d'un lit, d'une plage, d'une vallée. Jusqu'au jour où vous vous apercevez que ce petit U tranquille, cet émouvant petit U qui vous grisait le ventre, ce petit U familial et tendre renfermait un V. Vicelard. Le petit V venimeux. Alors? Quelquefois la nuit m'apporte un désir vaste et bientôt elle s'enflamme, le feu et moi nous devenons liquides, je ne deviens pas, je n'invente pas, ne m'énerve pas, je cesse de me déplacer éternellement dans le triangle, les murailles s'effondrent, je suis débarrassé du souci de faire le mur, je saute de joie dans une boue verte comme un gazon, peu à peu je m'enfonce en terre et mes racines s'étendent partout. Je m'apaise alors dans un corps sans voracité, sans vérité, sans limites quoique sans infini. Quelquefois. C'est sans doute à cause de ce V qu'il me fallait révolutionner que, pendant toute une période, je raffolais des ouvertures et des ouvreuses. Les fesses d'ouvreuses sont un écran géant sans bordure, un peu comme était la terre pour les anciens, un espace qui n'avoue jamais, qui ne vous pousse pas aux derniers aveux. Mais l'ouverture aussi est un piège, le pire de tous. Le grand angle est une pauvre découpe dans l'infini. C'est le complexe de Werther, plus incurable que celui d'Œdipe. « Quand je considère les étroites limites entre lesquelles se resserrent les forces actives et intelligentes de l'homme. » C'est dans son angle, pourtant, que Werther se replie et, lorsque tout vacille devant ses yeux, souriant comme dans un rêve, il s'enfonce plus avant dans le vaste monde! Si j'avais compris cela plus tôt je serais resté dans mon angle. Je me serais arrangé pour tourner le dos à sa partie obtuse et me serais déplacé comme un oiseau badaud dans sa portion panoramique. Pas plus difficile que ça. Ah, devenir quelqu'un d'absolument antigéométrique! Nous passons notre vie à nous abaisser des bissectrices, à nous calculer sous l'angle de l'angle. La mathématique des clôtures me faisait rêver à une mathématique de la suspension et du flou. A vrai dire le cercle et le triangle ont toujours eu partie liée. Il fut un temps où je mettais tout mon espoir dans les parallèles. Quand une droite ne me plaisait plus je pouvais toujours passer dans une autre, un peu plus haut, un peu plus bas. On imagine vite que la vie est plus belle dans les parallèles. Il y a toujours un Paradis perdu ou un Enfer prometteur dans une parallèle. Quand on dort, on croit entendre des musiques en provenance d'une autre droite encore intacte. On voudrait y courir, s'y faufiler. Illusion! Quand j'ai appris que les vraies parallèles n'existaient pas, je suis resté plusieurs jours sans voix, sans vie. Penser que l'infini est un dépotoir d'angles! C'est à y perdre la raison. Perdre la raison est comprendre qu'on n'échappe pas aux angles. Toutes nos douleurs viennent de la géométrie.

Toutes nos douleurs venaient du temps dont nous étions les banlieusards, de l'espace dont nous ne connaissions plus que les angles, et du mutisme dont nous étions les rhétoriqueurs. Mutisme en grande partie imaginaire mais qui nous poignait si fort que n'importe quelle voix, pourvu qu'elle possédât « un vocabulaire étendu », nous fascinait. Nous consacrions nos dimanches au verbalisme, histoire de vérifier nos acquis. Mon grand-père était arrivé le premier et, ayant chaussé ses lunettes, s'était installé contre la fenêtre avec sur les genoux les deux volumes du Larousse qu'il compulsait en sirotant des blancs cassis. S'il n'accéda jamais au savoir total ni à l'énonciation absolue, c'est décidément qu'il n'était pas poète. Les plus grands moments nous les passions à l'église, sorte de comices agricoles du langage où il n'y avait que des mots à l'état pur et dont la somme devait s'appeler l'Être. C'était un grand mystère apprivoisé, dont les arcanes ne demandaient qu'un effort de mémoire, dans cette église du dimanche où les mots gonflaient de l'intérieur et tout cela tenait debout comme un gros animal ronflant. A la radio, les informations nous informaient moins sur le monde que sur l'espace vertigineux du discours. Cette voix unique et multiple faisait pénétrer en moi l'émouvante quiétude d'une parole maternelle. Péremptoire sans tyrannie, captivante sans violence, la voix radiophonique semblait miraculeusement protégée des faiblesses humaines. Éternelle, elle coulait de source et nous enveloppait de ses oracles profonds. Le dictionnaire y fonctionnait tout seul. Jamais troublée, la voix modulait des vérités en énonçant des mots. La radio nous servait de prothèse. Une prothèse naturelle, plus naturelle encore que le langage des oiseaux ou des chiens, auquel nous n'entendions rien. Car notre incompétence était universelle. Combien profonde était notre détresse de ne pouvoir désigner par leurs noms ces arbres, ces feuillages, ces fleurs et ces plantes dont la diversité était pourtant criante, l'originalité parlante et la métaphysique bien filée. Étions-nous ceux par qui la séparation et le mutisme arrivaient au monde? Il nous semblait que les mots manqueraient toujours à la nature parce qu'ils manquaient à la nôtre. Quand nous les rencontrions sous notre plume pendant la dictée, ou quand nous les répétions dans un geste désespéré d'appropriation au cours des rédactions, ces mots avaient cette particularité qu'ils ne nous rappelaient rien. Nous vivions dans un monde dicté. Il me semble aujourd'hui qu'en d'autres temps j'eusse pu davantage combattre ma nausée. L'herbier de Rousseau, la taxinomie de Linné, n'importe quelle entreprise comptable m'aurait rétabli de plein droit sur cette terre. A mettre le monde en fiches j'aurais acquis un minimum de présence, un droit de passage en me faisant géographe. Mais tous les codes nous étaient ôtés. C'est pourquoi nous les surestimions. Je ne m'explique pas autrement que par cette absence vertigineuse de contrôle sur les choses la fascination que nous avons éprouvée pour les langages tout faits, les catéchismes et les langues de bois. Notre passion des jargons est à la hauteur de la répugnance que nous inspire notre mutisme. Il y a chez nous un militantisme du sens qui nous vient de notre peur de manquer. Une sorte de goinfrerie langagière nous pousse vers la technicité et la dévoration du compact. Nous sommes comme ces prisonniers qui, de retour des camps, remplissaient leurs mains et leurs bouches de cerises nommées et de perdrix prononcées, rapiéçant leurs corps et comblant leurs vides des images en bocal d'un surréalisme d'épicier.

J'exagère, il y avait des livres. Les trois ou quatre prix rouge et or de ma mère : *Fabiola, les Enfants du capitaine Grant, le Nouveau Robinson suisse.* Dans la table de nuit côté père : un Édouard Peysson, deux Frison-Roche, des *Historia.* Côté mère : *Via Mala,* Pearl Buck, quelques volumes des *Thibault.* La littérature pour nous n'était pas un livre, elle était un meuble. Puis le meuble s'est appelé OSCAR. Il était plaqué chêne avec une grande vitre coulissante. On y serrait les imprimés les uns contre les autres comme une troupe homérique. A Saint-Denis on visitait le bureau du grand poète Paul Éluard, au musée municipal. Ensemble en chêne cérusé. Cela ressemblait davantage à une salle à manger ou au cabinet de travail d'un notaire qu'à une chambre de poète. Mais qu'est-ce que c'était, un poète? Quelqu'un qui avait une table pour manger et une autre pour écrire.

Il ne suffit pas de parler pour dire : notre père ne parlait que pour ne rien dire. Son humiliation n'avait trouvé un langage, politique, que le temps d'une avant-guerre; il ne lui restait qu'une haine au jour le jour, la violence codée d'un discours primitif qui se retournait toujours contre lui ou contre nous. Parler, c'était toujours dire sa défaite. L'efficience de la parole était celle d'une mise en scène, mais mon père était plus fort dans le silence. Ancien sténographe, il me faisait souvent la démonstration de cette écriture réduite aux bâtons et aux boucles qui dispensait les mots de leur humanité méchante. J'aimais les vagues de ces hiéroglyphes, le tracé alerte de ces signaux imprenables qui étaient déjà comme une littérature. Avec eux je devenais indéchiffrable et vrai. Entièrement codé par mon code, j'échappais aux morsures du verbe. On voit la naïveté. Le technicien solitaire d'une graphie redoutable s'absentait dans des graffiti. Mais notre père avait encore une autre façon de « s'exprimer » – curieuse expression dont le paradoxe fait encore toute ma quête. Chaque soir nous nous penchions sur la fenêtre pour le voir surgir, visage gris, la serviette fripée alourdie au bout du bras, épais fantôme de gabardine qui nous faisait frémir de fierté. Quelquefois son bras libre s'élevait vers nous pour nous faire l'offrande d'une journée de malheur dont il rentrait aminci, élimé, mais intouchable. Sa vaillance nous interdisait tout contact. Sa poitrine était couverte de blessures, ses doigts saignaient d'une humeur somptueuse, ses cheveux tombaient en gros flocons quand il soulevait le heaume. Cet homme droit et fort vivait ployé. Trente fois par jour il soulevait son feutre, tendait ses catalogues, convertissant l'acheteur en usant de toutes les paraboles du négoce. Suivait l'attente, l'horrible attente du gagne-pain. Il arrivait que pendant plusieurs jours le répugnant grimoire du carnet de commandes restât vierge. Virginité que notre père éprouvait comme une castration. Il n'habitait plus ce monde, et c'était à nouveau la froide répulsion d'une enfance absolument déserte, la peur revenue de ne jamais savoir comment répondre. De père en fils, on se transmettait cette pauvre rigueur de la vassalité. La colère était toujours une façon de jouer au seigneur : ça devenait vite shakespearien dans le trois-pièces-cuisine où se perpétuait la race.

Quelle race? Puisque je fais ici fonction d'ethnologue, je dirai qu'il s'agit de la petite bourgeoisie pauvre, celle qui s'est depuis inventé le Scrabble pour s'employer dans le langage. La petite bourgeoisie n'a jamais eu de visage et elle n'en aura jamais. Notre mère collectionnait alors les chapeaux par référence au Grand Prix de Deauville et offrait le thé comme une Verdurin banlieusarde. Elle s'achetait des têtes pour feindre la totalité dans le parcellaire. Alors qu'on ne parlait même pas en prose, on m'abonnait à la Comédie-Française pour m'apprendre à me taire en alexandrins. J'avais une chaise juste en dessous de la loge du Président, et les actrices aux bras nus représentaient pour moi la totalité de la femme et Racine la totalité du langage. Comme dit l'excellent Gide, je revois la lumière s'éteindre et le rideau rouge, etc. Nous allions une fois par an au théâtre en famille, toujours au théâtre Saint-Georges parce que c'était le seul théâtre entièrement consacré à la petite bourgeoisie de l'époque. Ça sentait la poudre de riz et la connerie humaine, mais nous n'y respirions que la forme entière de l'humaine condition. La petite bourgeoisie pauvre vit dans un perpétuel remake. C'est la raison pour laquelle notre mère a depuis abandonné les chapeaux devenus difficiles à porter pour se replier sur le meuble anglais avec reproduction de chasse à courre de Gainsborough. Il y a dix ans, j'ai moi aussi acheté une gravure de Titus Carmel pour signifier mon appartenance au discours de la dégradation des valeurs alors en vogue (je l'ai récemment détruite). Je suis même en train d'écrire un livre pour signifier, en voulant signifier le contraire, mon appartenance aux livres. La petite bourgeoisie n'a encore jamais inventé un geste qui soit à elle. Elle imite, avec une précision et une ascèse qui lui servent d'inspiration, le détail. Personne au XIXe siècle n'a compris que la révolution industrielle allait produire cette sommité du parcellaire qu'est le petit-bourgeois pauvre. Le petit-bourgeois ne comprend pas le sens des mots et remplace la compréhension par la croyance, ou bien il ne comprend qu'un seul sens d'un mot. Pour cette raison, chaque mot pris séparément représente pour lui la totalité du langage. Il n'aura avec les mots que des rapports obsessionnels et quasi fétichistes. Chaque mot l'envahit, le pénètre, le façonne comme s'il était à lui tout seul la bibliothèque d'Alexandrie. Amour, femme, soleil, existence, révolution, c'est toujours l'image de la totalité dans la parcelle (le drame de la parcelle). Mon père racontait la même histoire fabuleusement minable de « la chèvre de Forgemol », expression mystérieuse du type Et rose elle a vécu, Un seul être vous manque, etc., et la fable exemplaire (les mésaventures d'un pauvre Arabe dans les années 1920 à qui l'adjudant de service avait confisqué son seul bien : une vieille bique, sous prétexte qu'elle broutait les salades du capitaine) résumait à ses yeux, à son oreille, la chute inévitable de l'Empire français d'Afrique du Nord. J'ai toujours cru que « la chèvre de Forgemol » était le fin mot du langage.

Mais assez d'imposture. La place de fils du peuple n'est pas vacante, laisse tomber. De quels biographèmes suspects, de quels fantasmes gratifiants as-tu entrepris de te construire une misérable figure? Demande-toi plutôt ce qu'on fabrique quand on écrit et que veut-on faire croire? Écriras-tu un jour cette histoire des croyances littéraires que tu nous promets depuis si longtemps? Qu'advient-il quand la métaphore devient invivable? quand la figure défaille? qu'advient-il du discours lorsque survient l'interruption? et qu'advient-il de toi quand tu rencontres ta mort?

Kafka, Rimbaud, espace vital avec intervalles

Le silence de Rimbaud ne décevra jamais notre goût du commentaire. « Qui oserait parler (bavarder) après lui, qui a tout dit, puis s'est arraché à la langue », écrit Le Clézio [1], montrant ainsi, courageusement, par l'exemple, que lui au moins il ose. Rimbaud a rédigé quelques-unes des plus rares métaphores du XIXe siècle, puis il a conclu que la vraie vie était sans doute absente de cette graphie. Rien de plus « poétique » et de plus enthousiasmant que cette épreuve de la *déception.* Plaignons l'homme non déçu. Pour qui l'a éprouvée au moins une fois, la déception reste l'illumination la plus savoureuse et la plus désirable, la porte la plus étroite et la plus sûre pour pénétrer dans cette contrée sans secret où toute vérité s'estompe sans laisser de traces. Rimbaud conclut ainsi, dans une bourrasque de palinodies, au désastre de ses petites crédulités d'époque : « Cela s'est passé. » L'ancien poète de dix-sept ans qui, dans une lettre gavée de foi scribouillarde et quasi parodique, ruminait toute l'idéologie poétique du siècle, ne pouvait guère continuer à renifler sans honte ces répugnants remugles qui, par une inversion typiquement démocratique, sont aujourd'hui balancés comme un encens libérateur sous le nez des candidats à la croyance. Rimbaud eut le réflexe barbare de se boucher le nez plus vite que d'autres : en se jouant la comédie du verbe, il s'était initié à *la distance,* inaugurant la passion de l'intervalle qui devait lui permettre d'abattre en lui-même le confort métaphorique et ses apories.

Car tout est vite devenu *littérature* chez lui, c'est-à-dire comédie, pitrerie, figuration, méchanceté, paradoxes, sophismes, illusionnisme, provocation, mensonge (aucun de ces termes n'ayant la moindre nuance péjorative, bien au contraire), tout est *littérature* chez lui jusqu'au départ. Si, comme écrit Le Clézio avec emphase, « Rimbaud C'EST LA LITTÉRATURE, C'EST-À-DIRE LA VIE », alors à quoi bon la littérature, la vie devrait bien suffire. Qu'on nous explique d'abord ce qu'on entend par VIE. Comme elle est tout et n'importe quoi, y compris la mort et l'absence même de littérature, tout énoncé copulé et prédiqué par « c'est la vie » n'exprimera jamais qu'une tautologie. Le « c'est la vie » du sens commun ne dit rien d'autre : une virgule, une métaphore, un niveau de vie, une sodomie, une conjonction, un œdipe, un trou, un verbe intransitif, une conscience, un droit d'auteur, un dégoût, une ambition littéraire, un cancer, une amoureuse, une faillite, etc., tout cela « c'est la vie ». Rimbaud nous a seulement placés devant et même immergés dans cette immense liste tautologique, dont on ne sait si elle est finie ou infinie, à quoi se résume ou s'illimite tout ce que nous pouvons jamais savoir ou dire de nous-mêmes.

Que dit cette œuvre? Qu'une métaphore prise pour autre chose qu'elle-même est invivable, mais réduite au symbolique, invérifiable. Qu'une expérience de la métaphore autre que verbale est peut-être impossible, sans doute absurde, ou alors mortelle. Qu'il est difficile d'entrer corps et biens dans ce dérèglement du sens pour en légitimer les fondements et l'authentifier par l'épreuve du sujet. Si j'expérimente, je sombre, mais si je n'expérimente pas, ça sombre dans l'abîme des contingences inscrutables. L'expérience mentale revendiquée par la poésie, si elle existe, n'est-elle pas un combat à mort contre le poétique? Puis-je mettre mes pas dans mes mots, ou inversement mes mots dans mes pas? Comment m'assurer d'un lien entre mes mots et moi? Bref, comment passer de la contingence au légitime? Le XIXe siècle répond unanime : par la souffrance ou par la métaphore. La première, sorte de légitimation interne, psychologique, apporte à la littérature la preuve christique. La seconde, symbolique, lui confère le sacre herméneutique. Entre ces deux mises en demeure, Rimbaud a finalement cessé de croire qu'il devait choisir : il choisit autre chose, la mise à l'écart, va jusqu'à s'écarter dans l'écart lui-même, ouvre la brèche par laquelle l'écart devient l'unique désirable. Pour avoir trop longtemps placé toute son espérance dans la correspondance comme salut et comme épiphanie de l'un, il finit par inventorier l'espace comme intervalle et se fixe pour l'éternité dans l'infinitésimal, son ultime passion.

Le silence de Rimbaud ne s'entend pas : il se lit non plus dans la typographie mais dans la topographie espacée de ses parcours. Soudain, à partir de 1877, Rimbaud voyage, mais qu'est-ce pour lui que voyager sinon mettre de la distance, écarter l'espace, le ponctuer de stations innombrables comme s'il était définitivement installé dans le paradoxe de Zénon? La première lettre aux siens, du 17 novembre 1878, n'est déjà que la récitation à l'aise et vaguement agressive d'une série de haltes. Il n'écrit pas de ses nouvelles, il écrit d'un parcours qu'il veut aussi distendu que possible, où les obstacles s'ajoutent à la distance dans un déploiement harassé et heureux. Le voyage semble s'engendrer lui-même, au hasard et sans autre intention que de créer des intervalles finis sur fond d'infini et des intervalles infinis sur fond de fini. On dirait une expérimentation mentale de cette fiction leibnizienne qui fait comme si l'infini était limité et le fini illimité. C'est l'histoire du Petit Poucet : Rimbaud file du continu en semant des points comme l'autre semait des cailloux, pour réaliser dans l'imaginaire l'union et la désunion parfaites de la ligne et des points. Bergson a peut-être raison, mais Rimbaud ne veut pas le savoir : il se représente tout changement, tout mouvement, comme *absolument divisibles.* L'attachement seul à la souffrance et à la métaphore permet de dire que « c'est toujours d'un seul bond qu'un trajet est parcouru, quand il n'y a pas d'arrêt sur le trajet ». Contre la continuité indivisible de la métaphore et du biographique, convaincu que la « durée vraie » est une geôle, il se jette à corps perdu dans la passion de l'espace.

Mais ce parcours zénonien, il faut non seulement le parcourir mais l'écrire mot à mot. Rimbaud ne renonce pas à écrire au moment où il entreprend de s'écarter pour écrire l'écart : alors seulement il commence à écrire. Les mots deviennent des points qui ponctuent la ligne enfin scandée où rien ne fait corps avec rien, noms de lieux successifs, inventaire d'étapes, jamais rassemblés, errance irréductible à la métaphore. Homme, Monde, Univers, Sens, Signe, Total, Route, voilà les métaphores dont il se débarrasse à l'instant où il est envahi par l'obsession de *mesurer* sa déroute. La carte de géographie est alors le support d'une écriture de la série infinie qui dénoue les nœuds de l'ancienne écriture fondée sur le rassemblement des ressemblances et l'assomption du deux en un.

Mais cette nouvelle écriture du mobile sans durée n'a encore de sens que par rapport à l'ancien lieu de la métaphore qui s'appelle *les siens. Les siens :* point de départ, point fixe, toujours rapporté et présent en chacune de ses haltes. C'est donc à eux qu'il s'adresse obstinément pour leur faire constater la distance où il s'enfonce désormais et s'abolit. « Préférez-vous que je rentre? » (15 février 1879.) « Je pense que je vais revenir; mais je voudrais, avant, que vous me donnassiez des nouvelles » (24 avril 1879). Chantage à l'espace-temps, et non plus chant. Il faut encore un observateur à celui qui se délie de cet observateur même. Au paradoxe du dandy baudelairien, qui a besoin d'un même pour faire constater sa différence, succède le paradoxe du fuyard. Si le voyageur est obsédé par ceux qui restent, c'est parce qu'ils constituent à la fois le nœud, l'horizon et la ligne de fuite de son voyage. Il ne se sépare d'eux que pour installer la dimidiation absolue dans l'espace-temps, mais sans pouvoir renoncer à l'initiale du segment qu'il entreprend de diviser à l'infini. Il ne se sépare des *siens* que pour les diviser, comme il divise la métaphore à laquelle *les siens* l'avaient contraint, et ne les emmène avec lui que pour mieux leur rendre intolérables l'écart auquel il les condamne, mais de près, la proximité à laquelle il les voue, mais de loin.

La correspondance et les difficultés que rencontre l'acheminement des lettres est une bonne manière de produire – mentalement et matériellement – cet espace-temps en proie aux obstacles et aux intervalles. Voici deux espaces soudain tout proches : la mer, le désert, icônes d'infini et d'immédiat mais aussi figures de l'atome, de la multitude d'insécables qui les constitue. La mer et le désert sont devenus des tas d'atomes, des débris d'intervalles. Tandis que ne cesse de s'accomplir, à l'arrière, à une distance encore plus grande que celle qui sépare les grains de sable et les atomes de l'océan, le mouvement empêché du courrier qui divise l'espace-temps en autant de segments à leur tour divisés. Ces « écrivez-moi », ces « je ne reçois jamais rien » qui, ponctuant la correspondance, en font l'envers et l'espacement des correspondances métaphoriques, témoignent de cette prégnance soudaine de l'intervalle salvateur. Des nouvelles, il n'en veut pas, mais s'attache seulement à constater qu'il en est séparé à jamais. Toute demande de certificat, de livre, de réponse, est pour Rimbaud l'occasion de constater qu'Achille (la *mother?)* ne rattrapera jamais la tortue.

Au Harar, Rimbaud pratique le culte et la culture de l'intervalle : il entreprend de se spécialiser dans le commerce de la mesure (demande d'envoi d'un guide de l'explorateur et de catalogues d'instruments divers – 30 janvier 1881), puis de se constituer une encyclopédie de l'explorateur d'intervalles (lettre à Delahaye où il réclame sextant, baromètre, cordeau d'arpenteur, annuaire du bureau des longitudes – 18 janvier 1882). Chaque lettre est ainsi comme un rapport d'arpenteur où il consigne le constat de l'irréalisable continuité : « Ceci part avec une caravane, et ne vous parviendra pas avant fin mars. C'est un des agréments de la situation. C'est même le pire » (15 février 1881). On dirait qu'il n'écrit que pour redoubler ces impossibilités, embrouiller les pistes, se convaincre qu'il restera à jamais sans réponse. Son perpétuel désir d'un *accusé de réception* se heurte à la dure réalité de l'espace-temps qu'il retourne non sans perversité comme *fin de non-recevoir*. La distance devient une grande bouche qui dévore tout appel, toute missive, tout mot : une bonne mère. Il joue avec ses déplacements, les suscite pour perdre jusqu'à sa propre trace. Harar, Aden, Zanzibar – il n'est jamais là et il est partout à la fois. « Je reste en suspens » (16 avril 1881) : dans cette formule parfaitement zénonienne, la mesure se fait démesure dans l'instant infini. Achille et la tortue, autrefois réunis métaphoriquement, désormais *suspendus* dans l'immobilité de leur course. Au besoin il s'invente des poursuivants (les autorités militaires) qui le poussent en avant vers un *meilleur* dont le déplacement vertigineux recule sans cesse les bornes du voyage. Toutes les différences sont alors bonnes à perpétuer : ici l'hiver, là-bas l'été, ici les tenues de coton, là-bas les vêtements de drap commandés à Lyon (mars et mai 1881). Un perpétuel chiasme le parcourt qui ne peut être résolu que par un nouveau départ qui creusera encore la distance (« je compte quitter prochainement cette ville-ci pour aller trafiquer dans l'inconnu » – 4 mai 1881), alors même qu'il prétend aspirer à la plénitude de la durée bergsonienne : « jouir de quelques années de vrai repos dans cette vie » (25 mai 1881). Le repos est justement ce qu'il quitte : le sommeil métaphorique, mais la vraie vie est dans l'absence. Désormais tout est déplacement sur une ligne sans fin où ni la métaphore ni la contiguïté ne trouveraient place, ligne où rien ne se rejoint, ne se ressemble ni ne s'assemble, ligne sans ligne, ligne tout à fait improductive où il n'y a rien à constater que des événements stupides la ponctuant de leurs fiascos, ouvrant sur la seule stupeur.

Telle est donc la distance rimbaldienne : un révélateur, une illumination sans savoir et sans joie, mais qui s'énonce sur le mode de la vérité observable et positive (pour ne pas dire positiviste) : « la distance est grande, voilà tout; c'est le désert à franchir deux fois qui double la distance postale » – 22 juillet 1881. Comment ne pas souscrire à cette évidence pure, qui ne cache rien, à ce déploiement sans secret? « Il n'y a point de géométrie qui ne croie l'espace divisible à l'infini », écrit Pascal. Rimbaud ira dans le différentiel jusqu'à la mort, dans l'*apeiron* absolu de la mort, tout entier livré à la douleur *fluente,* à la recherche du transfini de la mort, ne prêtant plus attention qu'aux myriades de temps morts et d'espaces impossibles à parcourir qui font vibrer – sans qu'ils le sachent toujours – la ligne de vie de bien des hommes.

***

Kafka ou la passion de l'intervalle. « As-tu reçu deux lettres de moi vendredi? Tu ne réponds pas à l'une de mes propositions » – à Felice Bauer, 4 mai 1913 [2]. Prague / Berlin : tout le système de la correspondance est mis au point pour prolonger l'excavation qu'il prétend abolir. Un perpétuel décalage horaire. J'ai connu l'éternité différente de l'homme et de la femme, note Apollinaire à peu près à la même époque. Les questions et les réponses se chevauchent ou se déplacent à contretemps, ayant pourtant pour horizon la clôture parfaite d'un local – appartement, maison – où se renfrogner dans un tête-à-tête amoureux : là on ferait en sorte que la tyrannie de l'intimité rassemble les pulsations éparses aux deux bouts de l'Europe. Comment trouver la cible commune pour les flèches qui ne tiennent pas la distance et s'égarent aux bordures du vide? La passion malheureuse de Kafka pour le mariage est aussi sa passion pour la connivence épique qui effacerait les différences, l'invention d'un réseau de voies de communication immédiates, sans zone intervallaire, qui permettrait de disposer d'une vue d'ensemble : « une petite maison convenable », avec un escalier qui conduirait directement au fleuve, d'où l'on aurait une « vaste perspective sur l'autre rive » et qui serait reliée à la ville par une ligne de tramway (mai 1913). Ce qui reviendrait à remplacer la correspondance – qui justement ne *correspond* pas – par la voix. Vocaliser l'espace-temps, combattre victorieusement la communication téléphonique qui temporise et spatialise la voix, lui imposant la distance comme matière, faisant de la distance le message lui-même.

Les lettres ne parviennent ni là où (au bureau? au domicile?) ni quand on les attend, mais la prégnance du schéma spatio-temporel est telle qu'il faut, pour parler, commencer par s'écrire : « m'appeler au téléphone, tu le peux naturellement quand tu veux, avant 9 heures ce ne sera sûrement pas possible, et à 9 heures je serai prêt, mais si par exemple tu voulais m'appeler à 7 heures du matin, tu n'aurais qu'à me l'écrire, et à 7 heures je me tiendrais dans la cabine téléphonique comme la sentinelle dans sa guérite. Mais à toutes fins utiles j'aimerais avoir ton numéro de téléphone » (7 mai 1913). De telles directives relèvent à coup sûr de la double contrainte : téléphone-moi quand tu veux mais de sorte qu'il soit impossible de me téléphoner selon ton bon plaisir et qu'il soit finalement plus efficace de m'écrire. Ainsi la pseudo-immédiateté et continuité téléphonique est aussitôt interceptée, interdite, par l'obligation de l'écrit et la représentation dissuasive d'un Kafka figé dans une posture intolérable et comique. Pour Kafka le *bruit* (la perturbation, la désorganisation du message et de la communication) est la distance même : c'est – j'imagine – le bruit propre au désert, et la souffrance vient de ce que la distance ne pouvant être ni conservée ni abolie, il faut continuellement la dire pour pouvoir la taire, se situer par rapport à elle pour que cesse le rapport à l'espace et commence le rapport à l'autre, alors même que ce rapport à l'autre n'est encore qu'une variante du rapport à l'espace.

L'écriture arpente la distance en même temps qu'elle redouble son creusement infini (« chacune de tes lettres est infinie » – 17 novembre 1912). Comment sortir de cette odyssée perpétuellement interrompue? Dépasser cette frontière serait aussi bien sombrer dans l'enfer de la proximité, ou encore perdre à jamais ses marques, celles de la distance infinie. Trois espaces utopiques pourraient permettre l'ancrage d'une nostalgie de la *bonne proximité* et de la *bonne distance.* Dans l'Allemagne des années 1850, la relation de chacun à l'autre, de l'éditeur à l'écrivain, de celui-ci au lecteur, du lecteur et de l'écrivain aux « grands écrivains contemporains » (nuit du 17 au 18 janvier 1913) aurait été si étroite qu'aucun interstice n'aurait mis en danger la complétude naturelle du social. Auprès de cette bonne proximité, il y aurait la bonne distance faite de « relations ininterrompues » entre soi et la divinité : « Qui sent cela continuellement peut se dispenser de courir partout comme un chien perdu » (nuit du 9 au 10 novembre 1913). D'un côté la littérature comme socialité, ramenée à sa pratique de groupe, au clan, à l'encyclopédie, à la cordialité de l'échange, de l'autre la religiosité comme déliaison rythmée, sans menace et sans agonie, relation parfaitement duelle et euphorique où l'infini respire à l'aise. Dernière utopie : l'identité comme bergsonienne de l'infini dans les mots et de l'infini du fond du cœur (nuit du 18 au 19 février 1913). Cette sorte d'infini n'implique ni intervalle ni passage : il serait immédiatement donné, coulant de source, comme si le langage et le cœur s'habitaient mutuellement, sans transition, spontanément, comme si l'un n'était pas à Prague et l'autre à Berlin.

Kafka éprouve la question du continu comme la question même de l'écriture. Techniquement et matériellement, l'acte d'écrire est la rencontre, le heurt du discontinu : on est toujours (le bureau, les parents, les autres) interrompu. Mais si pour aller vite et s'assurer un minimum de continuité on se met à écrire à la machine, l'interruption ne tarde pas, le flux est syncopé : l'inconvénient de la machine c'est qu'elle « vous fait perdre le fil » (changer le papier, ramener le chariot). Enfin la phrase elle-même est travaillée par la double et paradoxale nécessité des transitions et des suspensions : si l'une des deux nécessités se fait plus pressante, l'écriture devient tout à coup impossible. Tantôt (pas assez de suspens) le flux échappe, tantôt (trop de suspens) on ne voit plus que des bribes sans lien et sans avenir : « A l'intérieur de chaque phrase, il y a des transitions qui, avant d'être mises par écrit, doivent rester en suspens » (28 novembre 1912).

« Une pareille histoire, il faudrait pouvoir l'écrire en deux séances de 10 heures, avec tout au plus une interruption, alors elle aurait le cours naturel et la fougue qu'elle avait dans ma tête dimanche dernier. Mais deux fois dix heures, je ne les ai pas » (25 novembre 1912). L'écriture n'a d'autre but ni d'autre ressource que la recherche expérimentale de cette continuité. Seule la phrase donne l'impression (l'illusion?) du continu. Aucune autre justification : faire une phrase, c'est maintenir les discontinuités en phase, contenir le flux. Ce qu'on appelait le style n'est qu'un certain usage du temps. Le style offusque l'entropie. Il conserve dans la dépense : c'est le temps luttant contre le vertige du discontinu. Le style lutte contre la phrase qui signale que tout l'infini est dans le discontinu. Dans la phrase, ce qui est perçu en premier n'est pas le mouvement mais la trajectoire, dans le style au contraire l'acte mental semble indivis. Si le continu ne peut être composé d'éléments, la phrase prouve que le continu n'est pas. Le style est le mouvement indivis idéalement visé.

L'interruption de la correspondance est elle-même paradoxalement ininterrompue, preuve douloureuse de la continuité du discontinu. Mais cette discontinuité peut être réduite par un fantasme de plein mouvement où tous les intermédiaires seraient abolis : puisque le facteur est le messager du discontinu – le fauteur de trous –, on peut rêver d'être soi-même le facteur : « Que ne suis-je le facteur de la Immanuelkirchstrasse qui porterait cette lettre dans votre appartement et qui, ne se laissant retenir par aucun membre de la famille étonnée, traverserait toutes les pièces pour vous rejoindre et mettre la lettre dans votre main; ou mieux encore que ne suis-je moi-même devant votre porte et que ne puis-je pour ma propre jouissance – une jouissance capable d'abolir toute tension – appuyer sans fin sur votre sonnette! » (13 octobre 1912). Traversant tous les obstacles, l'écrivain-facteur assurerait à l'écriture sa continuité absolue en reliant sans médiation le rédacteur au destinataire. L'écriture, dans ce mouvement idéal, se résorberait à nouveau dans la voix : il suffirait qu'au lieu d'écrire, provoquant ainsi la discontinuité même qu'il cherche à résorber, le scribe se déplace et se fasse initiateur de sa propre jouissance dans la voix : « Répondre est l'affaire du discours oral, l'écriture rend les choses indéchiffrables » (17 novembre 1912). La « lettre recommandée », celle qu'on remet de la main à la main, de bouche à oreille, peut être le substitut de la proximité orale : à la limite cela ferait « qu'écrire des lettres devînt inutile » (24 décembre 1912). On sait le sort que la laryngite tuberculeuse réservera à ce fantasme de l'immédiat. L'excès de proximité fait silence : de sorte « qu'à force de proximité il fût même impossible de se parler » *(ibid.)*. Sans issue.

L'interruption de la correspondance (la perte ou le retard des lettres) est également la preuve de la possibilité du continu dans la mesure où, justement, cette correspondance est pourtant ininterrompue. Ce qui est continu dans Kafka c'est l'interruption. De même, le fait de ne pas répondre immédiatement à une remarque ou à une question, de ne pas les prévenir en quelque sorte : « La réponse ne sera peut-être que ma lettre de demain, peut-être même celle d'après-demain » (23 octobre 1912), cette ouverture au délai, ce dialogue toujours décalé, tout cela est une manière de provoquer artificiellement le discontinu, d'assurer sa défaite pour s'en jouer en prenant sur soi d'assurer un continu de quantité et de qualité supérieures dans le flux amoureux. L'excès de discontinu confirme qu'il doit être possible de sauter les obstacles et d'affirmer une transitivité et un transit absolus : « Je sais maintenant que je puis vous écrire même par-delà les lettres perdues » *(ibid.)*. Saute-mouton : le plein se construit du manque, la continuité paradoxale jaillit du par-delà.

Le travail imaginaire du continu s'appuie sur le pouvoir de l'addition. Ajouter des bribes devrait pouvoir donner accès au linéaire, voire au total. Ainsi en ajoutant des morceaux de temps libre (jours de congé) les uns aux autres, on devrait obtenir dans la colonne *recettes* une somme imposante de liberté : « Je n'ai évidemment congé que pendant les 2 jours de fête, mais comme j'ai encore droit à 3 jours de congé pour cette année (c'est un trésor, la possibilité de l'employer me fortifie déjà depuis des mois) et que, à ce que je crois, les jours de fête tombent de telle sorte qu'avec le dimanche et en intercalant mes 3 jours j'obtiendrai 5 ou même 6 jours de congé, mes vacances de Noël, si je compte les 2 jours en question, auront quand même une certaine allure » (27 novembre 1912). On voit qu'en additionnant des intervalles, des moments intercalaires, on croit trouver le moyen de faire du linéaire. Mais le total est un fantasme car il n'intègre pas les infinis dont est constitué chaque entier et l'espace entre chaque entier. Linéarité et total ne transcendant pas la discontinuité du temps, ils n'en tiennent pas compte. Des bribes mises bout à bout restent des bribes, c'est-à-dire une écriture oscillant entre la phrase et le style, incapable de se décider. Échec qu'immédiatement révèle cette écriture à quoi on *occupe* le temps ainsi rassemblé fictivement en espace, et qui est par nature incalculable, intotalisable. Écrire c'est expérimenter le temps comme *laps*, lambeau, ou lapsus. S'y manifestent à la fois le désir de la somme et son impossibilité. Paradoxe identique à la pratique exacerbée de la lettre qui provoque « un hybride de présence et de distance qui est intolérable » (18 novembre 1912).

Les troubles de la correspondance déjouent le caractère inexorable du calendrier comme ceux de la phrase déjouent ceux du style. Pour déjouer le calendrier, figure de l'ordre et du trouble, on peut s'efforcer de rattraper le retard par des gestes propitiatoires : « Je vais acheter un calendrier avec de belles images pour chaque jour, tu trouveras chaque matin dans ma lettre la feuille correspondant au jour de son arrivée et tu la mettras sur ta table. Par là évidemment j'avancerai un peu le temps, et du point de vue de la chronologie, j'aurai déjà vécu le jour que tu t'apprêtes à vivre, mais malgré tout nous vivrons devant les mêmes feuilles de calendrier et la vie m'en deviendra plus agréable » (nuit du 30 au 31 décembre 1912). C'est dans la nuit du 30 au 31 que Kafka espère « un joyeux nouvel an pour [sa] chère fillette ». C'est la nuit de l'intervalle. La veille de l'obstacle infranchissable, l'angoisse de l'approche du transfini devient intolérable. Du 31 au 1er, un seuil absolu, qu'on ne sait comment résoudre. Par quelle « quantité évanouissante »? Par quel calcul intégral? Le geste propitiatoire est clair : il s'agit encore de franchir l'obstacle par avance, d'avancer sur le temps pour l'abolir dans la fiction. Écrire, c'est aller de l'avant *avant qu'il ne soit trop tard.* C'est devancer le retard, brouiller l'espace-temps dans un conte de fées du continu. Puisque les montres ne sont jamais à l'heure, c'est anticiper sur la faille et la mort : ça sera ainsi, dans tous les cas, une bonne chose de faite (ce qui est fait n'est plus à faire).

Autre paradoxe, l'immédiat est précisément le médiat, ce qui fait l'obstacle est ce qui doit être transmis sans obstacle. Lorsque Kafka, pour *tromper* le temps, entreprend de décrire immédiatement son travail de bureau, c'est-à-dire ce qui l'empêche d'écrire, il écrit immédiatement le médiat, il fait de l'empêchement la matière même de sa quête de l'immédiat, il relie l'autre et se relie lui-même à ce qui le divise et le sépare. Écrire « le bureau » c'est se jeter à corps perdu dans la phase et dans la phrase. Mais en même temps il réalise l'immédiat à partir du médiat, il abolit le médiat et l'obstacle dans l'immédiat de l'écriture du médiat et de l'obstacle. Le bureau n'est donc pas seulement l'obstacle, il est aussi ce qui permet d'effacer l'obstacle dans une stratégie de la coïncidence. L'immédiat coïncide alors avec le médiat, mais ils ne peuvent coïncider que s'ils ne coïncident pas.

Écrire, dans le meilleur des imaginaires possibles, revient aussi à produire un infini en acte, tout intérieur, et tel que, parfois, on croit avoir perdu le sentiment des limites : « car écrire signifie s'ouvrir jusqu'à la démesure » (nuit du 14 au 15 janvier 1913), jusqu'au moment où la notion même de mesure, de mesurable, d'arpentage, serait abolie (ce qui n'arrive jamais). Utopie paradoxale de l'illimité dont l'exercice impliquerait l'enfermement « au cœur d'une vaste cage isolée », mais où le traitement de l'espace-temps est comparable à « ces relations ininterrompues entre [soi] et une hauteur ou une profondeur située à une distance rassurante, si possible infinie » (nuit du 7 au 8 février 1913). Figure de quelque chose comme la piété, mais dont l'énonciation : une distance rassurante et infinie, suppose un paradoxe infini : tenir à la fois la frontière et son au-delà, la relation et ce qui l'efface.

Notes

1. *Aujourd'hui Rimbaud,* Paris, Lettres modernes-Minard, 1976, p. 82.
2. *Lettre à Felice,* Paris, Gallimard, 1972, t. I et II.

Bergson ou la littérature déniée

Bergson esquisse dans *l'Évolution créatrice* une brève et amusante théorie de l'écriture – lecture comme expérience quasi indescriptible de la transparence et du flux. « Quand un poète me lit ses vers, je puis m'intéresser assez à lui pour entrer dans sa pensée, m'insérer dans ses sentiments, revivre l'état simple qu'il a éparpillé en phrases et en mots. Je sympathise alors avec son inspiration, je la suis d'un mouvement continu qui est, comme l'inspiration elle-même, un acte indivisé [1]. » C'est d'évidence rejoindre le « sens commun » et paraphraser sa croyance : il y aurait un sujet, le poète, dont les vers seraient « l'expression », pensées, sentiments, états transmués en mots, en sonorités, en rythmes, par « l'inspiration ». Façon à coup sûr drolatique de *liquider* d'un seul jet à peu près tous les problèmes que devrait aborder une théorie moins aquatique de l'écriture. A commencer par ce qui saute aux yeux, et qui doit tout de même, sinon « exprimer », du moins représenter quelque chose, à savoir la discontinuité spatiale de la page, le hasard ou la nécessité des répartitions symboliques, la rumeur idéologique, l'écho des médiations, abolis ici dans l'euphorique identité de la voix (le poète n'écrit pas, *il parle*). A la limite, l'écriture selon Bergson serait une écriture sans langage et sans texte : mots et phrases sourdraient de la même fontaine, « les profondeurs de l'âme [2] », sans qu'on sache bien par quel miracle ces mots, ennemis déclarés de ces profondeurs qu'ils aliènent à la surface et au social, absolument hétérogènes au « moi fondamental [3] », réussissent tout de même à exprimer la présence totale et indivise du sujet. Lire ne serait pourtant rien d'autre que coïncider magiquement avec le jaillissement ininterrompu d'une conscience dans sa plénitude; ce serait lire de l'être, inscandé, sans obstacle, l'éprouver qui se donne sans retenue, intégral dans chacune de ses parties. Par-delà la représentation symbolique qui les assujettit à l'espace, les faits de conscience retrouveraient ainsi, sans intermédiaire, l'unité irréductible du « moi profond [...] où succession implique fusion et organisation [4] ».

Cette petite saynète culturelle à deux personnages qui n'en font qu'un est assurément ornée de toutes les grâces du fantasme. Elle est même assez fantastique dans sa manière d'annuler d'un coup les innombrables écarts, les multiples figures qui constituent l'écriture et au moyen desquels, assimilant un *effet* de transparence à un *rapport* de transparence, le sujet (un « je » lamartinien attardé en cette fin de siècle) tend à recomposer à nos yeux comme aux siens « la fictive unité qu'il impose comme signifiant [5] ». Fantastique parce qu'elle passe du sujet psychologique au sujet linguistique, devenus équivalents, sans s'interroger sur la nature du contrat, sur les jeux de langages, sur les situations textuelles et intertextuelles ni sur la dynamique des croyances qu'implique toute communication.

Comment ne ferait-elle pas songer, *a contrario,* et pour se faire rectifier, à la relation que donne Valéry de la lecture que tenta pour lui Mallarmé, qui venait d'achever *Coup de dés*? Au moins dispose-t-on ici d'un récit digne de quelque foi, et non d'un scénario idéologique éculé. « Sur la table de bois très sombre, carrée, aux jambes torses, il disposa le manuscrit de son poème; et il se mit à lire d'une voix basse, égale, sans le moindre " effet ", presque à soi-même [6]... » La voix, Valéry y insiste, sourd en cette occasion au minimum et comme à regret, tandis que l'espace scripturaire est exhibé, le manuscrit et ses traces déployés. Déclamer, pour faire croire à la présence totale du sujet dans le moindre de ses signes autographes, serait aller puiser ailleurs une liquidité étrangère au livre, tandis qu'« ici, véritablement, l'étendue parlait, songeait, enfantait des formes temporelles ». L'espace-temps graphique est donc premier, pour ne se donner à lire qu'ensuite dans l'écoute (si tant est qu'une telle transmutation soit réalisable) : non pas celui du « mouvement continu » de l'inspiration, mais celui de la fraction, de l'atome de temps portés à la limite, au plus près du zéro, éclairs de « siècles psychologiques » toujours au bord de l'« ineffable rupture ». Ce que le poème mallarméen met en scène n'est ainsi rien d'autre que sa matière même, constituée de nombres fractionnaires et irrationnels, c'est lui-même comme *figure* d'une pensée « pour la première fois placée dans notre espace... », et ce qu'entend Valéry dans *Coup de dés,* ce n'est certes pas « l'acte indivisé » mais, tout au contraire, « des silences qui auraient pris corps », des scintillations qui n'existeraient pas sans le vide, c'est la solution de toute continuité, l'invention de l'intervalle.

Sans doute le bergsonisme de Valéry n'est-il qu'une galéjade. Bergson, note Valéry [7], « s'acharne à fluidifier ce que je m'acharne à solidifier ». Nul ne saurait d'ailleurs communiquer « la masse fluide de [son] existence psychique [8] » si le temps lui-même est *écart*, si l'expérience des *seuils* et des *phases* est première par rapport à celle de la durée, et si toute vie psychique passe par la *figure*. *Coup de dés* figure donc l'espace comme figure d'une pensée et récuse cette durée illusoire qui ne serait d'ailleurs elle-même qu'une figure sonore du continuum. Fort du souvenir de cette lecture, Valéry se fera ensuite le conservateur tenace d'une œuvre qu'il interdit à tout badigeon sonore [9] : le poète est *celui qui ne parle pas*. Lui conférer cette sorte d'éloquence théâtrale posthume serait substituer à l'état d'éparpillement projeté sur la feuille (« dispersion radieuse ») l'« état simple » qui conviendrait plutôt à qui n'écrit pas. Disons, pour simplifier, que la voix, en ce cas, serait proprement *illettrée*.

A l'inverse, la lecture selon Bergson n'aura les apparences d'une action mentale que si le lecteur-auditeur se laisse aller dans le flot de la transition continue. Cet éloge de la simplicité ne manque pas de charmes : de même que « la durée pure est la forme que prend la succession de nos états de conscience quand notre moi se laisse vivre, quand il s'abstient d'établir une séparation entre l'état présent et les états antérieurs [10] », de même la lecture, s'abstenant d'apercevoir ou de produire des variations, des fugues et des retours, de distinguer le fixe du non-fixe, le simultané des bifurcations, se laissera vivre à l'écoute du jaillissement ininterrompu de la nouveauté.

On comprend que, dans ces conditions, le *compliqué* se présenterait comme une pure et simple diminution du flux sans aucun profit. Si je divise le texte en autant de parties, niveaux, couches, feuillures, en autant de métaphores spatiales qu'il est possible (division et complication qui ne peuvent être perçues et produites que par un « relâchement » et non comme, comme on pourrait s'y attendre, par une augmentation de l'attention), je n'obtiendrai qu'un résultat tautologique. L'accroissement, même infini, des parties et des niveaux ne fera pas augmenter l'ensemble de leurs relations car elles étaient toutes immédiatement données dans le continuum textuel : « La même indivision du tout réel continue à planer sur la multiplicité croissante des éléments symboliques en laquelle l'éparpillement de l'attention l'a décomposé [11]. » Évidemment, Valéry ne concéderait rien à cet énoncé : notre « moi » ne s'abstient de rien, sauf de lui-même qu'il constitue; la conscience naît de l'écart et des différences temporelles; la succession de nos états de conscience n'est pas successive : il y a du similaire et du réversible, donc une tension contre la durée; il y a aussi de la surprise, du choc, de l'aléatoire, donc des inégalités et des discordances; on ne constate pas de la durée, mais *des* durées, etc. [12].

Une pédagogie de la lecture découle immédiatement de ces premières propositions bergsoniennes. Comprendre un texte, ce n'est certes pas apprendre à « disserter » sur ce texte, c'est « s'approprier jusqu'à un certain point l'inspiration de l'auteur [13] ». L'inspiration étant la perception du flux intérieur, seule la lecture à haute voix sera en mesure de restituer à l'oreille le mouvement rythmé du texte. La voix du lecteur redoublant celle de l'auteur, qu'elle extériorise, se doit donc de « tenir compte des relations temporelles entre les diverses phrases du paragraphe et les divers membres de phrase, suivre sans interruption le *crescendo* du sentiment et de la pensée jusqu'au point qui est musicalement noté comme culminant [14] ». Il est vraisemblable que, marqué par les souvenirs de sa classe de rhétorique, Bergson ne conçoive de littérature que frappée à la cadence de la phrase classique et obsédée d'une conception scolaire de la composition. Il semble que l'on soit ici dans une philosophie de la lecture du *morceau choisi*, qui rendrait parfaitement illisible la quasi-totalité de la littérature européenne du XXe siècle, et dans une idéologie poétique qui fait de la *parole* le duplicata et l'annonciateur de l'*être*. Reste que la démarche du lecteur sera ainsi comparable à celle de l'intuition philosophique qui revit « l'évolution créatrice en s'y insérant sympathiquement [15] ». Ce que le lecteur fait sienne, c'est la supposée plénitude indivise de la conscience de l'écrivain manifestée immédiatement dans le texte, le continuum d'une « succession d'états dont chacun annonce ce qui suit et contient ce qui précède [16] ».

Si lire n'a les apparences d'une action mentale que pour celui qui se coule assidûment dans le flot de la transition continue, Zénon – celui dont les apories tendent à prouver *a contrario* la seule réalité du continu – sera le lecteur idéal, et Protagoras – l'homme de la mesure, l'immonde géomètre – le plus mauvais lecteur possible. S'il y avait des états de la phrase, ils seraient immobiles et il serait donc aussi impossible de reconstituer le changement avec des états que le mouvement avec des immobilités. Diviser, en subissant ainsi la loi de l'espace, ce serait se condamner à ne jamais rattraper le sens. A l'inverse, l'écriture dont le sens est immédiatement perçu échappe à l'espace comme à l'intelligence, qui ne font qu'un. Lire-écrire n'est pas diviser pour régner, ou pour perdre, mais éprouver le triomphe tranquille de l'indivis. Si, à l'inverse (par exemple, si je ne crois pas que l'expérience du texte soit une expérience mystique, si l'idée même de *coïncidence* me paraît dépourvue de sens), je fais obstacle à cette durée en la ramenant à l'espace et au solide, cette interruption ne produit qu'une « diminution de réalité positive [17] » sans profit.

Chaque fois que, par un effort que Bergson estime à la fois surhumain et débile, l'esprit entreprend d'imposer à ce continu des divisions infinitésimales : de la phrase au mot, du mot aux syllabes, des syllabes aux lettres et aux sons, il perd en signification ce qu'il gagne en complication, en matérialité ce qu'il perd en spiritualité. Ainsi des mathématiques qui, divisant l'espace à l'infini, puisque c'est leur nature de diviser, découvrent *in fine* un espace divisé. Diviser est une opération que Bergson placerait plutôt sous le signe de la *déficience* et de la *diminution :* ce qui régresse, c'est toujours l'élan, le vouloir. En revanche, le texte est, à l'image de la vie, interpénétration réciproque et indissociable de ses éléments, projection de « cette continuité que je trouve en moi-même [18] ». Perçu comme matière, langage-matière, il peut être dissocié, divisé, ramené à la « multiplicité distincte » des points, réduit à et par la mathématique. Reste qu'« à travers les mots, les vers et les strophes, court l'inspiration simple qui est tout le poème [19] ». Le métonymisme universel des « expressions partielles [20] » que sont lettres et mots rend le texte parfaitement indécomposable, puisque la moindre prise en considération de la *partie* rendrait impossible la perception de la *totalité.* Ou plutôt, c'est une affaire entendue : il n'y a pas de *partie* puisque *tout* est dans chaque *partie.* Le métonymisme est un absolu, un secret et un dogme. L'ensemble des pseudo-parties se fond dans la totalité du *sens.* Comprendre un texte c'est l'*entendre.* Le texte est comme une personne irréductible à ses états de conscience : à partir des états du moi, on ne saurait avoir l'intuition de ce *moi,* c'est-à-dire de la personnalité globale du sujet [21]. Le texte est aussi comme un mobile qu'on ne saurait diviser en éléments immobiles : le sens du texte, comme la perception du mouvement, est une donnée immédiate de la conscience.

La littérature ne peut donc être pour Bergson qu'expression de la continuité simple du sujet. La *lettre* n'a par conséquent aucune autonomie : elle est branchée sans intervalle sur l'intériorité, ce qui élimine d'emblée la prise en considération des codes et des formes qui, bien loin d'*exprimer* le sujet, le constituent, en tout cas le produisent. Il n'y a pas d'antériorité de la lettre sur le sujet, pas plus qu'il n'y a d'antériorité de la pratique sur l'intention. Il n'y a pas non plus de conflit possible entre la *lettre* et l'*esprit* puisque, dans tous les cas, si par hasard la lettre s'égare dans une sorte d'autonomie créatrice, c'est elle qui a tort : « Il ne faut pas que la complication de la lettre fasse perdre de vue la simplicité du sujet [22]. »

Cette coïncidence immédiate entre le lecteur et le sujet qui écrit est donc fondée sur la coïncidence du sujet écrivant avec lui-même et avec le monde extérieur : coïncidence circulaire et sans médiation. Le poète ou le romancier « qui expriment un état d'âme [23] » (inutile, je suppose, de relever l'étroitesse, voire l'absurdité, de cette conception de l'écriture, derrière laquelle se profile toute l'idéologie de l'homme = l'écrivain = l'œuvre) se définissent par une particulière capacité de perception due au peu d'intérêt qu'ils portent à l'action sur les choses et aux outils conceptuels de cette action. « Par un certain côté d'eux-mêmes, soit par leur conscience soit par un de leurs sens, ils naissent *détachés;* et, selon que ce détachement est celui de tel ou tel sens, ou de la conscience, ils sont peintres ou sculpteurs, musiciens ou poètes. C'est donc bien une vision plus directe de la réalité que nous trouvons dans les différents arts; et c'est parce que l'artiste songe moins à utiliser sa perception qu'il perçoit un plus grand nombre de choses [24]. » Rien ne s'interpose donc, semble-t-il, entre l'artiste, l'œuvre et le monde extérieur ou intérieur : ni formes, ni figures, ni savoirs, ni configurations culturelles, ni systèmes de représentation, ni activité signifiante, ni découpage sélectif d'un champ figuratif, ni histoire des signes, de leur valorisation, des enjeux idéologiques qui s'y donnent à lire et s'y constituent, ni traces de la pensée en acte, ni cohabitation dans le même espace de signes fragmentaires, dispersés et contradictoires, ni dérèglements, ni paradoxes, ni décalages, ni citations, ni codes, ni refoulé, ni non-dit, ni métaphore, ni métonymie, ni fiction, ni symbole, ni langage. Le « réalisme » de Bergson est sans appel et absolu. Coulé dans l'intuition, fondé en elle, il est comme elle « la vision directe de l'esprit par l'esprit. Plus rien d'interposé : point de réfraction à travers le prisme dont une face est espace et dont l'autre est langage [25] ». Autant dire qu'aucun texte n'a jamais eu lieu.

* * *

Dans sa préface à *la Métamorphose,* Borges fait remarquer que deux obsessions régissent l'œuvre de Kafka : la dépendance et l'infini. « Dans presque toutes ses fictions il y a des hiérarchies et ces hiérarchies sont infinies [26]. » Le héros kafkaïen est quelqu'un qui court après un objet sans jamais l'atteindre car intervalles, obstacles et délais sont infinis. Kafka est un arpenteur (cette indication eût à la fois réjoui et désespéré Bergson) qui ne parvient pas à pénétrer dans le château où il a été appelé. Dans *la Muraille de Chine,* « l'infini est multiple : pour arrêter la course d'armées infiniment éloignées, un empereur infiniment lointain dans le temps et dans l'espace ordonne que d'infinies générations construisent indéfiniment un mur infini qui fasse le tour de son empire infini ».

L'univers kafkaïen est donc essentiellement zénonien, comme en témoigne la structure même de ces narrations où la critique, selon Borges, déplore « le manque de nombreux chapitres intermédiaires ». Ces intervalles, ces tours, ces obstacles, sont infinis « comme l'Enfer ». Dans la plupart des romans on déplorerait, au contraire, l'absence de cette absence de chapitres intermédiaires, alors que le *pathos* propre à Kafka est précisément fondé sur le fait que cette durée n'existe pas, qu'aucun flux ne porte ni ne conduit jamais le « personnage ».

A l'inverse, dans *l'Animal du Temps* [27], Jean Tardieu fait parler une figure qui, étendue sur un banc, immobile, prend *un bain de temps.* « Si votre attention était éveillée comme la mienne, si vos yeux et vos oreilles renonçaient à leurs préjugés, à l'habitude qu'ils ont de tout simplifier, de découper dans le monde sensible quelques tableaux grossièrement colorés et toujours les mêmes, alors vous aussi, vous verriez et vous entendriez, sans nul doute, le passage continu de votre Élément natal, de cette coulée ininterrompue et indivisible, de ce fleuve égal, sans hâte et sans tapage, auquel votre sort est lié pour toujours : le Temps. » Discours éminemment bergsonien que celui de cet homme qui se refuse à découper ses élans et s'efforce, par une tension de tous les muscles et de tous les sens, de percevoir le moindre « mouvement infinitésimal ». Pour lui, tout est écoulement, glissade : vivre c'est nager. *Mais cet homme n'écrit pas,* et, à l'horizon de ce flux auquel il s'abandonne, il devine et espère l'abandon de sa « figure personnelle » : un jour il deviendra ce « bienheureux naufragé qui s'éloigne et se tait [28] », qui se taira parce qu'il aura perdu à jamais la première personne du singulier. Destin inévitable du coureur de flux : la durée l'absorbe comme elle absorbe tout dire.

La modernité s'inaugure avec la mise en scène de ce destin conflictuel du temps et de l'écrit. « Les jours s'en vont je demeure. » Si les jours s'en vont, Apollinaire aurait pu mieux écrire : je dure. Je demeure dans le flux, si le flux est tout : mais comment ferais-je pour demeurer en même temps dans ce *je* qui demeure contre ses propres lois? qui ne peut s'énoncer qu'à se faire réversible, qu'à se retourner sur lui-même pour s'ancrer, un instant, dans l'événement absolu de son dire? Rien d'autre ne saurait mieux définir l'écriture, son charme et sa douleur, que la possibilité d'échapper au flux de la conscience – si flux il y a –, de remonter le courant et de le faire divaguer et diverger en une multitude de courants adventices. Simplifions : n'est-elle pas le moteur et le résultat du combat de l'espace contre la durée? De la liquidité d'*Alcools* à la spatialisation des premiers poèmes de *Calligrammes*, il y a justement la trouvaille du *il y a* multiple et juxtaposé, à travers un travail de figuration qui passe par la déposition et la disposition morcelée des différents états d'une conscience. *Les Fenêtres* ou *Lundi rue Christine* racontent la mise à mort de la conscience fluide par la conscience cubiste.

A partir de Mallarmé, ce qui s'est découvert dans l'écriture c'est bien l'absence, le hasard, et le vide, les trois hantises bergsoniennes. Le lieu commun hégélien devenu oriflamme de la modernité : la présence de l'absence dans le mot, le pouvoir de néantisation du langage et sa capacité de faire du réel un possible, Tardieu l'exprime fort bien quand il évoque « la redoutable importance de ce qui n'est – de ce qui n'est plus ou de ce qui n'est pas encore – [qui] donne support à ce qui nous frappe [29] ». Le mot a donc le superbe privilège de trouer le flux, d'introduire la stupeur du manque et du discontinu dans la plénitude de la conscience progressive. En brisant la durée, il rend possible les bifurcations réglées ou hasardées, les relations verticales ou tangentielles, les croisements. Capacité d'absence d'abord, il se représente ensuite en une multiplicité de contacts et de connexions : mais il faut du *blanc* pour inventer, il faut des *failles* pour tenir, et, comme dit Tardieu, du « *non-sens* (en deçà ou au-delà du sens) pour nourrir les significations! ». C'est qu'un « énorme espace de pensée », incommensurable, sépare les mots « dans le discours le plus serré ». Précisément, cet espacement ou interruption du flux est ce qui définit le resserrement du discours. Un discours serré n'est pas un discours liquide, mais un discours où les bifurcations et les intervalles sont assez nombreux – et avec eux les non-dits et les polysémies – pour constituer un espace ouvert de recherche et d'inventaire. « Ce qui fait que certains poèmes nous impressionnent plus que d'autres, c'est sans doute un plus grand écart entre les mots et la plus grande quantité de pressentiments qui se trouve prise dans leur intervalle, comme dans les mailles d'un filet [30]. »

Il est évident que considérer l'intervalle en tant que tel comme une plénitude est aussi peu bergsonien que possible. Bergson [31] rejette tout le signe du côté du *relatif* et n'imagine de l'*absolu* qu'en l'absence du signe. La naïveté d'une telle dichotomie se dissimulerait davantage s'il ne proposait pas pour exemple de cet absolu-immédiat le cas du personnage du roman. De même que si j'enlève les signes, j'ai le flux, si j'enlève les actions, les gestes et les paroles, j'ai le personnage. « Le romancier pourra multiplier les traits de caractère, faire parler et agir son héros autant qu'il lui plaira : tout cela ne vaudra pas le sentiment simple et indivisible que j'éprouverais si je coïncidais un instant avec le personnage lui-même. Alors, comme de la source, me paraîtraient couler naturellement les actions, les gestes et les paroles [...] Le personnage me serait donné tout à coup dans son intégralité, et les mille incidents qui le manifestent, au lieu de s'ajouter à l'idée et de l'enrichir, me sembleraient au contraire alors se détacher d'elle, sans pourtant en épuiser ou en appauvrir l'essence [32]. » Certes, on aimerait bien avoir un jour à lire un personnage qui ne soit pas constitué de signes, et même un roman sans mots, ce qui accélérerait considérablement la lecture. Coïncider avec l'intériorité d'un personnage dans l'immédiateté absolue d'une présence totale est en effet une jouissance aussi exquise qu'hallucinatoire, connue d'une foule de croyants.

A l'opposé du dialogisme bakhtinien, le personnage bergsonien est une intimité pure, objet d'intuition, auquel l'analyse et la multiplicité des points de vue n'apportent rien. A vrai dire, comme il n'y a pas de texte, il n'y a pas de roman.

Que cette sympathie immédiate pût n'être que pragmatique et efficace illusion, mais illusion tout de même, Bergson n'y saurait songer, pour avoir commencé par réduire le texte à l'expression de la « pensée » et des « sentiments » d'un sujet que ne viendrait décaler nul intervalle, menacer nulle lacune, informer nulles médiations culturelles, détourner de sa transparence nulle mimésis, et qui ne se constituerait à aucun moment comme producteur d'effets.

Ce débinage un peu forcené du langage n'est finalement que l'envers de son exaltation langoureuse lorsqu'il est censé n'être rien de plus que l'ensemble des signes qui, effacés et abolis en tant que signes par la grâce du sujet, nous livrent directement les choses. « La perfection du langage, écrit Merleau-Ponty, est bien de passer inaperçue. [...] Son triomphe est de s'effacer et de nous donner accès, par-delà les mots, à la pensée même de l'auteur, de telle sorte qu'après coup nous croyons nous être entretenus avec lui sans paroles, d'esprit à esprit [33]. » Langage sans langage et utopie qui, depuis longtemps, a ses synonymes : parole, voix, écho. Lire Stendhal, ce serait se laisser interpeller par la voix de Stendhal, laisser monter en soi des significations que bientôt nous prendrions pour nôtres [34]. L'exemple est des plus mal choisis : Stendhal eût été bien heureux de croire qu'il pût avoir une voix, lui que le langage mutile, en qui d'abord il fait obstacle, qu'il voue à l'imitation et à la citation, et détourne enfin de toute transparence.

Ce qu'il y a à lire dans Stendhal c'est donc exactement le contraire d'une voix, jusque dans les premiers à-coups de sincérité et d'authenticité où il se donnait illusion d'une parole qui fût vraiment sienne [35] mais qui ne révélait que les travestissements de « l'acteur interne ». On n'entend rien dans Stendhal que l'incapacité qui navre Stendhal de s'entendre, et la conquête ou l'acceptation des jeux de langage. « Tout le problème, c'est que le rapport du moi et du langage est justement un problème [36]. » Si le langage universel entre dans le moi singulier, c'est pour ne jamais pouvoir en sortir sous forme de moi, mais tout au mieux comme trace et tracas de l'autre. On voit donc que l'affirmation de Merleau-Ponty selon laquelle « le langage n'est pas un empêchement pour la conscience, qu'il n'y a pas de différence entre l'acte de s'atteindre et l'acte de s'exprimer [37] », si elle paraît prendre le contrepied de l'accusation portée par Bergson contre le symbolique, la poursuit en fait et la redouble : selon l'un comme selon l'autre, le texte, les formes, les médiations sont inexistants. Dans la phrase de Merleau-Ponty (s'atteindre c'est s'exprimer), le sujet de l'énoncé est rendu équivalent au sujet de l'énonciation, les décalages de la réflexivité, le renversement du sujet entre *je* et *me* dans *je m'exprime,* le questionnement infini sur la nature de ce *je,* le pouvoir d'abolition de langage et d'inscription de l'écriture comme pratique semblent évacués de la façon la plus bergsonienne qui soit.

***

Cette théorie selon laquelle l'œuvre d'art est réductible à la personnalité de l'artiste, dont elle ne serait que l'expression, a ceci de particulier que son inanité a été maintes fois démontrée (par les écrivains eux-mêmes), que sa critique est d'une facilité déconcertante – Karl Popper n'hésite pas à écrire : « Ma principale critique de cette théorie est toujours : la théorie expressionniste de l'art est vide de sens [38] » –, mais qu'elle n'en demeure pas moins la théorie la plus couramment acceptée, la seule qui soit commune à la quasi-totalité des lecteurs. Vide de sens parce que parfaitement tautologique : n'importe qui *exprime* n'importe quoi. La question serait donc moins de contester une opinion absurde que de s'interroger sur la nature du consensus qui la fait admettre comme une évidence. Dans son autobiographie intellectuelle, Karl Popper rappelle ce mot de Beethoven inscrit en exergue de sa *Messe en ré :* « Du cœur puisse-t-elle retourner au cœur. » La légitimation de l'œuvre par la source du sujet qui fonde sa motivation et assure sa légitimation est une croyance essentiellement romantique [39] qui voudrait simplement faire l'économie des *moyens,* c'est-à-dire des détours et des recours par lesquels le cœur fait retour au cœur (si tant est que le *cœur* ait quelque chose à voir en pareille matière). La perspicacité de Popper n'a pas non plus la moindre originalité et c'est une idée également très répandue que l'art est essentiellement production d'effets par l'intermédiaire d'un langage problématique, c'est-à-dire par une astuce inverse à l'astuce romantique, une astuce qui consiste tout simplement à être astucieux, mais qui n'a strictement rien à faire avec le « moi profond » et tout à voir, au contraire, avec cette part de profondeur problématique qui ne peut être exposée et résolue que par cette intelligence « superficielle » qui fonde la capacité de produire des traces et d'organiser des signes. Réduire le « moi profond » à la « personnalité » est d'ailleurs une absurdité dans la mesure où l'œuvre d'art n'existe que de la mise en question de cette « personnalité » et de l'intervalle qu'elle aura su introduire et insérer entre cet hypothétique « moi » et le discours terminal. Si l'art est mesurable, c'est à cette distance et à ce jeu des intervalles seuls producteurs d'effets de plénitude et de continuité. Les œuvres d'art les plus superficielles sont donc, par un apparent paradoxe, celles qui s'écartent le moins de ce « moi profond » qu'elles ont posé en principe et à quoi elles renvoient d'une manière aussi obsessionnelle que naïve. Il reste d'ailleurs remarquable que ce romantisme de la transparence, c'est-à-dire de l'absence d'œuvre exhibée comme fin et jouissance idéales de l'œuvre, semble avoir été récupéré par les théories les plus récentes de la voix, du corps, du cri, qui ont seulement remplacé la notion de *transparence* par le concept d'*articulation,* mais qui restent dominées par une conception *expressive* de la littérature fondée sur l'immédiateté du sujet dans le texte. La théorie bergsonienne de l'expressivité conforterait donc aussi bien les croyances les mieux reçues du romantisme, d'où elle vient, que les idéologies dites de « l'écriture du corps » qui prétendent que le corps est « exprimé » dans la langue pour faire retour au corps. Mais alors où passe l'écriture? d'où vient ce qui se désigne comme littérature pour en définir les critères de reconnaissance? d'où vient qu'il y ait du texte plutôt que rien?

Si tant est que le « moi profond » soit autre chose qu'une notion bâtarde héritée du rousseauisme, il conviendrait plutôt de le considérer comme la décharge publique où chacun accumule depuis sa naissance ce qui justement fait qu'il n'est pas chacun : scories biographiques, scènes familiales, us et coutumes, inscriptions idéologiques plus ou moins pourrissantes *sous* lesquels il est toujours loisible d'imaginer une idiosyncrasie limpide et une autonomie créatrice. La métaphysique bergsonienne, qui se proclame libérée de l'espace, est à cet égard un système exagérément spatialisé qu'obsède la figure du *dessous* et du *dessus :* sous ou sur la lettre, toujours inutilement complexe, jaillirait la source continue du simple. Sous la complexité de la doctrine, il y aurait l'*intuition simple* [40] toujours trahie par la « complexité des abstractions qui la traduisent » et jamais véritablement exprimée [41]. Opposant le concept à l'image comme la surface au-dedans, Bergson n'imagine pas que l'image-impulsion puisse être elle-même un produit trouble et compulsif, le témoignage d'une cassure du sujet, l'épreuve d'une faille ou d'un conflit plus ou moins bien résolu, une astuce salvatrice pour assurer au sujet un semblant de présence. Philosopher, écrire, ce serait seulement descendre l'escalier de la conscience pour en remonter « l'essence intime de ce qui est et de ce qui se fait », c'est-à-dire : *nous-mêmes* [42].

Cette haine du complexe [43], tout entier rejeté à la surface, est aussi éloignée que possible de la représentation valéryenne du *moi ;* « Ce qu'il y a de plus profond dans l'homme, c'est la peau, en tant qu'il se connaît [44]. » L'obsession du creusement, et la mise en question de la croyance naïve à quelque aboutissement de ce creusement, est le thème central de l'*Idée fixe : « Profond et profondeur* m'exaspéraient [45]. » Au-dessus et au-dessous de la lettre et de la phrase, il y aurait selon Bergson « quelque chose de beaucoup plus simple qu'une phrase ou même qu'un mot : le sens, qui est moins une chose pensée qu'un mouvement de pensée [46] ». A quoi Edmond Teste réplique : « La profondeur est insignifiante [47]. » Il pourrait aussi se demander d'où vient ce sens unique et donné hors symbolique, et si nous ne pataugeons pas dans un tissu de relations variables dont il n'est jamais possible de dire lesquelles se rapportent à *moi.* Là où l'on constate des relations, on constate du même coup l'absence de *moi* et l'impossibilité de *sympathiser* avec « notre moi qui dure [48] ». Cet *intervalle* et ces discontinuités, que Bergson abolit dans l'écoulement, Valéry les pose au contraire comme les seules données immédiates de la conscience, quoiqu'ils soient justement ce qui rend impossible l'immédiatement donné. La toute-puissance de cette *profondeur* ne se vérifie qu'à « la surface intellectuelle [49] », souvent de manière imprévisible, produisant des actes dans lesquels « on ne se reconnaît pas [50] ». Le *moi* n'est donc au mieux qu'une succession de *présences* rendues possibles par autant d'*absences,* mais qui n'a guère de qualités communes avec cette composition permanente de l'hétérogène en continu, excluant toute juxtaposition ou extériorité, que Bergson compare à l'étirement d'un élastique dans un mouvement créateur de « mobilité pure [51] ». L'ensemble de ces intervalles et de ces absences produit seulement le jeu nécessaire à la construction d'une succession de systèmes instantanés en perpétuelle substitution dont on tirera, pour les besoins de l'action et du sens, un « significatif » appelé *moi.* L'instant d'après, tout est défait et il faut reprendre la marche interminable « dans ce chaos de pierre où nul pas, nulle composition d'efforts » n'est semblable à quelque autre et ne peut servir deux fois [52]. Ce que Bergson impute à l'analyse conceptuelle : diviser, fragmenter, Valéry le rattache à l'intuition (s'il employait ce mot) qui nous donne le fragment, alors que l'analyse construit l'unité. Edmond Teste ferait donc partie, selon Bergson, de la catégorie des empiristes obsédés par les états et qui prennent « les *notations partielles* pour des *parties réelles* [53] », à cette différence près que pour Teste les *parties réelles* seraient moins le produit des notations que l'objet d'une « intuition » intellectuelle, d'une expérience mentale. Il est nécessaire qu'il se sente ici visé, avec tous ceux qui à force de « juxtaposer les états aux états [54] », d'« en multiplier les contacts, en expulser les interstices », se plaignent que « le moi échappe, si bien qu'ils finissent par n'y plus voir qu'un vain fantôme [55] ». Il n'y a pas là pourtant de quoi se plaindre pour qui, expérimentant l'écrit comme la donnée médiate qui noue et troue la conscience, envisage l'orchestration des parties comme un travail productif qui consiste à « maintenir, soutenir hors du moment, hors du temps ordinaire [56] ». Si, dans les pages célèbres de l'*Introduction à la métaphysique* (1903), Bergson avait cherché à épingler Valéry dans cette figure double de l'empiriste et du rationaliste aux prises avec les interstices (le premier « amené à les combler avec d'autres états, et ainsi de suite indéfiniment, de sorte que le moi, resserré dans un intervalle qui va toujours se rétrécissant, tend vers zéro à mesure qu'on pousse plus loin l'analyse », tandis que le second « est en présence d'un espace vide qu'on n'a aucune raison d'arrêter ici plutôt que là [57] »), il n'aurait su mieux dire. Sa répugnance à penser en termes d'écarts, de réversibilité, de réflexivité ou de désorganisation, cet optimisme radical qui lui interdit d'envisager qu'il puisse exister, dans la conscience ou ailleurs, du vide ou même le plus petit intervalle possible qui ne soit d'avance absorbé par la ligne continue, du risque dans ce vide, de la mort dans ce risque, lui interdisent du même coup de penser un texte littéraire comme procès de négativité, rythme mental fait de variations, de brisures et de nœuds, réduction volontaire d'hétérogènes en même temps maintenus, montage d'éléments exclusifs les uns des autres, hiérarchisation des significations, hésitations du sens, rature menaçante, économie et dépense, distribution d'énergie, autrement dit de considérer un texte comme une discontinuité seulement plus ou moins et plus ou moins bien contrôlée. Ce qui coule toujours de source dans la perfection du continu, c'est le lieu commun, l'idéologie, l'intarissable doxa. Le style, en revanche, est une production, une reproduction ou une réduction des discontinuités psychiques.

Il doit donc être possible de repérer dans un texte littéraire les inhibitions qui l'ont suscité, ce qui en lui faisant défaut défait sa plénitude, les obstacles que sa durée conquise surmonte et ceux qui la font chuter, le trucage qui va masquer ces défaillances du temps de l'écriture, la dramatisation des événements psychiques qui tentent de se produire et de se conquérir eux-mêmes par eux-mêmes. On dira du texte ce que Bachelard écrivait de la durée : « La durée est métaphysiquement complexe et les centres décisifs du temps sont ses discontinuités [58]. » Sans cette discontinuité originelle et toujours menaçante, il n'y aurait pas de texte, car il n'aurait pas *lieu d'être*. Une littérature du « moi profond », si elle existait, ne serait qu'une littérature déjà écrite, une tautologie. Une littérature du plein et du continu manquerait de cet unique écart, de ce néant soudain qui la suscite. « Ce qui a créé l'humanité, c'est la narration, ce n'est pas du tout la récitation [59]. » La narration construit sur le vide, contre lui, mais toujours avec et en lui : composant des instants avec des intervalles, elle ne peut que feindre le flux et en proposer la jouissance imaginaire. La récitation est le flux réalisé, qui ne charrie que lui-même.

*
* *

La représentation bergsonienne de l'écriture comme *continu* pourrait pourtant sembler confortée par une certaine interprétation du calcul infinitésimal. Écrire, comme *être,* ce serait toujours faire l'expérience de ce *passage à la limite* où le passage l'emporte sur la limite, la dévore sans arrêt. Plutôt que la division infinie des intervalles qui sépare deux nombres (les éléments indivisibles n'étant jamais que provisoires), il faut considérer cette tendance qu'ont les points mathématiques « à se développer en ligne à mesure que notre attention se détache d'eux comme s'ils cherchaient à se rejoindre les uns les autres [60] ». Si bien que lorsque nous considérons le nombre à l'état d'achèvement, « cette jonction est un fait accompli : les points sont devenus des lignes, des divisions se sont effacées, l'ensemble présente tous les caractères de la continuité [61] ».

Si l'arithmétique nous apprend à morceler, comme on morcelle les sons d'une cloche en conservant leurs intervalles successifs, la conscience serait naturellement allergique à cette numération. Le calcul infinitésimal bergsonifié nous enseigne que les parties transcendent leur contiguïté : elles se pénètrent dans « une organisation intime d'éléments, dont chacun, représentatif du tout, ne s'en distingue et ne s'en isole que pour une pensée capable d'abstraire [62] ». La phrase serait ainsi équivalente au *moi* et coïnciderait avec lui : *supprimons* (le raisonnement par *suppression* est éminemment bergsonien) les intervalles, les oscillations, les manques, tout ce qui empêche la représentation d'une « multiplicité sans rapport avec le nombre ou l'espace [63] », et nous constaterons un phénomène inétendu de « synthèse mentale [64] ».

Pourtant, l'écrivain spécialiste en matière linguistique de Valéry ne se reconnaîtrait guère dans cette allergie au « compliqué », ni n'accepterait cette abolition des *phases* et *seuils* dans la pure mouvance [65]. Que le texte poétique produise, à la rigueur, un effet de mouvance et de continu, il est facile d'en convenir. Mais que ce lisse mouvement scripturaire reste de nature essentiellement dialogique, contrastée, discontinue, et par ailleurs aussi symbolique que peuvent l'être les mathématiques, Valéry n'en démordrait pas. « La métaphysique, qui ne vise à aucune application, pourra et le plus souvent devra s'abstenir de convertir l'intuition en symbole [66]. » C'est dire que si Bergson tient absolument à noyer l'écriture dans la métaphysique considérée comme « *la science qui prétend se passer de symboles* [67] », Valéry aurait plutôt l'ambition contraire : s'il concède le flux – et va même jusqu'à le mettre en scène comme personnage dans *la Jeune Parque* – c'est sans en faire un principe de dissolution du textuel et sans perdre de vue le fini qui clôt chaque état mental, avec possibilité de retour à zéro et de réversibilité, donc d'échapper au Temps. Si la durée était une donnée immédiate de la conscience, si le temps de l'écriture-lecture n'était que le temps de la durée pure et de l'évolution créatrice, irréversible et irréductible au symbole, si la littérature ne pouvait au contraire se définir comme lutte contre l'entropie (durée négative) et comme aménagement réglé du nouveau, ordonnance des hasards, auto-organisation et auto-désorganisation par va-et-vient entre des modèles créés et des modèles détruits, jeu de rétroactions modificatrices, alors *la Jeune Parque* n'existerait pas.

Dans l'affaire Zénon, la position valéryenne serait pourtant presque plus radicale que celle de Bergson. Pour Valéry, l'argument zénonien reposerait sur la confusion (un sophisme) de deux domaines réels de la conscience, de deux actions mentales tout à fait différentes : *franchir* et *diviser.* « Franchir est indépendant à chaque instant de l'entière étendue de l'intervalle [...] Tandis que *diviser* suppose une opération qui porte sur le tout de l'intervalle [...] Le mouvement est incompatible avec les arrêts [68]. » Ailleurs, il note qu'« il y a incompatibilité entre l'acte parcours et l'acte mesure [69] », ou encore qu'il faut que « je distingue le mouvement réel du mouvement qu'on imagine [70] ». Question de point de vue : l'espace continu et l'espace divisé sont également pensables, mais pas *en même temps.* Le poème reste affaire de division : la preuve, la difficulté des *transitions* dans *la Jeune Parque.* Si l'expérience complète écrite et décrite dans le poème n'était pas celle de la division sur fond imaginaire de continu, de *désir de continu,* le problème des transitions – y compris le passage d'un son, d'une lettre à l'autre – ne se poserait pas. *La Jeune Parque* cherche bien de *la* durée (en cela bergsonienne), mais ne trouve que *des* durées. L'écriture construit donc sur deux lignes parallèles, qui ne sont identifiables que fantasmatiquement, la continuité de la voix et le discontinu du symbole : l'écriture sépare ce que la lecture réunit, *de même que* la Jeune Parque *se sépare de ce que le moi illusoirement réunit.* Être « si proche de moi-même », ce n'est nullement être soi-même, mais en être toujours si loin. L'*harmonieuse moi* bergsonienne ne s'écrit pas, mais seulement se rêve. *Je me voyais me voir* est de l'écriture pure, mais qui repousse l'écriture aux confins du pensable. La réflexivité se pense, mais hors durée, dans l'abandon tragique de tout élan vital, dans cet *ennui* bien peu bergsonien qui continuellement donne à chacun sur sa vie « une funeste avance [71] ». Énoncé de type schopenhauerien qui est juste le contraire de *l'élan :* la possibilité d'échapper au flux par bonds et par écarts, ou encore par répétitions, tel est justement le pouvoir de l'esprit que, contrairement à Bergson, Valéry ne réduit pas à l'intelligence.

Il y aurait donc, si l'on veut, le texte-ligne et le texte pointillé, le texte-parcours et le texte-mesure. Tout texte pose le problème de l'un et du multiple, ou plutôt : dès que le problème de l'un et du multiple peut être posé, il y a texte. Voilà une définition possible de la littérature : un critère. Le langage ordinaire – pour reprendre la terminologie mallarméenne, et pour peu que ce langage ordinaire, en ordre, existe vraiment à l'état « pur » – serait plutôt du côté de la juxtaposition et de la contingence. Sa cohérence, si elle lui vient, ne peut lui venir que du monde extérieur, du référent. Il est constitué de ce qu'il semble constituer : un parcours infini d'énoncés finis sans

« pénétration mutuelle », comme dit Bergson [72]. Depuis que le monde est monde et qu'il y a des hommes et qui énoncent, des énoncés juxtaposés ne se laissent pas réduire à l'unité. Sauf par l'idéologie dont la fonction est justement de fondre et de confondre, de tracer la ligne continue originaire qui réunit le multiple. La suite des énoncés humains renvoie aux apories de Zénon : ils sont divisibles à l'infini. Michelet ou Flaubert, il faut choisir. J'énumère la liste, et dans ce cas je ne rattrape jamais le total, ou bien j'énonce la somme, et alors j'abandonne les singularités. De la même façon – et c'est toute l'angoisse du XIXe siècle – ou bien je fais foule, ou bien je fais un. Ou bien je me fonds dans l'unité foule, ou bien je m'identifie dans l'un. Tantôt je suis, tantôt nous sommes. Voilà toute la problématique baudelairienne. Je serai criminel ou démocrate, victime ou société, bourreau ou masse. L'aporie zénonienne se fait ici politique en posant le problème de l'individu dans la cité.

***

Dans son *Journal*, peu après la mort de Bergson, Musil note avec humour : « On me reprochera d'avoir été influencé par lui. Or, je n'ai jamais pu le lire, parce que certains détails m'arrêtaient, notamment sa conception de la *durée créatrice* et sa façon de la relier à la distinction du temps et de l'espace. Sa façon de rattacher la science à l'espace et la philosophie au temps me déplaît aussi. Là où j'ai l'air de dire la même chose que lui, le sens reste tout différent ; et je ne suis jamais confronté à lui. Il faudrait le faire sous forme d'essai [73]. » La *durée créatrice,* un détail en effet ! Gageons que Arnheim et Diotime en reprenaient !

Mais voilà tout de même par où il faut toujours commencer : *ça me déplaît.* Il y a en effet chez Bergson quelque chose qui me déplaît à moi aussi et qui ne doit pas être sans rapport avec le fait qu'il plaise. Bergson est un philosophe plaisant, « journaliste » dirait Musil, ce qui ne manque pas d'inquiéter. Comme le signale encore Musil : « Malgré sa valeur, influence malheureuse sur les non-initiés. Le genre Csokor par exemple qui adopte les termes intuitions, créateur, chaos et une conception de la vie analogue à sa façon de subordonner la science à la littérature [74]. » Si Musil perçoit bien tout ce qu'il peut exister de facile ou de dangereux chez Bergson c'est parce que, comme lui, il a hérité de la psychologie expérimentale, de Fechner, de Mach, du physicalisme, de la psychophysique, de l'obsession du quantitatif et de la mesure, etc. Mais il est bien loin d'en récuser totalement les apports : « Le résultat approximatif fut que tous ces concepts *[force, énergie, loi, etc.]* n'ont pour contenu assuré que l'expression abrégée de mesures. Cela reste aujourd'hui [1941] un point de vue épistémologique, la formule de base en quelque sorte [...] voilà un travail pour l'avenir [75]. » Se désigner, comme fait Musil en 1900, comme un « vivisecteur de l'âme [76] », vivisection que Valéry pratique quant à lui depuis 1892, voilà qui éloigne tout de même de tous les « métaphycyclistes pressés [77] ». « Il faudra, note encore Musil en 1937, que je m'explique une fois pourquoi je m'intéresse à la psychologie expérimentale " plate ", et pourquoi je ne m'intéresse pas du tout à Freud, Klages, ni même à la phénoménologie [78]. » C'est que pour Musil, comme pour Valéry, « être conscient = être au sein d'un ensemble de relations [79] », sans qu'il soit concevable de *liquider* cet ensemble dans un flux sans crise.

***

En posant la totalité du *moi profond* contre toute représentation sérielle, associationniste, atomiste, causaliste, discontinue des phénomènes psychiques (représentation alors dominante), Bergson ne fait sans doute que recourir à la vieille astuce romantique de la métonymie : un pour tout, tout pour un (de même que pour Freud toute l'histoire d'un individu viendra se jeter dans l'estuaire d'un lapsus ou le delta d'une névrose). Voilà encore et toujours l'effet Vauquer : des sorcières métonymiques tressent les fils de liens mystérieusement exhibés entre le tablier usé de la patronne et l'ensemble de son histoire, entre la totalité de cette histoire et la totalité de l'Histoire de France, entre la personne physique et morale de Mme Vauquer et le décor de sa pension, entre cette pension et ses pensionnaires, et finalement entre tout ça et l'histoire universelle, le cours des astres, Dieu, le pape, et trois ratons laveurs. L'astuce métonymique est un gag tautologique repris par Bergson, avec qui l'on n'est pas encore sorti de Cuvier relu par le Balzac de l'*Avant-propos* de 1842 : sous le coup de baguette magique du démon de Laplace, un morceau de vertèbre donne le corps entier. Partant d'une critique impeccable du mécanisme radical laplacien (« le mécanisme radical implique une métaphysique où la totalité du réel est posée en bloc, dans l'éternité [80] »), Bergson finit tout de même par récupérer la métonymie et les correspondances romantiques dans le flux où il les dissout, émergeant et dissimulant la relation dans le fluide bienfaisant traité comme absolu.

Telle est bien la donnée immédiate de l'idéologie romantique, qui a tout de même le mérite d'être poétiquement féconde, dans la mesure où – comme un phénomène dans sa relation à l'ensemble du poème – le moindre signe sera révélateur de la totalité du secret. Cette opinion est sans doute la seule sur laquelle s'accordent la majorité des humains. Elle est également le seul fondement possible des concepts d'humanité, d'homme, d'histoire, de progrès, etc. Chaque instant est puisé dans le récipient universel, dont l'instant suivant récupérera les vapeurs qui, à leur tour, viendront se déposer dans la cuvette. « Oui, je crois que notre vie passée est là, conservée jusque dans ses moindres détails, et que tout ce que nous avons perçu, pensé, voulu depuis le premier éveil de notre conscience persiste indéfiniment [81]. » Croyance, en effet, qui institue le *moi profond* – Michelet disait : l'humanité, Freud : l'inconscient – en réservoir de millions d'événements avec la perspective d'une *résurrection intégrale* répondant à cette *conservation intégrale.* « Rien dans la vie psychique ne peut se perdre, rien ne disparaît de ce qui s'est formé, tout est conservé d'une façon quelconque et peut reparaître dans certaines circonstances favorables, par exemple au cours d'une régression [82]. »

L'étrange est qu'une conception aussi profondément déprimante de l'homme et de l'humanité soit capable de produire une telle quantité d'effets euphoriques. Mais cela paraîtra moins étrange si l'on considère combien il peut être rassurant de savoir que, quoi qu'il arrive, on ne perdra jamais le fil et qu'à l'instant de l'ultime régression on aura enfin renoué avec la totalité signifiante de ses incidents. Une telle croyance, le totalisme, est par ailleurs sans doute la seule à rendre possible une relation entre l'individu et l'ensemble des individus désignés sous le terme d'*humanité,* en passant par autant de stations qu'on voudra dans le chemin de croix des sous-ensembles intermédiaires, qui présenteront dès lors cette particularité invraisemblable d'être chacun ensemble de la totalité des autres sous-ensembles, de sorte que n'importe quel sous-ensemble pourra être envisagé comme ensemble absolu, si l'on peut dire. Il n'y a pas si loin entre le totalisme psychologique bergsonien ou freudien et la conception totaliste des groupes sociaux selon laquelle, comme l'écrit Popper, une structure sociale « ne peut être comprise, ni son avenir prédit, sans une étude soigneuse de son histoire, même si nous avons une connaissance achevée de sa " constellation " momentanée ». On ne s'étonnera pas dès lors que Popper considère la théorie de l'existence d'une *conscience collective* ou d'une *âme collective* « en tant qu'elles portent des *traditions* » comme étroitement reliée à cette conception totaliste [83].

L'hypothèse figurative du *moi profond* (une pyramide) a donc quelque chose de profondément réjouissant pour le cœur de l'homme moderne qui se refuse de toutes ses ultimes forces à devenir ce tonneau-tombeau des Danaïdes qui n'a jamais cessé de proclamer le caractère hallucinatoire de ce moi. « Tout ce que *nous* avons perçu, pensé, voulu depuis le premier éveil de notre conscience » : faut-il en conclure que les fondements de ce moi-cuvette étaient déjà solidement architecturés dès ce premier éveil pour que désormais rien n'y manque, rien ne lui fasse défaut? On dirait que Bergson raconte, en l'habillant d'intuition intime, le beau mythe de la récupération des valeurs de l'éternité au sein profond de la durée : « Le temps écoulé [...] est un gain, sans doute, pour l'être vivant, et incontestablement pour l'être conscient [84]. » Difficile, avouons-le, d'afficher plus bel optimiste. A l'inverse, voici une autre intuition, qui permettra de mieux percevoir la nature de l'autre mythe : « Ce que je distingue dans chaque instant, c'est son essoufflement et son râle, et non la transition vers un autre instant [85]. » Voilà un texte (*Tomber du temps...)* éminemment bergsonien en ce sens qu'il prend à la lettre le contre-pied du joyeux catéchisme de l'*élan vital.* L'instant ne produit rien, mais se dérobe et récuse au-delà du possible toute fiction du *moi.* « Le temps s'est retiré de mon sang; [...] faut-il s'étonner que plus rien ne *devienne?* » La mémoire ne se révèle que par défaut, absence d'une origine dont on doute qu'elle ait même eu lieu : « Ai-je vraiment goûté autrefois à la sève des choses? Quelle en était la saveur? Elle m'est à présent inaccessible – et insipide. Satiété *par défaut.* » La vérité de l'esprit et du corps n'est-elle pas plutôt cette *temporalité* (« succession sans continu ») que Bergson, la rejetant tout entière du côté de la géométrie et de l'espace, abandonnait à la science de son temps, et non cette durée qui s'est dégradée en *éternel présent?* Une conscience qui gagne? Comment est-ce possible? Conscience de ma conscience, ne cours-tu pas de ruine en ruine à mesure que tu avances dans ce que tu défais? à mesure que tu survis de ce qui te constitue irrémédiablement comme défaut? à mesure que le *nouveau* est de plus en plus clairement ce dont tu te souviens et que tu nommes *histoire?* Cioran, nostalgique de l'élan vital, semble voué à porter la croix de la malédiction zénonienne : il est Achille et la tortue, « dans l'ennui, cette nostalgie inassouvie du temps, cette impossibilité de la rattraper et de nous y insérer, cette frustration de le rattraper et de nous y insérer, cette frustration de le voir là-haut, au-dessus de nos misères ». On comprend que l'illusion historiciste et totaliste soit de loin préférable à cette chute hors du temps, à cette déchéance dans l'*éternité négative* d'où la lénifiante métonymie universelle s'est à jamais absentée.

Notes

1. *L'Évolution créatrice,* Paris, Alcan, 1907, p. 227-228.
2. *Ibid.*, p. 92.
3. *Ibid.*, p. 97.
4. *Ibid.*, p. 96.
5. Voir Philippe Lejeune, *Je est un autre,* Paris, Éditions du Seuil, 1980, p. 38.
6. Paul Valéry, *Œuvres,* Paris, Gallimard, « La Pléiade », I, 1975, p. 623 et s.
7. Paul Valéry, *Cahiers,* Paris, Gallimard, « La Pléiade », I, 1973, p. 664.
8. Bergson, *op. cit.*
9. Valéry, *Œuvres,* I, *op. cit.*, p. 625-630.
10. Bergson, *op. cit.*
11. Bergson, *Essai sur les données immédiates de la conscience,* Paris, Alcan, 1889, p. 76.
12. Valéry, *Cahiers,* I, *op. cit.*, p. 1008 à 1354.
13. Bergson, *La Pensée et le Mouvant,* Alcan, 1934, p. 107.
14. *Ibid.*, p. 108.
15. *Ibid.*, p. 109.
16. *Ibid.*, p. 207.
17. *L'Évolution créatrice, op. cit.*, p. 229.
18. *Ibid.*, p. 279-280.
19. *Ibid.*, p. 281.
20. *La Pensée et le Mouvant, op. cit.* p. 217.
21. *Ibid.*, p. 219.
22. *Ibid.*, p. 135.
23. *Ibid.*, p. 170.
24. *Ibid.*, p. 173-174.
25. *Ibid.*, p. 35.
26. Borges, *Livre de préfaces,* Paris, Gallimard, 1980, p. 137-140.
27. Jean Tardieu, *La Part de l'ombre,* Gallimard, coll « Poésie », 1972, p. 106-110.
28. *Ibid.*, p. 139.
29. *Ibid.*, p. 83.

30. *Ibid.*, p. 83.
31. *La Pensée et le Mouvant, op. cit.*, p. 203.
32. *Ibid.*, p. 203.
33. *Ibid.*, p. 16-17.
34. *Ibid.*, p. 20-21.
35. Michel Crouzet, *Stendhal et le Langage*, Paris, Gallimard, 1981.
36. *Ibid.*, p. 100.
37. *Ibid.*, p. 26.
38. Karl Popper, *La Quête inachevée*, Paris, Calmann-Lévy, 1981, p. 91.
39. Voir J.-M. Schaeffer, « Romantisme et langage poétique » dans *Poétique 42*.
40. *La Pensée et le Mouvant, op. cit.*, p. 137.
41. « Un philosophe digne de ce nom n'a jamais dit qu'une seule chose ; encore a-t-il plutôt cherché à la dire qu'il ne l'a dite véritablement », *La Pensée et le Mouvant, op. cit.*, p. 141.
42. « Descendons alors à l'intérieur de nous-mêmes : plus profond sera le point que nous aurons touché, plus forte sera la poussée qui nous renverra à la surface », *ibid.*, p. 157.
43. *La Pensée et le Mouvant, op. cit.*, p. 159 (« la complication est superficielle, la construction un accessoire, la synthèse une apparence »).
44. Valéry, *Œuvres*, II, p. 217.
45. *Ibid.*, p. 216.
46. *La Pensée et le Mouvant*, p. 152.
47. Valéry, *Œuvres*, II, p. 218.
48. *La Pensée et le Mouvant*, p. 206.
49. Valéry, *Œuvres*, II, p. 224.
50. *Ibid.*, p. 225.
51. *La Pensée et le Mouvant*, p. 209.
52. Valéry, *Œuvres*, II, p. 200.
53. *La Pensée et le Mouvant*, p. 218.
54. Tout le système valéryen tend évidemment à dépasser cette réduction au juxtaposé, cf. *Monsieur Valéry*, Paris, Éditions du Seuil, 1981, *passim*.
55. *La Pensée et le Mouvant*, p. 219.
56. Valéry, *Œuvres*, II, p. 261.
57. *La Pensée et le Mouvant*, p. 221-222.
58. Bachelard, *La Dialectique de la durée*, Paris, Boivin, 1936, p. 48.
59. Pierre Janet, *L'Évolution de la mémoire et la Notion du temps*, Chahine, 1928, p. 226.
60. *Les Données immédiates de la conscience, op, cit.*, p. 63.
61. *Ibid.*
62. *Ibid.*, p. 76.
63. *Ibid.*, p. 92.
64. *Ibid.*, p. 83.
65. Sur *phase* et *seuil*, voir Daniel Oster, *Monsieur Valéry*, Paris, Éditions du Seuil, 1981.
66. *La Pensée et le Mouvant*, p. 214-215.
67. *Ibid.*, p. 207.

68. Valéry, *Cahiers*, I, p. 659.
69. *Ibid.*, p. 578.
70. *Ibid.*, p. 556.
71. Valéry, *Œuvres*, I, p. 101.
72. *Les Données immédiates de la conscience, op. cit.*, p. 57.
73. Musil, *Journal*, Paris, Éditions du Seuil, 1979, II, p. 496.
74. *Ibid.*, p. 688.
75. *Ibid.*, p. 688-689.
76. *Ibid.*, I, p. 24.
77. *Ibid.*, II, p. 688.
78. *Ibid.*, p. 482.
79. *Ibid.*, p. 551.
80. *L'Évolution créatrice, op. cit.*, p. 42.
81. *L'Énergie spirituelle, op. cit.*, p. 95.
82. Freud, *Malaise dans la civilisation*, Paris, PUF, 1971.
83. Popper, *Misère de l'historicisme*, Paris, Plon, 1956, p. 17.
84. *L'Énergie spirituelle, ibid.*
85. Cioran, *La Chute dans le temps*, Paris, Gallimard, 1964, p. 184.

Lent Retour[1] de Peter Handke : Une expérience contradictoire de la souffrance de l'espace

L'effrayante disparité des mots et des choses suscite le vertige même où se produit parfois la littérature. Sans cet intervalle, et sans ce vertige, la littérature ne subsisterait que comme cristal, mais il lui manquerait cette perpétuelle approximation d'un zéro qui, à condition de n'être jamais atteint, lui procure l'occasion et le branle.

L'espace, dans l'instant même où il se dérobe, produit le désir d'un investissement qui, heureusement, n'est qu'un leurre. Là où l'écrivain s'imagine avoir réellement franchi le pont d'infinitésimales qui le sépare, lui et lui, ses mots et ses mots, lui et ses mots, du monde, il est probable aussi qu'il a franchi tout l'espace de la littérature pour se prendre au piège d'un aboutissement qui serait la représentation des choses mêmes. S'installer dans le monde avec ses mots est une illusion ou une bévue, et qui détourne à jamais du projet d'écrire, si écrire est expérimenter sans satiété ni contentement l'intervalle.

L'écrivain, qu'obsède l'espace infini de lui aux choses et des choses au langage, espace par où il éprouve bientôt celui qui le sépare de lui-même et des mots, se trouve ainsi assiégé par ce paradoxe qu'il lui faut à la fois *garder la distance* pour se garder lui-même en même temps que le monde, et se laisser aller à l'envie d'un *l'ai-je bien occupé!* qui ferait bientôt éclater en lui l'angoisse essentielle de ne jamais l'occuper. Ni trop, ni trop peu. Il convient d'hésiter le plus longtemps possible à accomplir ce chemin qui n'existe que de demeurer inaccompli, c'est-à-dire de ne jamais se donner l'espace comme immédiat mais comme divisible à l'infini par le passage du vide.

D'autant que le problème de l'écrivain n'est pas le monde mais la perspective, n'est pas le temps mais la phrase, n'est pas la mémoire mais la soustraction. Ce vertige, qui lui procure tantôt la nausée tantôt l'allégresse (le plus souvent les deux ensemble) ne vient pas de la peur de tomber dans les choses mais de succomber au désir d'y sombrer une fois pour toutes, d'atteindre ce qu'il poursuit et de consentir ainsi à sa perte. La distance est l'unique bien dont dispose celui qui écrit ainsi tourné vers les choses parce qu'elle l'en détourne : c'est elle, dans le meilleur des cas, qu'il décrit comme son véritable objet.

Tout porte à croire que telle est la prégnance de l'espace qu'il n'existe pour l'esprit aucune issue qui ne passe par la soumission pure et simple à ses topiques. L'idée même d'issue accapare et oriente tous nos autres avatars. Locaux, locataires, localisés, nous sommes structurés comme un territoire dont nous pensons être l'inventeur et non le greffier. Mais il serait étonnant que la littérature même, elle *a fortiori,* ne reproduise pas à sa manière les étapes d'un processus plutôt que les détails d'un état. Si elle est de quelque manière enfantine c'est qu'elle renouvelle la question de savoir comment le sujet en est arrivé à se donner de telles normes, fût-ce au prix de diverses acrobaties périlleuses : déroutements, décentrements, déclivités, bifurcations, franchissements de limites diverses, sans que soit jamais atteinte la limite des limites. La littérature, qui est le récit des mises en formes, « la littérature sans nouveauté qu'un espacement de la lecture », selon Mallarmé, est d'abord, pour produire cet effet, une problématique de l'espacement.

Les grandes douleurs viennent de l'espace ou du temps, et il est vraisemblable que l'on couche plus souvent avec l'espace qu'avec sa mère. L'interdit de l'espace est notre lot, qui fonde la société et inaugure le sujet à l'instant même où il le place sous la loi de l'impossible. Qu'est-ce qu'une phrase sinon une suite d'intervalles? et qu'est-ce d'autre qu'une œuvre qu'une mise en forme des intervalles? Champs, topiques, conjonctions, réseaux, domaines, nœuds, détours, etc., désignent et dessinent l'espace mental où nous savons, comme dit Handke à propos de Sorger, « ce qu'être perdu veut dire ».

Sorger a de l'espace et de lui-même autant de représentations qu'il est possible, pour cette raison qu'il est successivement et simultanément dans l'expérience, l'information, le savoir, la béance, l'oubli, tantôt dans le cadastre et la notation, dans l'énumération des formes et leur description, tantôt dans l'harmonie et l'oubli de ses propres formes, tantôt dans l'espace mitigé des transitions et des transversales.

Mais personne ne sait au juste ce que c'est que décrire. La distance des mots aux choses autorise seulement de décrire l'intervalle, ce qui revient à décrire la description, et plus encore son impossibilité. Sorger ne décrit pas les choses mais leurs formes, ce qui est impossible si l'on n'y implique pas le mouvement même de l'esprit, qui ne se satisfait d'aucune forme parce que toutes le sollicitent.

D'une certaine manière le géographe et géomètre Sorger, qu'obsède la représentation de l'espace dominateur et dominé, se livre à un découpage incessant du champ figuratif dont il énumère les modalités en même temps que ses propres assises. Que les formes deviennent forces et la construction de l'espace devient opération mentale. En cela Sorger est architecte, « Amphyon ralliant les pierres », comme dit Caillois. Sorger construit le dictionnaire d'une énumération qui permet de lire *Lent Retour* comme une déclinaison de *formes* (sillage, vague, lisse, masse, déviation, rotation, asymétrie, etc.), de *relations* (proche, par-delà, au bord, auprès, au-dessus, contre, sur, de tous côtés, etc.), de *constructions* de la nature-culture (maison, mur, fleuve, île, rue, etc.), *d'actes* où les formes et les forces, naturelles et mentales, se suscitent et se confirment (sinuer, reculer, heurter, s'étendre, surplomber, délimiter, rouler, s'emboîter, etc.). Les figures et les lieux forment ainsi des systèmes, vastes ou réduits, mais notre rapport à ces sytèmes forme lui aussi des systèmes, vagues ou précis, s'excluant ou s'intégrant, hétérogènes, dispersés ou ajustés. Pour Sorger le soucieux, il n'est guère de souci que de l'esprit préoccupé de s'ajuster ou de se disjoindre, de se construire : pur mouvement dont l'œuvre est le lieu.

A l'espace classique qui place les distances, mesure les angles, intègre les décrochements, Sorger demande un profit pour lui-même. La chasse et la cueillette des formes terrestres exigeaient une contention méthodique et une liberté toutes cartésiennes (diviser, dénombrer, réunir), qui, en tant qu'exercice des limites, évidaient le moi du géomètre de ses humeurs et de ses états, bref des écœurantes variances de l'*informel*. Mais cette géométrie de l'anonyme tombe, en plein succès, sous le coup d'une critique qu'on pourrait dire bergsonienne : « Les formules de sa science ne manquaient jamais d'apparaître à Sorger, malgré toute sa conviction, comme une joyeuse escroquerie; leur façon ritualisée de résumer le paysage, la manière dont elles décrivaient le temps et l'espace lui paraissaient discutables » (p. 20-21).

Sans doute, comment ne pas rêver d'un géographe sans géographie et d'un discours que l'absence de langage mettrait à l'abri de toutes les trahisons, voire de toutes les sottises? Ce Sorger n° 2 qui, par dégoût de penser au moyen d'une « langue forgée par l'histoire humaine », décrète l'abolition de tout espace organisé en jetant aux orties toutes les dénominations, ressemble à quelqu'un qui, abandonnant le domaine de la perspective pour entrer dans celui (mais est-ce un « domaine ») de l'ouverture et du flux, tenterait de passer du solide au liquide, de la science positive maniant les symboles à l'*intuition,* cette « sympathie par laquelle on se transporte à l'intérieur d'un objet pour coïncider avec ce qu'il a d'unique et par conséquent d'inexprimable », pour reprendre la terminologie bergsonienne.

Après une relation à l'espace qui maîtrisait le moi dans les exigences formelles d'un discours mesuré, induisant des postures d'universalité et de solidarité quasi abstraites, une autre relation, provoquée par l'effacement de toute relation, l'abolition de toute limite, produit un effet d'anonymat assez comparable : dans l'indistinct comme dans le distinct, dans la fusion comme dans la perspective (Bergson dirait : dans la description et le relatif comme dans la coïncidence et l'absolu), le sujet expérimente une transformation libératrice qui le transporte par mimésis, ou par pur transport, ou par alchimie, dans l'énumération des signes ou dans l'infini indistinct.

Le lecteur aura sans doute bien du mal à se garder de l'illusion qu'il est, lui, transporté dans la conscience de Sorger et que c'est elle qu'il lit. Dans ce dur combat, dont Sorger est à la fois le champ et l'enjeu, entre le Formel et l'Informel, l'imaginaire penchera toujours vers ce dernier. Mais le récit, pourvu qu'il consente à le lire, lui offre d'autres pistes, qui sont précisément celles du récit. Si réflexion phénoménologique il y a (encore faudrait-il s'entendre sur le sens de ce mot), c'est-à-dire écart par rapport à *la pensée naturelle* et critique de la connaissance, on la doit davantage au récit de Handke qu'à la conscience de Sorger. Il ne faut pas confondre ce que Handke dit que Sorger fait, imagine ou pense et ce que fait et écrit Handke par ailleurs. *Lent Retour* est un livre qui *dit* ce que dit Sorger, mais qui *montre* ce qu'il fait en le disant. Pour autant que Sorger existe, il n'existe que comme un des éléments du roman qui l'utilise pour se constituer en réflexion : la phénoménologie est dans le roman, pas dans Sorger.

Contrairement à ce que pourrait faire croire l'impérialisme romantique du personnage, *Lent Retour* est un récit à plusieurs points de vue et qui prend cette multiplicité des points de vue, ces « choses concomitantes et pourtant inconciliables », pour objet. *Lent Retour* n'échappe à l'idéologie sorgérienne que par la forme encyclopédique que lui impose Handke et qui s'appelle la liste. *Lent Retour* est un roman *listé* qui décline les multiples relations à l'espace, le plus souvent contradictoires, qui peuvent se trouver ensemble dans une même conscience. Étranger de ce fait à toute dialectique, il se propose comme un inventaire des formes qui indifféremment délimitent ou illimitent ce qu'il convient, au hasard ou selon l'usage, de délimiter ou d'illimiter. Les formes engrangent ce qu'elles laissent échapper, tandis qu'elles libèrent ce qu'elles récupèrent. Elles ne sont ni du dedans ni du dehors, mais de cet espace imaginaire intermédiaire d'où elles sourdent à la fois comme des rumeurs et comme des axiomes.

Suivant Sorger dans cette aventure et dans ces avatars, je dresserai la liste des états des lieux, des états d'esprit, des lieux d'esprits, dans l'ordre de leur apparition :

La fatigue (1) décrite, en termes lucréciens, comme « une déviation par rapport à la verticale », ce qui semble sortir tout droit de Teste, le fatigué de nature. La fatigue est un espace de clinamen : une ligne avec écart, un bruitage dans les lois naturelles. Des « états de no man's land (2) », états sans lignes ceux-là, pays de l'absence du moi. Sentiers croisés (3), non reliés, sans direction, maisons dispersées : nœuds du hasard, bifurcations, écarts, espaces de la création. Les mêmes vus d'en haut (4), le réseau s'organise en plan, position de surplomb, état de cohérence de lignes pleines, géométrie, communication, sociabilité, économie. La mise en abyme du travail de listage (5) : papier, crayon, cigarette, chaque objet utilitaire provoquant des formes contrastées, surface lisse, cylindre, fumée, elles-mêmes origines, selon les cas, mais toujours ensemble, de règles ou d'aléas, de géométrie ou de flux. La métonymie (6) universelle raccordant tous les événements de l'espace et du temps, abolissant les frontières entre l'histoire de l'homme et le cycle des saisons, le paysage intégrateur, image de la totalité, qui clôt la liste sur elle-même, la délivre de son infini. Aussitôt la fragmentation (7) : « un fragment tout à fait particulier de paysage », qui, par un mouvement inverse, se détache *ex abrupto,* inconciliable, la distinction des plans et des zones mythiques (« nature sauvage », « vallée humaine ») où l'œil s'enfonce ou dont il se détache, comme revenant sur lui-même. Comparable, le jeu de la distance (8) et de la proximité : l'Europe, les Indiens, espaces de la socialité, séparation et/ou fusion, sans qu'il soit jamais possible de s'installer, ni dans l'être-au-cœur ni dans l'être-étranger. La circularité (9) sans intervalle de la pensée et du monde se glissant l'un dans l'autre hors de toute réflexivité, relayée par la circulation du sang, des saisons, non pas le « ma pensée s'est pensée » mallarméen mais quelque chose comme : de la pensée a passé le relais, continuum sans faille ni distances. Cercle sans origine qui, pourtant, quelquefois, en trouve une quasi mythique, maternelle (10) : « L'Indienne, bien qu'ils se trouvassent à une table sans haut ni bas, était pourtant celle en qui, pour ainsi dire, le cercle prenait son origine. » Mais, plus loin, ce continuum et cette origine qui ne sépare pas rencontrent la menace et la nécessité du passage par zéro dans le calcul infinitésimal du paysage (11). « L'absence de formes ne cessait pas : dans la disproportion de chaque instant pulsait déjà le point suivant de l'informel. » Ici, le monde et le sujet, affrontés à la double évidence du ponctuel et de la ligne : comment passer du point à l'infini? comment faire le saut d'un état d'esprit à un autre, d'une phrase à l'autre, alors que surgit toujours l'intermédiaire, le trou qui fait éprouver l'étrangeté, par où s'engouffre l'autre, absolu obstacle qu'il faut franchir? Alors intervient une nouvelle distance (12) : lettres sans réponse, la privation des signes (« muet à l'intérieur il n'émet aucun son vers le dehors »), tandis qu'aussitôt après c'est au contraire le continuum (13), le flux élocutoire, qui assure à nouveau la circulation (« il vit l'image claire du fleuve [...] Sa langue était le *jeu* où il redevenait *mobile* »), l'accouplement des mots et des choses, la copule universelle, jusqu'au moment où (14) « embrassant le paysage du regard », y appliquant l'effort de sa conscience, distinguant à nouveau l'infini du fini mais sans hiatus et sans halte, Sorger retrouve (15) le continuum bergsonien de l'immédiat (« tout instant isolé de ma vie va de pair avec tout autre sans maillons intermédiaires »), formule où le paradoxe de l'espace, un et multiple, uni et divisé, trouve la solution, toute provisoire, de l'oxymoron : « Un lien immédiat qu'il me faut simplement imaginer en toute liberté. » Mais qu'est-ce qu'un « lien immédiat »? lien sans lien? lien sans lieu? qu'est-ce qu'une médiation qui se fait immédiate? Qu'importe : le passage tantôt passe, tantôt passe par le passage; tantôt de un à deux la route est longue, interminable, empêchée d'obstacles picaresques, tantôt (à moins que ce ne soit dans le même temps) elle est éprouvée et décrite comme « le triomphe d'une totale présence d'esprit », lieu où règne l'indivisible. Et Sorger, l'homme-paradoxe, « décidé et irresponsable », « inconséquent et têtu », l'homme de ce ET minimal et prodigieux, qui lie à peine, sépare tout juste, réunit aussi peu que possible, se tient sur l'arrête de cet espace utopique et sans conclusion.

Le récit à propos de Sorger n'exerce sur cette succession de points de vue aucune position dominante : c'est le discours du *tantôt...tantôt,* du *ensuite* et du *et alors.* Récit de dérèglements et d'autorégulations : « Quelle que soit la nature de la conscience, elle est substitution » (Valéry). Expérimentant çà et là des espaces-puzzles hétérogènes, Sorger nous livre une des vérités de l'espace, à savoir qu'il n'y a pas *un* espace, mais *des* espaces éparpillés que la conscience douloureuse tente parfois vainement de reconstituer.

Comment penser à la fois la limite et l'infini? Telle est la question par où le sujet vient à lui-même et s'en sépare. Comment penser à la fois le proche et le lointain, penser alors n'étant plus peser mais passer. Les espaces clos n'abolissent pas pour autant l'arrière illimité de l'horizon. La clôture et l'horizon se dévorent mutuellement comme des parasites. Sorger voudrait la fusion, mais il n'y a que du *seuil* (« en entrant dans la salle de séjour il fit l'expérience du seuil »). Cette expérience du seuil, la métaphore l'économise, mais la marche, par exemple, ou l'écriture, l'exhibent : « Il allait et venait sans cesse et il se berçait, à force, de sa propre marche : il n'arriva plus qu'à ressasser des nombres. »

Problématique essentiellement romantique, insoluble. « Nous cherchons l'Inconditionné, note Novalis, et jamais nous ne rencontrons que les choses. » Que le conditionné et l'inconditionné soient inconciliables, cette constatation a déjà angoissé Werther, dont Sorger n'est ici que l'avatar. Werther a en effet posé une fois pour toutes la double contrainte romantique de l'intervalle et de la proximité. Comme pour Sorger, mais aussi pour Kafka, l'exercice épistolaire est l'expérience douloureuse de la distance infranchissable et du paradoxe d'écrire pour être là. Héros de la coïncidence, Werther en est surtout le martyr. De même, quand Sorger marche, il rencontre nécessairement la question de l'infini entre un et deux. Le fantasme du continuum est commun à Sorger et à Werther. « Nous jouons à compter, dit Lotte, attention! Je tourne de droite à gauche : vous comptez! chacun son chiffre! A mesure que le tour lui vient, celui qui hésite ou qui se trompe reçoit une gifle! et ainsi jusqu'à mille. » De deux choses l'une : ou bien le joueur parvient à s'accrocher à la chaîne des entiers en nommant le bon chiffre (2 après 1, 776 après 775, etc.), ou bien, investi par l'irrationnel, il saute un chiffre, se rend coupable d'introduire l'intervalle, délabre plus ou moins intentionnellement l'édifice formel, impose la fragmentation au paysage, le fragment à l'écriture, et alors que sa folie soit punie de mort! Il est évident que Werther ne pouvait pas ne pas se tromper, lui, l'homme supplémentaire dans le couple Albert-Lotte, lui, l'homme impair.

Paradoxalement, c'est la distance qui produit des fantasmes d'immédiateté, des ersatz de plénitude. Comme Werther, Sorger est l'homme du dessin. Le dessin a ceci de particulier qu'il maintient la présence de la distance en l'effaçant fictivement. Dessiner, c'est rapprocher un morceau d'espace dans le geste et le moment mêmes où l'on prend conscience de l'éloignement. Quand Werther écrit : « Tu connais depuis longtemps ma manière de me caser, de me construire ma hutte en quelque endroit familier pour m'y arranger à peu de frais », Sorger reprend en écho : « La conscience finit par se ménager ses propres petits espaces au sein de tout paysage. » Dessiner, c'est conquérir imaginairement la proximité dans la négation de l'intervalle.

En cela, le dessin signale parfaitement le paradoxe romantique : inventer du médiat qui soit de l'immédiat, tracer des signes qui ne figurent pas la distance. Sorger n'énonce que des phrases *paradoxales* du type : « Pendant la journée, grâce à son travail, il ne faisait plus qu'un avec lui-même et le paysage », ce qui revient à énoncer dans le même temps le désir de l'immédiat et de l'impossibilité, en quelque sorte technique, ne pas exhiber le langage comme médiation. L'homme de la coïncidence ne cesse de rencontrer la langue, dont il ne pourra jamais se déprendre que par un peu plus de langage, une sorte de grandiloquence du mutisme, qui n'aboutit au mieux qu'au soupçon : la mise entre guillemets. Le guillemet dénonce la distance alors même qu'il la constitue et la reconnaît comme la forme originaire de la conscience. C'est la langue, et elle seule, qui révèle à Sorger l'exacte nature de l'espace : l'intervalle, la succession, les ruptures. « Pendant un certain temps sa respiration inégalement longue ou brève lui avait secrètement communiqué, en morse, ceci ou cela et, presque soulagé, il avait cru pouvoir s'en tirer sans paroles. » Personne, surtout pas Sorger, ne peut s'en tirer sans paroles. Le morse est la langue de l'espace, fabriquée à l'image de l'espace, pour parcourir la distance : de « l'espace qui isole les strophes et parmi le blanc du papier », comme écrit Mallarmé. Le blanc, le guillemet, l'intervalle sont la forme extérieure des mots et la phrase l'expérience toujours recommencée du discontinu.

Ramener l'errance et l'hésitation sorgériennes sur les positions ouvertement bergsoniennes de la troisième partie serait lui faire hommage d'une lecture quelque peu réductrice. L'exaltation finale de l'élan vital et de la durée créatrice, le rejet du signe du côté du relatif et du social et l'invention du « moi profond » dans l'absolu hors-signe, ne semblent pouvoir être lus que pour ce qu'ils sont, à savoir la citation d'un fantasme d'Occidental en fin de parcours qui trouverait plus facilement son origine dans l'*Introduction à la métaphysique* de Bergson que, tout compte fait, dans les *Recherches pour la phénoménologie* de Husserl.

« La durée toute pure, écrit Bergson, est la forme que prend la succession de nos états de conscience quand notre moi se laisse vivre. » Heureux les bergsoniens ! mais Sorger n'est pas, il s'en faut, un bergsonien heureux. On pourrait tout aussi bien lire par-dessus son épaule *la Philosophie du Non* ou *la Dialectique de la durée* de

Bachelard. Cette durée totalitaire, romantique, irréversible et pourtant sans entropie, par laquelle Sorger entend se fondre et s'abolir – se liquider – dans l'histoire du monde, relèverait au mieux de l'indicible et en aucun cas de la représentation symbolique. Mais jusque dans le flux, Sorger achoppe encore, et c'est ce qui fait son charme, aux données *médiates* de la conscience et se laisse aller à des réflexions dont il ne mesure pas aussi bien que le texte dans lequel il figure le paradoxe, par exemple : « Ça, c'est moi! » Par chance, je l'ai dit, l'intimité de Sorger ne nous intéresse que comme réceptacle du montage de discours contrastés, inconciliables ou complémentaires (il n'y a pas un espace mais des espaces, pas une durée mais des durées, notait Valéry) que réussit admirablement Handke dans ce roman *dialogique* où les paradoxes zénoniens sont aussi vrais que leur réfutation par Zénon, et où la souffrance qui vient de l'espace, métaphorisé dans les écarts et seuils perpétuels de l'espace mental sorgérien, se communique au lecteur pour peu qu'il veuille bien lire *tout* l'espace de la fiction, à la fois sur le mode de la succession et sur celui du simultané, c'est-à-dire s'il veut bien, comme il est écrit dans *l'Athenaeum,* « entrer dans la marche de l'esprit humain ».

Note

1. Paris, Gallimard, 1982.

Valéry ou la désorganisation

Aucun texte ne s'explique, sauf métaphoriquement. Expliquer, si c'est comme on dit déployer dans tous les sens, c'est déjà poser la métaphore comme principe, ou l'avatar. On ne file pas le destin d'un discours dans un *tout en un* que viendrait couper le cri mégalomane de quelque eurêka. Il me semble que *la Jeune Parque* n'est pas *la Vieille Parce Que.* Tout au contraire, elle désigne dans sa fuite l'hétérogénéité des questions. Celles qu'elle se pose, qui se posent à elles, qui la posent et la déposent, celles enfin qui imposent à la lecture un procès de complexification. C'est ainsi que Lucrèce s'interroge : « D'où pourrait venir, je le demande, cette si grande variété des choses, si l'on admet qu'elles sont nées du feu pur et simple [1]? » Non, c'est dans ces chocs et mouvements incessants que se forment toutes choses. Il faut savoir reconnaître le pli dans le déploiement et le déploiement par-delà le pli.

Expliquer implique d'abord la reconnaissance d'une extériorité infinie et d'une intériorité sans limites. Il y aurait par hypothèse un dehors, et ce dehors serait infini, et un dedans, et ce dedans serait infini, et une équivalence à reconnaître et à forcer : le dedans serait dehors, le dehors dedans. Comme dans l'espace lucrécien, il ne saurait exister de bordure d'un texte, car une telle extériorité supposerait un point en dehors d'elle d'où la constater – ce qui ferait reculer la bordure à l'infini. La métaphore lucrécienne est ici éclairante : « Il n'importe en quelle région de l'univers on se place, puisque toujours, quelque lieu que l'on occupe, on laisse le tout immense s'étendre également dans tous les sens [...] Sans cesse de nouvelles échappées prolongent à l'infini les possibilités de s'enfuir [2]. » De s'enfuir, c'est-à-dire d'expliquer. Comme il faudrait toujours non seulement expliquer le besoin d'explication, qui est peut-être inexplicable, mais expliquer aussi l'explication, puis l'explication de l'explication, et ainsi de suite, et comme cela est impossible, on tient la métaphore pour une réduction provisoire à un carrefour unique d'une multitude de chemins sans terme, grâce à quoi on n'obtient jamais que l'imminence d'une explication qui ne se produit pas mais qui soutient l'esprit contre lui-même.

Mais le texte est aussi cet ensemble de pactes selon lequel les semences élémentaires s'assemblent par déclinaison et se rencontrent comme de toute éternité et dans l'infini. Image de l'infini, au passage : vingt-six lettres, douze milliards de neurones et des milliards de milliards de milliards (etc.) de connexions entre eux. Cela devrait suffire pour imaginer. A condition de ne pas oublier que ce sont les pactes à plusieurs qui comptent, les patterns, et non telle ou telle connexion singulière. De toute façon, comme dit Valéry, « rien de réel n'est qu'une seule chose [3] » : expliquer, si l'on y tient, c'est mettre au pluriel. Expliquer, comme écrire, est toujours diaboliquement multivoque : « le style, c'est le diable [4] ».

Je continue Lucrèce : si un terme était assigné à l'espace où se meut l'univers, la masse de la matière serait venue depuis longtemps affluer vers le bas, « il n'y aurait plus du tout de ciel ni de lumière du soleil, puisque toute la matière, en se déposant de toute éternité, aboutirait à n'être plus qu'une masse inerte [5] ». Ce qui arrive fréquemment quand on croit toucher le fond du texte, lorsque ses dehors, réduits à quelques-uns, prétendent circonscrire son dedans. On entre alors dans ce qu'on appelle dogme ou croyance, où c'est justement le manque d'explication qui a réponse à tout.

« Toutes choses naissent sans les dieux », mais « rien n'est jamais engendré de rien divinement [6] ». Il faut s'y faire et admettre que le texte, ou l'œuvre, ne sera jamais qu'un moment de cette déclinaison et de cet enchaînement de déclinaisons qui se poursuivent en dehors et après lui, aussi bien qu'ils viennent d'avant et de dedans. La métaphore lucrécienne, qui trame dans le même clinamen l'univers physique, le mental, le coït et le texte, fait-elle figure de *ratio* productrice dans l'œuvre valéryenne?

***

Lucrèce est peu cité. L'homme du déclin témoigne à celui de la déclinaison la même indifférence qu'à l'ensemble des autorités. Certes, on voit mal Valéry reprendre en écho l'hymne initiatique à Vénus, *voluptas* et *genitrix*, admirable conjonction du plaisir et de la transmission de l'espèce. Avec un peu plus de présence d'esprit l'humanité irait bientôt à sa perte, ce qui serait autant de gagné : self-control et contrôle des naissances, c'est tout comme.

Classé avec Homère dans la catégorie des « poètes impurs » parce que philosophes, Lucrèce fait pourtant figure d'exception remarquable : il philosophe en antiphilosophe, contre les idoles [7]. Si la peur ou la croyance viennent de ce qu'on ne peut voir les causes, l'idolâtrie vient d'en voir trop. Là-dessus, dans sa critique de la cause, Valéry ne se distingue pas de Hume. D'une manière générale, ôtez le mythe et vous pénétrez dans l'espace-temps du CEM [8] et de ses variables, vous divaguez et vous réordonnez dans le système à variations instantanées du significatif-formel-accidentel, vous tolérez douloureusement, joyeusement aussi, l'interminable translation des points de vue. C'est qu'il y a une « nature des choses » qui est la nature de l'esprit et l'inverse exact de toute Nature : aucune totalité unitaire ne vient subsumer l'ensemble des parties en perpétuelle mutation, si ce n'est précisément comme mythe, ou comme roman. Le secret toujours exclu ou refoulé du même, c'est l'autre : ce que veut Narcisse c'est s'ignorer totalement dans le contour de son pitoyable même. Ce parvenu du moi se cherche une origine : erreur, s'il était un peu moins philosophe, il trouverait des phases, des conjonctions, des cycles, mais d'origine point. Se chercher une origine oblige à sortir du CEM et à entrer dans le dictionnaire, la litanie, la Nature.

Tant que les atomes tombent parallèlement, il ne se produit rien. Fiction d'une chute pure, qui atteindrait tous les corps non visibles, atomes ou pensées. Si tout tombe, seulement, rien ne monte, jamais un événement n'a lieu. C'est le règne paradisiaque et futile du linéaire et de l'homogène. Voyez ce que ça donne dans ces romans où, en termes lucréciens, on tire à la ligne. Là il n'y a que de la cause, de la Nature, du déjà-dit. Si quelque chose doit advenir, historiquement, dans l'ordre de la pensée ou du monde, il faut quelque plissement, un ondoiement divers, une entrée en enfer, et l'abandon de toute espérance ou morale humaine. A l'horizon, on verrait que quelque chose comme les *droits* de l'homme et la littérature sont totalement incompatibles.

Il faut donc que ça plie. La pensée le montre bien, qui est une douleur. Teste souffre, il n'est que plissement mental – dramatique ou tragique, c'est à voir. Teste ou le clinamen. Son territoire, sa métaphore, le lieu du retour, l'utopie adamique, mais d'un Adam sauvé par le serpent, c'est le lit. « Reste mon lit. J'aime ce courant de sommeil et de linge : ce linge qui se tend ou se plisse, ou se froisse [9]. » Le drap, le serpent, la pensée : il s'agit seulement de montrer un mouvement, non pas de le dire. Je suis vieux, je suis enfant : la même torsion, contorsion, les retrouvailles avec le plissement premier. Teste montre le monde intérieur au moment où il naît dans le paysage lucrécien de la nature des choses. Ça chute, ça s'incline, ça se rejoint et se défait. « C'est de la mécanique bien complexe. Dans le sens de la trame ou de la chaîne, une déformation très petite... Ah! » Dans le sens de la chute linéaire, pure, mythique, quelque chose, du très petit, une dérive, une variation minimale survient : *nec plus quam minimum,* un petit détail qui change tout, d'où quelque chose peut naître. Instant bref (« Ah! ») où ce « pas grand-chose » apparaît, « un dixième de seconde qui se montre ».

Cette métaphore a elle-même ses métaphores : l'éclair (« il y a de ces éclairs qui ressemblent tout à fait à des idées »), la brume avec ses apparitions, le cri, « l'*objet,* le terrible *objet,* devenant plus petit, et encore plus petit [10] » : pensée – atome. Pas de Un, ni de Moi plein ou profond, mais une multitude d'éléments insécables qui ne tendent vers aucun centre : au contraire ils s'en écartent toujours, laissant voir la trame de vide, l'intervalle qui les rend possibles. Moi pur c'est zéro. Il faut du zéro, l'invariant en milieu vide, pour que le pacte provisoire produise l'*objet,* si petit soit-il. Quelque chose décline alors sur le vide laissant apparaître une trace, voire une preuve, un témoignage *(testis)* – qui est la souffrance. « Cette géométrie de ma souffrance [11]. » Le mot géométrie renvoie à Bergson, mais pour contester l'euphorie de la durée.

Le témoin de Teste l'a bien vu : Teste est incohérent (« il lui échappait des phrases presque incohérentes »), façon de dire qu'il dévie. L'instant d'avant, au théâtre, les choses étaient peut-être plus complexes. Teste regarde, se demande s'ils sont purement et simplement soumis à la loi (ici : l'idéologie) de la Nature sociale, au lien religieux de leur identité, s'ils forment un Tout, avançant de bon cœur vers un maximum d'entropie (« Je parie qu'ils pensent tous, de plus en plus, *vers* la même chose »), ou si au contraire, chacun étant à sa place, dans la masse indifférenciée, reste pourtant « libre d'un petit mouvement ». *Nec plus quam minimum.* L'homogène ou la déclinaison? Teste hésite sans doute, trop actif encore, trop martial, pas assez enfant au lit dans les draps froissés, ou moribond. Et pourtant – la métaphore – « *il ne perdait pas un atome* de tout ce qui devenait sensible ». C'est pourquoi il meurt sans cesse, comme la Parque, mais ne meurt jamais, comme elle. « La mort est l'union de l'âme et du corps dont la conscience, l'éveil et la souffrance sont la désunion [12]. » Il faut que la vie dévie si la mort est dans l'homogène. Teste lui aussi désunit son destin dans une fluctuation où *monde* rime avec *immonde.* Il est *lui-même,* c'est-à-dire celui qui toujours *se manque.*

Lucrèce est donc « une exception remarquable » : il a décliné, il a fait un écart. Il y a une petite différence, un rhumbs. « Seigneur, j'étais dans le néant, infiniment nul et tranquille [13] » : indifférencié, identique, parallèle, insignifiant. « J'ai été dérangé de cet état pour être jeté dans le carnaval étrange... » Tourbillon où les grains de poussière s'écartent et se rejoignent. Ces rhumbs ou « écarts définis par contraste avec je ne sais quelle constante [14] ». Je ne sais laquelle : elle est fictive. Ce que je vois c'est l'écart, l'incident. Écrire, par exemple, qui est toujours écart par rapport au rien : l'infinité des écarts qui conduisent Rimbaud à Harar. C'est aussi en termes d'écarts qu'est défini l'écrivain : « il est un écart, un agent d'écarts [15] ». Mais Teste s'écarte en n'écrivant pas, ou si peu, le moins possible, juste de quoi manifester un écart minimal. Écrire s'écarte un tantinet de ce vide, sans raison apparente, sans détermination ni projet (« écrire quoi [16]? »), pur déhanchement, comme marcher sur les rochers de Perros-Guirec, écart des autres, du même, du même que les autres. Sans le vide, et l'éternelle frustration, si Achille rattrape la tortue, pas de *hasard* ni de *bonheur* d'écriture. Écrire c'est accueillir l'écart à jamais.

La métaphore est ici relayée par la notation des cloches de Gênes : « /Tan/Tî rîn/tantan/.../Tan/.../ », ce vide noté entre les sons, sans quoi pas de sons, pas de cloches. C'est bien d'écriture qu'il s'agit, de lettres dispersées et assemblées pour faire sens [17] : « Je demeure, l'œil fixé sur la cloche qui à cent mètres d'ici tinte; détourné et la main arrêtée qui tient la plume prête – à quoi? Le vide [18]. » Voilà ce qu'il faut d'abord reconnaître : le néant où l'on était, puis l'incident qui garde quelque chose du néant, l'empreinte du vide sous le pas : « l'éclair, le premier moment du premier état, le saut, le bond hors de la suite... [19] ». Teste : des ramifications, des crochets, des changements « si variés, si libres, et pourtant si limités [20] ». La création du monde, c'est Teste quand il crée pour lui-même, mais sans « moi », sans jamais aller jusqu'à la compacité de l'œuvre. Rares sont ceux qui lui savent gré de cette défaite.

De ce tourbillonnement stochastique la nature visible n'est pas chiche. Les combats sans trêves des « menus corps » observés dans un rayon de soleil, image de l'« agitation éternelle des corps premiers dans le vide immense [21] », les voici retrouvés dans les mouvements imprévisibles de la « mouche errabonde, importune, inexplicable [22] ». Mouches : « véritables grains d'énergie » dessinant les courbes les plus bizarres, qui d'ailleurs donnent à voir l'infiniment grand aussi bien que l'infiniment petit, Newton et Boltzmann : « Une trentaine de mouches suspendues à leur mouvement dans l'espace créent un système planétaire et un murmure statistique indifférent [23]. » Dans la suite des *Rhumbs* sont notées scrupuleusement toutes les manifestations d'écarts sur une base homogène : bris et débris des rocs, voix d'enfants, cris, chocs dans la maison, etc., où s'inscrit l'image de la dissipation et de la dégradation, autant d'ouvertures, au passage, sur la métaphore thermodynamique. Le cri est l'élément insécable, l'atome, la poussière de Brown : ainsi la vague est définie comme « matière en ébullition par l'infinie quantité de cris intimes [24] ». La vie naît du bref : « brève épilepsie » de « ce petit moment hors de moi [25] », d'où viennent idées et sentiments. A nouveau, l'image de la poussière dans le rai de lumière et le rappel de la vanité des formes atomiques : le temps est stochastique, il y a « des particules de temps qui diffèrent des autres comme un grain de poudre diffère d'un grain de sable. Leurs apparences sont presque les mêmes, leurs avenirs non comparables [26] ». Temps atomisé où l'instant est défini comme un affect d'« effets de choc et de contraste [27] ». Voici que la modernité, tout entière mise en abyme, fait retour par l'imaginaire au chaos initial, dont elle s'intoxique. L'écart désigne aussi bien le perpétuel décrochage du siècle, sa douleur, que le bonheur d'être délicieusement tiraillé en divers sens par les mouvements de la déviance.

***

Dévions – que faire d'autre? L'esprit « recule de négation en négation [28] » et c'est dans cette succession d'écarts minimaux qu'il se produit à l'infini : écarts du zéro, de la chute déterminée, de la Nature, mais avec pacte. Il lui faut du code pour s'écarter du code, du code pour échapper à la pure diffusion, pour s'assembler, revenir, de l'écart encore pour ne pas s'écarter, de l'écart aussi pour s'échapper dans la lacune, du manque pour se faire « antiPan », de l'écart toujours pour se conserver dans ses formes. Sinon ça chuterait vers le bas dans l'informe. Il lui faut du dérangement : le clinamen-pacte se dénoue un instant devant le clinamen-tourbillon. Désarmement par retour momentané à la contingence : le rire, le lapsus, le mot d'esprit, l'oubli. Mais un peu plus loin il lui faut faire sens, comme les lettres s'assemblent, et s'arrêter. Esprit carrefour, il *est* la bifurcation même.

Le roman est sans doute l'exemple le plus communicable de cette perpétuelle fiction du clinamen, pacte et tourbillon. On connaît la thèse : le roman produit du déterminé avec ou plutôt à partir de l'arbitraire, mais on n'en répète que le négatif sans nuances. Il arrive qu'au contraire l'arbitraire soit l'effet de réel recherché, la mimésis véritable. Ainsi chez Proust « une trame de détails véritables et arbitraires raccorde l'existence réelle du lecteur aux feintes existences des personnages [29] ». L'arbitraire ici se trame, donc se code. Il se code en nous et nous ressemble. En cela il suit la loi du clinamen sans quoi nulle fiction ne se crée. Au clinamen de cinq heures la marquise du moins sort : matière fictionnelle née au « hasard des rencontres », comme dit Lucrèce, unions d'abord sans résultat ni succès qui aboutissent enfin à former des combinaisons non arbitraires. Il en va de ces détails véritables et arbitraires comme des lettres de l'alphabet qui s'ordonnent pour faire sens, ou des corps eux-mêmes qui, par intervalles, passages, assemblages, rencontres, se figurent et se construisent différemment. La chute des atomes aspire à faire corps comme la chute déclinante des accidents est la seule loi à laquelle le roman doive obéir « sous peine de mort » : « Il faut – et d'ailleurs il suffit – que la suite nous entraîne, et même nous aspire, vers une fin. » Chute vers la chute, telle est la loi romanesque. L'arbitraire n'est donc qu'un moment, l'initial, préambule au code, à la trame. Après cela, bien sûr, il arrive que le roman, traître par fatigue, nous fasse croire à la Cause (cause unique : telle passion, tel vice, telle transcendance de l'Histoire, tel Sujet inscrit et exhibé en chacune de ses parties, le nom de l'auteur), c'est-à-dire à une Nature unique et globale qui déterminerait une fois pour toutes en sourdine le destin des personnages. Le principe de causalité, pure hypothèse naturaliste, installe la fiction du nécessaire dans l'ordre contingent et pactisé de la fiction, celle de l'origine et de la conséquence (filiation, déduction, explication) dans l'infinité d'un espace sans origine, sans paradis perdu ni lendemain. Le roman lucrécien est un roman sans centre ni bordures, et surtout pas renfermé dans la clôture du signifiant – fût-elle polysémique, car de toute façon elle est *finie*. Le roman traditionnel se lit nécessairement selon la Nature, c'est-à-dire la Nécessité. Puisqu'il cause essentiellement de cela : la Cause, on ne s'étonnera pas de le voir soumis à ce « démon explicatif » qui ne cesse de vouloir transformer en Nature la nature des choses. Entre ces incidents que le roman « enchaîne par une ombre de causalité plus ou moins suffisante » et cette « trame de détails véritables et arbitraires [30] », il y a encore une petite nuance, un tant soit peu.

Balzac pense selon la Nature et sa maîtrise : Cuvier, Geoffroy, Joseph de Maistre. Il écrit pour faire la preuve. Dieu et Newton, le Roi et Laplace. Plus c'est arbitraire, plus c'est signifiant. L'accident y intervient seulement comme fêlure, du pathologique sur fond d'homogène. La Société est Une ou elle n'est pas. Elle doit résorber ses écarts de la même manière que le romancier résorbe ceux de sa fiction dans le commentaire normatif. Enchaîner des causes n'est pas tout à fait tramer de l'arbitraire. Frédéric Moreau déambule dans les rues de Paris et dans « l'histoire » à la manière de l'atome élémentaire mais Lucien de Rubempré va à la mort soumis à la Loi-Vautrin, sorte d'avatar toujours dissimulé de la Cause. Esther et Lucien ne se rejoignent pas par union libre mais par la Loi-Vautrin : leur inclinaison réciproque, qu'ils vivent dans l'illusion d'une alliance singulière, est enchaînée, non tramée. Ils vont vers la mort comme vers la Cause finale qui était aussi leur origine : victimes d'une « ombre de causalité » à figure de forçat. De ce côté-là l'effet de réel (« effet de vie », dit Valéry) mime paradoxalement l'idéologie causaliste. De l'autre côté, du côté de chez Proust, il en va tout différemment : tous les écarts y sont conservés. Bien loin de les résorber dans la Cause, on en fait, en les exhibant, le principe même d'une écriture sans principes. Tout y est *fragment, connexion, division.* La narration n'obéit pas à un principe organisateur transcendant mais à « la surabondance des connexions » et des déconnexions, des combinaisons infinies qui trament le texte. Lequel n'est finalement rien d'autre que puissance active, dynamisme en acte, représentation verbale de cet « infini en puissance [31] » qu'est l'espace mental. Le roman proustien est donc aussi le « bordel des possibles », la mimésis des substitutions du CEM [32], le chant de l'écart infini mais conservé.

Que tu brilles enfin, terme pur de ma course !

Cette invocation kafkaïenne de Narcisse à qui l'accumulation des obstacles interdit de se rattraper lui-même raconte à sa façon la terrifiante histoire d'Achille et de la tortue. La continuité est dévorée d'intervalles. Le temps valéryen est souffrance parce qu'à l'instar du temps lucrécien il n'est pas par lui-même [33]. Ni général, ni universel, ni continu, il est écart, différence par rapport à une constante supposée qui serait le calme éternel de la chute homogène, irréversible, des atomes avant le clinamen. S'il y a temps, donc écart, le moi est temps, donc écart, toujours déjoué, d'avance devancé. Il n'y a d'existence, infinitésimale, que dans l'écart contre l'élan vital, dans l'asynchronisme et le choc qui déchoient la conscience de sa prétention à la généralité absolue. C'est à cette déchéance que se refuse Narcisse qui ne tolère pas d'être déçu. L'irruption de la déception fait surgir l'existence, mais Narcisse rate son existence. Il voudrait que la cataracte initiale soit à jamais interrompue par le pacte, une fois pour toutes, alors que le pacte n'est lui-même que passage, la durée n'étant jamais liquide, encore moins liquidée. Valéry parle d'*atomes de temps* [34], ce qui incite à penser qu'il serait plutôt du côté de l'intervalle infini, douloureux, que du plein retrouvé.

Narcisse ou l'anticlinamen. Narcisse aimerait que son moi touche au fond, en toucher le fond. Illusion propre à toutes les sciences ou demi-sciences du moi. « Or il est évident que rien ne peut avoir d'extériorité [35]. » Le point de vue du miroir est la fausse limite par excellence, qui fait croire qu'elle n'a pas d'envers. Narcisse vit le miroir, ou le savoir, comme un terminus. En se lançant comme un trait vers l'obstacle imaginaire qu'il fonde en obstacle absolu, « moi », Narcisse court à son extrémité, limite et mesure, terme pur de sa course. Mais « quelque lieu qu'on occupe, on laisse le tout immense s'étendre également dans tous les sens [36] ». Narcisse est un puritain qui ne fréquente pas assez « le bordel des possibles ». Son miroir est un mouroir. Il n'envisage son mouvement que du point de vue du fixe : la fixité est dans le miroir qui le regarde fixement, d'où elle remonte en direction de la conscience médusée. Mais « nulle part il n'y a de fond [37] ». Ou, comme dit Valéry, « si le moi est quelque chose, il n'est rien [38] ». Narcisse refuse de se prolonger infiniment et tout autant de se diviser à l'infini : se considérant limité, s'annule, ne trouvant plus dans le miroir qu'un monsieur.

En bref, dans sa passion du cristal (« son vrai séjour »), Narcisse tremble à l'approche de la moindre oscillation, du plus petit interstice de temps. Fontaine n'est pas ruisseau : elle ne flue, et l'on se baigne toujours dans la même. Toujours au présent, mais stagnante, elle est cet invariant sans écarts, onde sans carrefours, tension sans vibrations. Toute à sa *ratio,* à son destin, elle dort sans rythme, « sœur tranquille du sort ». Témoin du temps, et des amours qui passent et se divisent, elle ne participe à ses avatars. Modèle théorique sans attente ni surprise, sans transformations ni retours. « Aucun être vivant ne pourrait subsister dans un milieu sujet à des variations très rapides [39] », mais pas davantage dans un milieu sans variations. Les amours de Narcisse et de fontaine sont petites bourgeoises, ou, ce qui ici reviendrait au même, mythiques. Mais le moi narcissique reste en enfer : torturé par son désir d'abolir tout intervalle, et puisque le temps ne se connaît que par contrastes, il soupire, comme ironiquement Valéry en 1925 : « Jamais en paix [40] ! » A rêver d'une continuité immobile et d'une immobilité qui sont jaillissement, luttant tout à la fois contre la simple juxtaposition et contre cette « évolution dont les phases continues s'entrepénètrent » dont parle Bergson, il se prend lui-même au piège d'une conciliation impossible. Peur de durer, et de fondre dans cette durée, mais peur aussi du nombre et des découpes. Ni horloger ni mélodiste. Qu'est-il, finalement, sinon le seul qui ne puisse jamais dire « je », parce qu'il le dit toujours?

Tout autant nigaud, le rêve des nymphes que tout frémissement, tout frisson sortirait de leur léthargie. Dormant du sommeil du juste, elles ne rêvent qu'à leur infinie chute libre. Seulement, elles n'existent pas, terrifiées qu'elles sont, elles aussi, par l'écart. L'onde plate ou la pluie continue, la descente linéaire ou l'étalement : cela leur suffit – ces deux figures de la bêtise. Mais de la bêtise il ne sort rien : c'est égal ou c'est étale.

Le chaos ordonné, homogène, ne produit pas avant que n'intervienne la perturbation, désordre d'écarts ordonnés, mais à l'intérieur de cette déclinaison même il faut encore et toujours le changement : un mouvement qui soit « tantôt de translation, tantôt de rotation [41] ». Qui le soit *tantôt* ou *à la fois,* comme dans la toupie. Le système valéryen a trouvé dans la toupie son image pure : la même et une autre, elle s'écarte au minimum, elle ne bouge pas au minimum, et elle connaît le tout du système : cycles, phases, self-variance et retour au zéro. A la fin elle chute : passage inéluctable à l'autre métaphore, celle de l'entropie. Ce dont la Jeune Parque est protégée par la logique même de son hypercomplexité et de son auto-organisation. Quant à Narcisse il doit être tout de même un peu imbécile, qui ne voit pas la succession parce qu'il ne se soulève pas un instant de son miroir, qui ne voit pas que le miroir l'écarte pourtant de lui-même : l'image n'est pas contemporaine « à cause du temps de parcours de la lumière [42] ». Oui, cette obsession aveugle du miroir le rend totalement incapable de réflexion, c'est-à-dire de distance et de transformation. Il dort, et cette fontaine est un Léthé sans hasard et sans vie.

Reste à imaginer qu'à trop s'y pencher Narcisse y inscrirait enfin, en tombant, quelque tourbillon ou spirale, un rythme. Mais alors il serait la Parque dont le sommeil est d'une nature tout inverse : retour à la liquidité, au tourbillonnement, retour aussi de l'autre sur le même, écho et reflux (v. 425 et s.) [43]. Narcisse manque de serpent, la Parque en aurait plutôt en excès : « par quel retour sur toi, reptile... (v. 423) ». On songe à ce qu'en dit le philosophe : le serpent, ce « corrupteur professionnel », est « nécessaire pour expliquer le premier plissement dans l'innocence unie de l'Éden, pour assumer le premier *clinamen,* c'est-à-dire la première déclinaison arbitraire sans laquelle l'éternité eût continué éternellement, et qui empêche l'état paradisiaque d'être définitif [44] ». A la pure fiction logique de la chute libre, parallèle, hors temps et hors tourbillon, se substitue chez la Parque l'expérience du sinueux qui tue le paradisiaque en donnant naissance au temps.

Non pas « selon la nécessité extérieure », dit Alain, mais « selon les pures lois du monde [45] ». Obéir aux lois du monde, c'est trahir le destin et tromper la loi avec le clinamen. La Parque s'en remet au particulier et au local contre le global. Elle tue en elle l'esclave avec la belle âme. Leçon de physique et de physiologie. Elle fait corps avec le corps du monde et donc ne se soumet à rien. Pure déclinaison : « de mes destins lentement divisé (v. 7) » : j'y ajoute volontiers un e muet. Toujours à côté, un peu à l'écart, cosmique dans le mètre et par lui, régulier, jusqu'à la rime, tout à coup qui décline : *astre/désastre.* La rime qui à la fois divise et pactise, sépare et rassemble à l'extrême comme dans *vol* et *sol* (v. 307-308). Mais aussi à l'ambigu du moins que rien : *une larme qui fonde* (v. 6). Fondre et fonder : que choisir? faut-il choisir? *Le pas fondait* (v. 309) : passage de la dureté au glissement des vagues et aux larmes. C'est là que naît et se reconnaît le temps : dans le moins que rien, l'inassignable, le plus petit écart possible de la langue, un mot, un mot d'esprit. Le mot d'esprit dans ses rapports avec la physique. Le mot d'esprit comme clinamen.

Cette esquisse de substitutions qu'est la rime se retrouve peut-être dans le rêve qui incline aussi à nouer des contacts entre éléments hétérogènes : « Le ciel *est* bleu; ce bleu *est* vert; ce vert *est* arbre; cet arbre *est* marbre; marbre *est* marche [46]. » Toutefois, prudence : le rêve est un processus un peu simplet, et l'on ne voit pas la Parque rêver mais seulement s'y apprêter ou s'en remettre. Mais ce qu'il y a de commun entre rêver et écrire ce sont « ces petits songes brefs dont est composé le langage », ces accidents, ces bruits.

La voici donc dans sa chute en biais, en spirale, où les lettres elles-mêmes s'entrechoquent et se déplacent : « Je me remets entière au bonheur de descendre [...] Entre des mots sans fin, sans moi, balbutiés » (v. 454-456). Retour au germe, à la naissance du temps, là où se font et se défont les pactes. La Parque noue ainsi le monde à partir du moment de ses *retours sur soi* (v. 472), quand elle passe du *lisse* au *pli* (v. 473-475), de la *nappe* harmonique et parallèle de ses *mortels accords* (v. 480) au plissement du chaos natal (v. 481-494).

Et la voici finalement retournée à la turbulence, « recevant au visage un appel de la mer » (v. 500), de ce flux et de ce flot incertain qui sont contraires au tombeau. Métaphore de la nature à l'état naissant (« doux et puissant retour du délice de naître », v. 610), elle retrouve alors la règle initiale qui est la même pour naître et pour mourir. La tempête (v. 502), tourbillon capricieux, tel le soleil lucrécien irradiant des atomes de feu [47], porte la renaissance de la Parque soumise et libérée dans la même *ratio.* Car la réponse au *qui suis-je?* ne peut être esquissée qu'à partir de ce tourbillon, dans la combinaison des différences. Ni parallèle ni homogène, ni cyclique : vie et mort, non pas vie ou mort. « Chaque atome de silence / Est la chance d'un fruit mûr [48]! » Telle est la nature des choses : chance comme chéance et comme cadence. Chance comme chute, mais aussi comme surprise heureuse du pacte. L'expérience de la Parque est comme un salut pour Narcisse : pas de lisse, ni d'éternel, ni de simulacre, elle est immergée dans la physique. Pas d'identité ni d'identification possibles : les pactes, à peine formés, sont rompus. Plus de marbre, de statue, de néant (v. 148-172). Elle est *troublée,* donc elle vit. « Elle ne cesse pas de mourir [49] », elle est donc immortelle.

***

Pierre, gel, diamants, *fontaines scellées* (v. 211-226) : voici pour l'ordonnance de l'organisé simple. A quoi s'oppose – et c'est justement ce qui déclenche le poème, la question qui le fonde – une interrogation sur la logique de la complexité. Fontaines *scellées,* bien nommées puisque échappant à la liquidité ouverte. Les deux premiers vers de *la Jeune Parque* mettent en scène les métaphores protagonistes d'une théorie physique et biologique : le liquide *(larmes)* et le cristal *(diamants extrêmes),* nouveauté ou redondance, fluidité ou symétrie. *Larmes* c'est l'indice de bruit. Il y a de l'aléatoire et du parasite. Le système n'est donc pas figé. Situation inattendue, perturbation aussitôt traduite en question. *Qui pleure là?* ménage deux issues possibles : augmentation de la perturbation avec diminution de la redondance ou augmentation de la variété avec augmentation de l'information. En fait les deux voies sont ici parcourues. A partir du bruit aléatoire destructeur de redondance s'augmente la variété d'un système de moins en moins soumis au seul hasard. La Parque est donc un système ambigu qui tend à la fois à s'autodétruire et à s'auto-organiser. *Larmes* désigne la brusque élévation du niveau de complexité du système, et donc de la quantité d'informations manquantes sur ce système dont la redondance cristalline est tout à coup mise en défaut.

Larmes, cristal, manière aussi de faire reconnaître la nature du texte dans cette métaphore contrastée. Comme la Parque éprouve sa complexité à ce qu'elle ne comprend plus d'elle-même, tout texte

– et celui-ci plus que tout autre – sera dit complexe dans la mesure où le bruit y aura déterminé une augmentation de variété et de complexité telle qu'il devient impossible de reconstruire le système à partir de ses éléments [50]. Métaphore excitante : toute complexité serait mesurable, ne fût-ce que négativement. Il suffirait de dresser la liste de *ce qui manque* pour connaître le système, liste dont la longueur serait inversement proportionnelle à la redondance du système.

Donc, il y a du bruit, et la Parque se réorganise dans un incessant conciliabule avec elle-même pour échapper à la pure et dogmatique opposition de l'ordre et du désordre.

Alain, qui ne savait rien de l'information, le nomme pourtant exactement, ce bruit, dans le *qui pleure? :* « C'est le plus ancien dieu, l'homme même entendu dans les bruits [51]. » La *houle* (v. 9) est tout autre chose que l'espace newtonien des *inévitables astres* (v. 18), elle en est même tout le contraire. Gravitation ou chute en droite ligne, ce serait égal : le pur, le légal, l'intemporel et le total. Mais quelque chose désorganise. En termes de psychologie, cela se nicherait, refoulé, quelque part, inconsciemment : *une ombre de reproche, chose déçue, rumeur de plainte, crime* (v. 1-17). Mais en physique aussi la lumière qu'on voit est une lumière d'autrefois. Il y aurait comme un avant de la gravitation universelle. Quelque chose qui ne serait pas réductible au pur déterminisme-fatalisme selon lequel tout serait *docile à quelque fin profonde* (v. 5). Du bruit, du hasard, et déjà du RE-, une possibilité de retour, redécouverte et réorganisation, qui ferait avancer la machine en la transformant. Comme si, en deçà des astres constitués et de leurs règles, on remontait à la source houleuse, ou honteuse, pour s'y baigner et renaître. Le bruit survient avec la crise du paradigme, tout à fait explicite dans l'exergue cornélien du poème : *Le Ciel a-t-il formé cet amas de merveilles/ Pour la demeure d'un serpent?* Retour du péché originel et de la chute. Psychique : ce que le Système nommera accidentel, ou qu'en d'autres termes on nommera lapsus, mot d'esprit. Éthique, en ceci qu'il n'y a plus ni dogme, ni Un, ni éternité. Physique : on retrouve au départ un fluide en expansion. Autant d'hypothèses que de métaphores. Ce qui est sûr c'est que la Parque s'inaugure dans une inversion : c'est le serpent qui est premier. Et voici qu'au lieu de rester figée dans l'antique représentation – ce qui serait sa mort par rigidité : elle en convient, elle tend parfois à y céder pour en finir au plus vite –, elle écoute ses bruits.

Rêveries laiteuses ou *pierreries* rigidement dressées (v. 57-58)? Ni les unes ni les autres : on ne s'installe pas dans la dichotomie, fût-elle rebaptisée à la hâte dialectique. Plutôt oscillation, passage. Le passage passe par la mort. Mais quelle mort? Il y a la mort-onde mais aussi la mort-tombe (v. 61). La mort qui délie (v. 220) mais aussi la mort-temple (v. 210). La mort qui coule et la mort qui ferme. La mort-larmes et la mort-cristal. Il s'agit donc pour la Parque de trouver la métaphore la plus habitable pour son CEM [52] : temple et fleuve; gel et sang. Dualité en mouvance retrouvée soudain dans les arbres à la fois immobiles et flottants (*fluides fûts,* v. 207, *flottantes forêts,* v. 239). Un fleuve monte à la cime et la cime se fait mouvance (v. 210-242). De même, l'île : cristal par la roche et flot par la mer (v. 348-360). L'île, cette *terre trouble, et mêlée à l'algue* (v. 325). Et, plus loin, l'arbre réalise enfin l'union libre du destin solide et de la fumée stochastique : *Toute, toute promise aux nuages heureux!/ Même, je m'apparus cet arbre vaporeux* (v. 400). Ce sublime avatar de l'aléatoire sauve l'ordre de lui-même en le sauvant du désordre. Fumée-mort et fumée-vie. Ondes-remous (v. 62) et ondes-harmonies (v. 105). D'un bout à l'autre, et sans fin, elle mime sa mort pour se survivre en se recomposant. Se mêle à toutes les images du clinamen : éclair, foudre (v. 276-277), ou du variable : *tous les sorts jetés* (v. 320) des gouttelettes d'eau, « petit monde tout neuf, unique, aussitôt balayé [53] ». Accède au pluriel : il s'agit *des sorts,* non du destin. Passe du *sort spirituel* (v. 59) ou de l'*œil spirituel* (v. 174), moments du destin et de la prévision, à la polyphonie innombrable et libératrice des *pas déconcertés* (v. 279), des *nuances du sort* (v. 383), ou bien encore de cet écart absolu qu'est le *rire universel* (v. 347).

Bref, ce qui se perd dans la Parque c'est ce paradigme : la nature humaine. L'espace de cette perdition ne pouvait être que la mort (toutes les morts : mentale, physique, biologique) et son occasion la guerre (Valéry termine le poème en 1917), le conflit, tous les conflits. La Parque est un animal en crise, ou plutôt à la limite de la crise, affronté à une double injonction : vivre et en même temps mourir. Tel est le *double-bind* dont il lui faut sortir : se désunir sans mourir. Valéry inverse la solution traditionnelle : la mort est dans l'union, la vie est désunion. « La mort est l'union de l'âme et du corps dont la conscience, l'éveil et la souffrance sont la désunion [54]. » Comme Teste, la Parque est du côté de l'éveil et de la souffrance. Elle se désunit et part à la recherche de solutions métaphoriques plutôt que de compromis névrotiques. Contre le dualisme bloqué des oppositions binaires (vie vs mort, veille vs sommeil, intelligence vs sensibilité) qui servent tout juste à gérer la crise en prolongeant ce qui la motive, elle s'engage dans l'acceptation des bifurcations et des voies serpentines (fumée, division, désastre, désir). Elle se lie dans le délié et se construit dans l'aléatoire, comme si elle entendait répondre par avance à ce programme formulé par Morin : « Lier l'homme raisonnable *(sapiens)* à l'homme fou *(demens)*, l'homme producteur, l'homme technicien, l'homme constructeur, l'homme anxieux, l'homme jouisseur, l'homme extatique, l'homme chantant et dansant, l'homme instable, l'homme subjectif, l'homme imaginaire, l'homme mythologique, l'homme crisique, l'homme névrotique, l'homme érotique, l'homme lubrique, l'homme destructeur, l'homme conscient, l'homme inconscient, l'homme magique, l'homme rationnel en un visage à multiples faces où l'hominien se transforme définitivement en homme [55]. » La Parque en quête de paradigmes signale une crise du paradigme signalée à son tour par la crise de lecture qu'elle produit. Il m'a semblé que le nouveau paradigme dont elle aurait la prescience pouvait être aussi ce « principe d'ordre à partir du bruit » ou « hasard organisationnel » dont Henri Atlan donne la définition suivante : « Très schématiquement, ce principe implique que la redondance et la fiabilité d'un système complexe lui permettent, à partir d'une certaine valeur de ces paramètres, de réagir à des agressions aléatoires – habituellement destructrices pour des systèmes plus simples – par une désorganisation rattrapée suivie d'une réorganisation à un niveau de complexité plus élevé; celui-ci étant mesuré par une richesse plus grande en possibilités de régulation avec adaptation à de nouvelles agressions de l'environnement [56]. »

Désorganisée par la mémoire et par l'oubli, et plus simplement par le Corps dans sa relation toujours fluctuante avec l'Esprit et le Monde (CEM, en termes valéryens), la Parque échappe au délire de la fixation sur un pattern immuable. Elle s'écrit dans un va-et-vient incessant entre des modèles hérités et des stimuli aléatoires qui réagissent en retour sur les modèles qu'ils modifient. A sa manière, acceptant sa démence et refusant la réplication, elle lutte contre l'entropie et l'irréversibilité. Tel est aussi le mouvement de l'écriture poétique pour Valéry, et de cette écriture-ci particulièrement, qui libère les schémas symbolistes, et par avance la poétique structuraliste et ses combinatoires redondantes, par la stimulation de modèles physiques. Faire du bruit, bruiter le faire, c'est donc écrire. L'écriture, comme les rochers de Perros-Guirec, met quasi de force la perturbation et la variété sous les pas. La métaphore la définit comme un système complexe (« rien de réel n'est qu'une seule chose ») fondé sur l'interaction de ses éléments intotalisables, et sur le mouvement qui noue des pactes et les dénoue. Il est impossible de mesurer à la fois la position et la vitesse d'une particule atomique.

Le principe d'Heisenberg s'applique ici à l'esprit : ou bien je suis, ou bien je vais. Narcisse est celui qui refuse l'incertitude. La Parque, au contraire, nous fait constater cette « impression de mixture, où l'ordre et le désordre, les fins et le hasard, les lois et les exceptions, le fini et l'infini sont mêlés de la plus intime et inséparable manière [57] ». Il est impossible de mesurer une écriture, sauf si l'on tient compte de cette impossibilité de la mesurer : alors, elle apparaît comme ensemble de simultanéités croisées, fugue de points de vue et de variables. La poésie de la Parque, comme sa poétique, suppose qu'il n'y a d'action complète que par phases successives, et sa complexité « est un ordre dont on ne connaît pas le code [58] ». Ignorante de ses codes, elle ne se connaît que dans la seule métaphore, qui est pour elle métaphore de la crise. La Parque est celle qui refuse d'institutionnaliser son désir en multipliant ses chutes pour ne pas tomber à l'infini. Valéry disait avoir eu du mal avec ses *transitions :* précisément, il n'y a pas ici de transitions parce qu'il n'y a que cela. La transition est ce qui se passe entre deux singularités, non ce qui les abolit. La transition, c'est l'imaginaire de la Parque tout entière livrée à son calcul infinitésimal. Il n'y a de continuité que différentielle. Newton parlait de « quantités évanouissantes ». Dans cet « espace infini, égal au fini », Pascal voyait Dieu. Valéry y découvrirait plutôt le malin génie : « Le style, c'est le diable. » Comment s'approcher d'une limite sans l'atteindre? Comment passer d'une limite à une autre sans passer par zéro? Telle est la question qui se pose à la Parque qui ne trouve sa voie que dans l'écart minimal, toujours au bord du rien. « L'*infini* tel que l'analyse le considère est proprement la *limite* du fini, c'est-à-dire le terme auquel le fini tend toujours sans jamais y arriver, mais dont on peut supposer qu'il s'approche toujours de plus en plus, quoiqu'il n'y atteigne jamais [59]. » Figure de la généralité en crise dont une larme dissout la plénitude et la continuité, la Parque ne répond à ses questions que par une réorganisation ininterrompue qui repousse à l'infini l'utopie du « une fois pour toutes ». Pourquoi? Parce que ce vide, cet infini dans l'intervalle, parce que cette chute et ces écarts. Parce que ce texte tramé de circonstances et de ces « éternels épisodes » repérés par Alain [60]. A l'horizon de cette larme, la métaphore du discours physique désœuvre à jamais les cohérences du cristal narcissique.

Notes

1. Lucrèce, *De natura rerum*, Paris, Les Belles Lettres, 1947, livre I, p. 27.
2. *Ibid.*, p. 40.
3. Valéry, *Cahiers*, CNRS, IV, p. 836.
4. Valéry, *Œuvres*, Paris, Gallimard, « La Pléiade », 1975, II, p. 298.
5. Lucrèce, *op. cit.*, p. 41.
6. *Ibid.*, p. 7.
7. Voir D. Oster, *Monsieur Valéry*, Paris, Éditions du Seuil, 1981, p. 92 *sq.*
8. *Ibid.*, p. 104 *sq.*
9. *Œuvres*, II, *op. cit.*, p. 24.
10. *Ibid.*, p. 25.
11. *Ibid.*, p. 24.
12. *Cahiers*, CNRS, IV, *op. cit.*, p. 690.
13. *Œuvres*, II, *op. cit.*, p. 37.
14. *Ibid.*, p. 597.
15. *Ibid.*, p. 1264.
16. *Ibid.*, p. 600.
17. Voir *Monsieur Valéry*, *op. cit.*, p. 104 *sq.*
18. *Œuvres*, II, *op. cit.*, p. 599.
19. *Ibid.*, p. 40.
20. *Ibid.*, p. 43.
21. Lucrèce, *op. cit.*, p. 52.
22. *Œuvres*, II, *op. cit.*, p. 602 *sq.*
23. *Ibid.*, p. 607.
24. *Ibid.*, p. 663.
25. *Ibid.*, p. 612-613.
26. *Ibid.*, p. 613.
27. *Œuvres*, I, *op. cit.*, p. 1044.
28. *Œuvres*, II, *op. cit.*, p. 712.
29. *Œuvres*, I, p. 771 *sq.*
30. *Ibid.*, p. 771.
31. *Ibid.*, *op. cit.*, p. 772.
32. Voir *Monsieur Valéry*, *op. cit.*, p. 104 *sq.*
33. Lucrèce, *op. cit.*, p. 40.
34. *Cahiers*, I, *op. cit.*, p. 1294.
35. Lucrèce, *op. cit.*, p. 40.
36. *Ibid.*
37. *Ibid.*, p. 41.
38. *Cahiers*, II, *op. cit.*, p. 293.
39. *Ibid.*, I, p. 1314.

40. *Ibid.*, p. 1320.
41. *Ibid.*, p. 861.
42. *Ibid.*, p. 1319.
43. *Œuvres*, I, *op. cit.*, p. 97 *sq.*
44. Jankélévitch, *Le Pur et l'Impur*, Paris, Flammarion 1960, p. 28.
45. Alain, *La Jeune Parque commentée par Alain*, Paris, Gallimard, 1963, p. 25.
46. *Œuvres*, II, *op. cit.*, p. 162.
47. Lucrèce, *op. cit.*, II.
48. *Œuvres*, I, *op. cit.*, p. 122 *sq.*
49. Alain, *op. cit.*, p. 38.
50. Henri Atlan, *Entre le cristal et la fumée, essai sur l'organisation du vivant*, Paris, Éditions du Seuil, 1979, p. 74-75.
51. Alain, *op. cit.*, p. 62.
52. *Monsieur Valéry*, p. 104 *sq.*
53. Alain, *op. cit.*, p. 106.
54. Cf. note 12.
55. Edgar Morin, *Le Paradigme perdu : la nature humaine*, Paris, Éditions du Seuil, coll. « Points », p. 163.
56. Atlan, *op. cit.*, p. 135.
57. *Cahiers*, CNRS, IV, 690.
58. Atlan, *op. cit.*, p. 78.
59. Léon Brunschvicg, *Les Étapes de la philosophie mathématique*, Paris, Alcan, 1912, p. 246.
60. Alain, *op. cit.*, p. 30.

II

Ernst Jünger
ou le refus de dire n'importe quoi

La récente publication (par procédé mécanique dans les ateliers de la SEPC, d'une encre si pâle, comme si on avait voulu faire *rentrer* le texte dans la page...) du livre de Jünger : *le Cœur aventureux* [1], m'a été signalée par un ami comme un événement désirable, tant il est vrai que dans le désert les mirages sont capables d'étancher les soifs les plus modestes.

A première vue – si par improbable la question se posait dans un siècle –, cet ouvrage ne devrait guère soulever le moindre problème de datation. A la trentième ligne l'auteur nous informe (ou bien que fait-il?) que « les rêves où l'on vole sont comme des réminiscences d'un pouvoir spirituel particulier que nous aurions possédé, puis perdu ». On ne voit pas comment ce cliché composite – et cette obsession de « pouvoir spirituel »! et ce paradis perdu! – pourraient ne pas être référés à l'époque où André Breton et autres récuraient avec le balai freudien les vieux pots de la Cabbale, de Svedenborg et du « romantisme allemand ».

Cette ouverture, qui désigne nettement ses références : néo-platonisme, néo-symbolisme, néo-totalisme, ne manque sans doute pas complètement de charmes. On y voit des choses *dissimulées* sous des *apparences trompeuses,* des significations *profondément cachées* que la *comparaison* (Ô Ducasse!) permettrait de révéler en *passant outre à l'illusion des contraires,* et jusqu'à *une secrète leçon cachée en toute langue de haute valeur derrière le voile des mots.* Il ne faudrait pas compter sur ce métalangage inspiré pour nous dépayser si peu que ce soit : combien de milliers de fois n'avons-nous pas déjà parcouru cette salle des pas perdus jonchée de détritus symboliques, de systèmes architectoniques usés et de correspondances exclusivement et excessivement cohérentes?

La haine de l'événement, le dégoût de l'aléatoire, le mépris désespéré de l'unique, le désir immodéré de la duplication, l'incapacité de saisir la réalité sans l'accompagnement de son hypothétique doublure, tout cela relève d'une bien connue économie inflationniste du sens. On dirait que la chose ou l'idée, sur le point de perdre une partie de leur pouvoir d'achat, manifestent sans cesse dans l'éther des correspondances pour obtenir un ou deux points d'indice supplémentaires qui seraient perpétuellement indexés sur l'échelle mobile des significations. Après tout, pourquoi pas? « C'est le privilège des esprits de premier ordre que d'être en possession de la clé principale. » Il est tout de même ennuyeux que, comme la porte du père Taupe dans *le Chiendent,* celle-ci n'ouvre que sur les promesses jamais tenues d'un allégorisme bêta. Avec son admirable regard en coulisse, l'auteur pratique à merveille la méthode Coué de l'analogisme : il nous annonce sans cesse des secrets dont tout le secret est d'être secrets. Le mystérieux dans l'affaire serait plutôt ce besoin de mystérieux. La détestation de « la pensée qui procède par vérités séparées et isolées » pourrait bien signaler une simple détestation de la pensée.

Mais de quoi a-t-il peur? Adepte de l'écholalie signifiante et du psittacisme panoramique, l'auteur tient absolument à être un *génie,* c'est-à-dire un obsédé des affinités, le spécialiste du tout en un. Manichéisme outrancier que cette dialectique où les contraires sont censés s'abolir derrière la figure du *génie* en homme oxymoron qui orchestre sous le même regard – immédiat, cela va sans dire – la mort et la génération, la nuit et le jour, la table d'opération, le parapluie et les ratons laveurs. Il est pourtant loisible de préférer la simple date aux grandes heures, la succession à la signification, et la stupeur inquiète à cette *clairvoyance particulière* qui prétend mettre à jour des *connivences secrètes,* tandis que la lacune et l'intervalle – ces deux divinités que l'auteur, après tant d'autres, met au rang des accessoires du cirque quotidien – et pour autant que secret il y a, nous ouvrent des portes bien plus larges. L'auteur estime que la *continuité sans heurt* lui assure le pouvoir, tandis que la faille (« cette brusque chute hors de la sécurité dans le néant ») le déposséderait des prestiges mêmes qu'il s'attribue. Il a raison. La pitoyable pythie du totalisme a peur d'imaginer ce qu'il adviendrait de lui comme scribe s'il se soumettait, ne serait-ce qu'un atome de temps, à cet exercice de calcul mental intégral qui le laisserait *désarticulé* jusqu'au bout. Un seul espace, un seul spasme, et tout est délivré : tout est perdu, estime notre auteur qui, une fois pourtant, à l'occasion de la remontée du souvenir d'une fleur particulièrement unique, se souvient également que « ce spectacle interrompait une conversation sur l'impossibilité de réaliser en ce monde un ordre sans lacune ». Double interruption – celle de la conversation, celle du monde –, dont il aurait pu tout de même tirer un meilleur parti.

Malheureusement, ne définit-il pas quelques lignes plus loin « la poésie » comme ce « rapport immédiat au monde » qui existe « à côté de la formation et du dressage par les institutions »? Outre que ce prétendu « rapport immédiat » est un des clichés les plus institutionnels qui soient, on ne voit pas bien comment un *rapport* pourrait se passer d'un minimum de médiation, fût-ce justement de cette méditation minimalissime qu'est l'*interruption*. Ou bien, il y a de l'immédiat, et alors il n'y a pas de rapport, ou bien il y a du rapport, et il faut bien qu'il y ait du médiat.

Passons sur l'hypothèse hallucinée de l'immédiat : qu'est-ce que l'auteur entend par *rapport*? « Lorsque nous avons considéré durant un certain temps une valeur déterminée, notre rétine produit la couleur complémentaire. Comme tout phénomène sensible, celui-ci possède son correspondant spirituel; aussi nous est-il permis de penser que, *dans notre rapport au monde, nous saisissons celui-ci comme un tout*. Quand l'une quelconque des parties a repris démesurément notre attention, l'esprit appelle à soi comme un remède tout le reste qui l'excluait [2]. » Le charme de pareils énoncés vient d'abord de ce qu'ils ont été mille fois lus, il est d'autre part inversement proportionnel à leur signification. La façon d'être au monde s'établit-elle vraiment sur le mode d'un *rapport* entre lui et moi? Mais si je suis différent du monde, comment puis-je *le saisir comme un tout* sans m'inclure dans ce tout? Suis-je un sous-ensemble de ce *tout*? Mais alors comment puis-je être en même temps l'ensemble qui comprend cet ensemble et ce sous-ensemble? Il est sans doute possible que « le monde » (mais qu'est-ce au juste que « le monde »?) ne soit pas seulement constitué par la somme de ses parties : dans ce cas, on dira qu'il a une structure, à l'image d'un organisme vivant, et rien ne nous interdira de penser qu'il existe un *rapport* (c'est-à-dire une relation organisée) entre un morceau de savon de Marseille, la vie et l'œuvre de Wittgenstein, les croyances des indiens Dakota et la lumière brumeuse qui à l'instant se fraye un chemin difficile vers ma table de travail. La difficulté que nous pourrons éprouver à saisir ce rapport ne devrait pas nous inquiéter : s'il est vrai que, par hypothèse, le monde est un tout et que ce tout puisse être saisi ou connu, la question du contenu de ce tout est purement subsidiaire dans la mesure où la forme qui le contient est elle-même le contenu. Qu'il puisse exister *des relations* entre les choses doit-il pour autant nous amener à conclure que le monde est relation, que la relation organique est le modèle unique, universel, et par conséquent tautologique? Face à la prétention totaliste – qui veut que chaque tout (le savon de Marseille, Wittgenstein, etc.) soit supérieur à la somme de ses parties, mais qui n'explique pas comment des *touts* supérieurs peuvent s'assembler dans un *tout* encore « plus » *supérieur* qui, n'étant pas inclus dans ses parties, en diffère, donc est lui-même partie, donc suppose l'existence d'un *tout* encore plus *tout* –, face à cette prétention finalement comique (ce qui est encore un autre de ses charmes), ne pourrait-on imaginer un monde où il serait possible de repérer des régularités dans des failles, des complémentarités dans des différences, des répétitions dans des singularités, mais où les lacunes du successif et les incohérences de l'errance même nous détourneraient de la dérisoire, puérile, et verbeuse ambition (sait-il vraiment ce qu'il dit et ce qu'il fait quand il dit : *tout*?) de « rentrer sans cesse en contact avec l'univers [3] »? Un tel langage, note Jünger à propos de celui que tiennent des chefs militaires lorsqu'ils voient la vie grouiller sous les morts, résultat de la parfaite structuration de leur esprit, « suppose la confiance en la vie et la certitude qu'il n'est point d'espaces vides. Le spectacle de la plénitude nous fait oublier le signe caché de la souffrance, qui sépare les deux pages du registre, comme si le rongement des mandibules sépare la chenille de la feuille [4] ». Quitte à *supposer*, supposons plutôt qu'il est plein d'espaces vides, de « quantités évanouissantes » et de dichotomies. L'objet que, sur la plage, découvre le jeune Socrate a ceci de commun avec tous les produits de la nature que formes, fonctions et moyens sont « liés entre eux invisiblement par des secrètes relations [5] ». Pour autant que cela soit véritable ou vérifiable, pourra-t-on en déduire, par analogie, que cette composition de la totalité se retrouve en tout? Au contraire, rectifie Socrate, l'esprit agit et fabrique par abstraction, *contre* la subordination des éléments aux éléments, et selon les circonstances, hors de la dépendance absolue à tout, mais dans la division. « L'homme discerne trois grandes choses dans le tout : il y trouve son corps, il y trouve son âme : et il y a le reste du monde. Entre ces choses, se fait un commerce incessant, et parfois même une confusion s'opère; mais jamais un certain temps ne s'écoule, que ces trois choses ne se distinguent l'une de l'autre nettement [6]. »

Il y a donc une littérature du discontinu, qui désorganise et admet le bruit comme élément créateur. Cette littérature trouble le flux indistinct « terne dans l'ensemble [7] ». Devenu ombre parmi les ombres, Socrate n'éprouve qu'écœurement et lassitude devant ce monde composé, sans lacune, qu'il perçoit sur la rive des vivants, où « le jugement ne se fixe nulle part [8] ». A l'inverse, il y a une littérature de la duplication : la vie est trop mauvaise pour qu'elle ne soit pas le double de la vraie, qui se dissimule; tel objet, tel signe n'existent que légitimés par quelque autre objet ou signe, ailleurs. Cette littérature ne tolère ni interstice ni hasard : la plénitude d'un modèle caché doit servir de référence et de garantie à ce monde inacceptable *tel quel*. Pour cette littérature de la duplication, qui vient à la rescousse de la littérature de la plainte et de la revendication (ma vie est trop pénible pour que je n'assure pas l'exaltation de son envers : ma belle âme), littérature de pathographes condamnés à l'égalité parfaite de la torture, de la rédemption et du cri, un surréel salvateur est toujours tapi au sein du même. L'autre littérature, qui se contente de ce qui est unique et sans alternative, met en scène « non un accident du réel mais un désastre de sa représentation [9] ». Mais existe-t-elle? Son invention ne passera-t-elle pas par le désastre même du scribe et de sa représentation? Jünger, quant à lui, s'en défend bien, pour qui l'effacement de l'impression d'ensemble, propre à l'homme de scrupule, est signe de dégénérescence. Dans l'écriture se développe alors « une sorte de netteté excessive, la pensée vise à une expression toujours plus fine, le doute grammatical commence à empêcher le libre déroulement des idées et s'exagère jusqu'à de subtils enfantillages [10] ».

***

Désastre de la représentation... L'effroi qui nous survient à considérer ce qui en nous pourrait nous destituer à jamais. Qui n'est pas passé par cette phase de la destitution s'accrochera encore à la littérature comme à l'ordre absolu des signes. Le discours de l'avant-garde conserve sans doute quelque trace de cette humeur fragile d'avant le franchissement du seuil. Il se souvient d'un rêve de délabrement : le rêveur aura entendu les bruits de l'unique et parcouru brièvement, sans trop le vouloir ni le savoir, l'espace sans historicité qui le ramenait à une sorte d'hébétude. Devenu discours, il récupère pourtant l'histoire, franchit le seuil, et retrouve l'ordre absolu du désordre. Fuyant le *moins que rien*, il achève l'inachevable, se réfugie dans une volonté d'ouvrage et d'efficacité. Mais qu'avait-il entendu, avant? Le *n'importe quoi*.

La capacité de dire *n'importe quoi* n'est pas donnée à tout le monde. Cette proposition pourrait sembler paradoxale si l'on considère notre propension à tenir pour du *n'importe quoi* toute opinion qui n'est pas la nôtre. C'est qu'il ne s'agit pas d'opinion, mais de langage. Cette capacité de produire des bifurcations ou des collisions entre deux énoncés ou deux parties d'énoncés implique une capacité au moins égale d'innocence, de courage, d'intelligence et de méchanceté. Ces qualités sont rarement simultanées. Ce qu'on appelle *n'importe quoi* est en général, tout au contraire, du tout à fait fini et du tout à fait prévisible. Par exemple, le discours avant-gardiste sera pour le romancier niais du *n'importe quoi,* et inversement.

Mais il est clair que ce *n'importe quoi,* bien loin de ne pas importer, importe beaucoup, qu'il est le lieu d'investissements idéologiques diversifiés et pesants, et qu'il vise à tout autre chose qu'au pur plaisir de désirer de la bifurcation aléatoire : ce *n'importe quoi*-là sait parfaitement où il va. Autrement dit, une idéologie ne peut jamais être *n'importe quoi.*

Le *n'importe quoi* véritable doit se saisir en amont, à l'instant de sa production, alors qu'il n'est encore que mental. Il serait comme un lapsus, si Freud n'avait pas fait du lapsus le contraire même du *n'importe quoi.* Car pour la pensée totaliste, quelle qu'elle soit, il ne saurait exister de *n'importe quoi.* Tout pour elle s'organise, se répète, se répond, s'unifie. On ne peut jamais dire *n'importe* de ce *quoi* qui survient. Ce *n'importe quoi* est indescriptible car on remonterait vite à un *cela m'importe* qui l'abolirait. Et pourtant, il faut bien qu'il existe comme phénomène pour que la pensée soit, et même pour que quelque chose puisse être dit. Par un effort d'imagination, on peut concevoir qu'il y eut, à l'origine (peu importe la date), un premier *n'importe quoi,* un *n'importe quoi* initial d'où tout est né. Mais le problème ne commence vraiment qu'avec le second *n'importe quoi.* Lié de quelque manière que ce soit, autre que par juxtaposition – et encore, il faudrait voir – au premier, ce second n'*importe quoi* n'est plus du tout un *n'importe quoi.* Bien plus, si l'on peut établir un rapport entre deux prétendus *n'importe quoi,* le premier, naguère frais et dispos comme un premier matin, se trouve rétrospectivement assombri des significations postulées par sa liaison même avec le second. Donc deux *n'importe quoi* ne sont pas concevables. Il n'y en a jamais eu qu'un et il revient à chacun de nous de remonter jusqu'à sa source, d'élire son *n'importe quoi* individuel.

Reste que ce jaillissement du *n'importe quoi* originel a sans doute laissé une trace indélébile. Si l'esprit humain a été une fois capable d'enfanter un tel monstre, pourquoi pas deux, trois, des milliards? La tragédie humaine réside en ceci que le premier *n'importe quoi* ne peut, par définition, donner naissance à aucune série, mais qu'en même temps il demeure là, présent, obsédant, souvenir d'un événement absolu : celui où, contrairement à l'opinion des philosophes qui voient l'intelligence succéder au chaos et le chaos à l'intelligence, l'intelligence et le chaos ont émergé ensemble, joyeusement, d'un seul coup, une seule fois. Dès lors la nostalgie de cette seule fois du *n'importe quoi* ne cesse de travailler douloureusement l'esprit humain, qui croit toujours le retrouver alors qu'il est condamné à s'en éloigner de plus en plus.

Pour autant qu'on puisse l'imaginer, le premier et ultime *n'importe quoi* n'a pu apparaître que sous la forme d'une brève exclamation de forme onomatopéique lancée dans le vide. Pourquoi une exclamation monosyllabique? Parce que, en raison du caractère singulier du *n'importe quoi,* il ne peut être question de l'envisager sous forme d'une articulation binaire, ce qui lui ôterait sa singularité. Il s'agit donc de quelque chose comme d'un *Ah* ou d'un *Oh.* Par ailleurs, il est clair que ce cri du *n'importe quoi* exclut par définition la présence d'une autre, et à plus forte raison de (n) autres, à qui il aurait été communiqué : le *n'importe quoi* est le cri singulier du singulier constatant le singulier pour le singulier. Il ne peut pas davantage échapper à l'unicité qu'à la contingence, faute de quoi il se contredirait lui-même. Par conséquent il exclut la présence de deux sexes et celle de toute divinité. Le *n'importe quoi* originel a été proféré par un homme *ou* par une femme, *ou* par la divinité elle-même.

Il est évident, cependant, que cet éclatement originel appelle d'emblée, et comme malgré lui, la suite qui va le rejeter tout à coup dans le passé insondable de l'humanité. Tout cri appelle son prolongement, sa mélodie. La mélodie est exactement le contraire du *n'importe quoi,* et d'une manière plus générale toute forme organisée. On peut donc estimer que le *n'importe quoi* était perdu d'avance et qu'il aurait été avisé de ne jamais passer à l'expression. Contingent et suicidaire, il n'en demeure pas moins, je l'ai dit, sous forme de trace, de paradis perdu.

Dire *n'importe quoi* n'est donc pas aujourd'hui qu'une activité totalement socialisée, hypersignifiante – ce qui est fort paradoxal –, mais une entreprise plus ou moins systématique par laquelle l'être humain tenterait, semble-t-il, de retrouver l'euphorique contingence de sa première excitation mentale.

Notes

1. Paris, Gallimard, coll. « L'Imaginaire », 1982.
2. *Ibid.*, p. 111. Je souligne.

3. *Ibid.*, p. 101.
4. *Ibid.*, p. 86.
5. Paul Valéry, *Eupalinos ou l'Architecte*, Paris, Gallimard, 1944, p. 76 et sv.
6. *Ibid.*, p. 97. Cf. la théorie du CEM chez Valéry.
7. *Ibid.*, p. 13.
8. *Ibid.*, p. 14.
9. Clément Rosset, *L'Objet singulier*, Paris, Éditions de Minuit, 1979, p. 41.
10. Jünger, *op. cit.*, p. 126.

Paul et Françoise

Ravier, qui ne manque jamais une occasion de contribuer au progrès de l'humanité, me signale par téléphone que la télévision annonce « un Valéry ». Ravier estime qu'il « est de mon devoir d'y participer ». *Poor Mr. Teste!* J'échoue bien sûr à convaincre Ravier qu'il serait paradoxal de faire participer malgré lui à une telle parlerie quelqu'un qui, mondain de cinq à sept, s'est appliqué chaque matin pendant cinquante ans à mettre en pièces tout le système de gestion fiduciaire des individus par la croyance sociale. Valéry évoqué et invoqué sous les spots du bavardage public [1] me fait songer au fantôme de Platon survenant dans une salle de rédaction (« le grand écrivain mort il y a plus de deux mille ans ») qui se voit proposer de transformer telle ou telle de ses célèbres idées en « un joli feuilleton pour la page récréative (léger et brillant autant que possible, dans un style moins embarrassé, par égards pour ses lecteurs) [2] ». Ravier conçoit difficilement que les plus grands labeurs critiques, avec leurs souffrances, leurs éclairs et leurs euphories, ne se jettent pas tout naturellement dans le fleuve impassible et vorace de la « culture ». Que Valéry, ou Kafka, ou Gombrowicz, ou Nabokov, soient incommunicables ailleurs que dans le combat singulier avec les mots qui ne les livre qu'à celui qui les mérite, Ravier n'y songe guère : il verrait assez bien Cioran et Michaux ajouter par leur présence quotidienne à la profondeur et à l'efficacité du journal télévisé. Un dialogue à épisodes entre Laurent Fabius, Léon Zitrone et Henri Michaux lui paraîtrait des plus rentables, du point de vue de l'avenir de l'humanité. Je n'enlèverai pas à Ravier une once de sa croyance culturaliste. Le patrimoine de l'humanité qu'il tient renfermé une fois pour toutes dans sa table de chevet apporte à ses névralgies narcissiques le réconfort d'une sublimation millénaire. Certes, j'aurais tendance à penser que l'art, puisqu'il existe, n'a d'intérêt qu'en tant qu'il apporte la preuve absolue de l'échec de toute sublimation, en tout cas la preuve, comme dit Gombrowicz, que « nous n'arrivons guère à la hauteur de notre propre culture [3] ».

Il y a là un paradoxe, auquel le petit bourgeois devrait être sensible s'il n'en était empêché par sa foi, que la véritable expérience des œuvres véritables ne peut guère aboutir qu'à la désespérance. Les grandes œuvres, au lieu de nous imposer leurs valeurs, nous détournent des nôtres. La « culture », si Ravier en faisait l'épreuve, lui dégraderait à jamais son humanité. Il est vrai que l'effort vers l'inhumanité qui désorganise tout Valéry a de quoi faire frémir. Je propose qu'on en interdise la lecture dans les écoles (mais c'est fait) et qu'on renonce, pour le plus grand bien de l'humanité, à publier *la Soirée avec M. Teste* en livre de poche d'une encre heureusement illisible : les borborygmes de ce corps souffrant et les ondoiements taciturnes de cet esprit aussi criminel qu'il est possible (pour ne parler que de lui, encore si plein d'urbanité et dont le sadisme se dissimule) ne méritent que le feu. Il est vrai que pour brûler les livres il faut les prendre au sérieux. Le piège infernal où certains nous feraient glisser si nous n'en exaltions la démocratique splendeur, échangeant le texte pour sa communication, l'expérience mentale où il nous engage pour le discours pédagogique de sa diffusion, devrait nous faire horreur. La grandeur des grands vient de ce qu'ils sont profondément répulsifs. Je n'ai jamais pu lire sans dégoût, sans honte, sans un sentiment très vif d'humiliation le poème initial, *Au lecteur,* des *Fleurs du mal.* Je suppose que Baudelaire le voulait ainsi. La somme de terreur injurieuse qu'il a répandue à l'initiale de cet objet culturel que j'ai découvert à dix ans au plus secret du rayon interdit de la bibliothèque municipale de Saint-Denis – la couverture représentait une jeune fille en aube rose, le front ceint d'une couronne de lys et le mollet surpris par un orvet en spirale – m'a toujours semblé le comble de l'inadmissible, au point que lorsque j'eus à « étudier » cet ouvrage infâme avec des étudiants, la perception de son intolérable secret me clouait le bec à m'en rendre stupide. Sans doute ne douté-je pas qu'apostrophés, Charles Baudelaire ou Paul Valéry eussent fait excellente figure et ne négligé-je pas leur participation au carnaval lettré. Il n'empêche – et j'en reviens à la proposition raviéresque –, il y aurait un paradoxe intellectuel, en plus de l'immoralité, à diffuser dans les masses, qui ont d'ailleurs le bon goût d'avoir d'autres goûts, un message d'une méchanceté aussi démoralisante. Quand je vois l'effet qu'il a produit sur moi ! Dans son ouvrage sur les paradoxes, le professeur Samuel Goldstein relève celui-ci qu'Héraclite, le philosophe du continu, ne nous est connu qu'à travers des fragments, cent vingt-six au total, si l'on peut parler d'un total de fragments. Il consacre un chapitre à relever quelques-unes des formules les plus paradoxales de l'idéologie occidentale telles que « échec au hasard », « droit à la différence » ou « combat pour la tolérance ». Chacun peut facilement concevoir que la différence implique sa reconnaissance par un même et par conséquent s'abolit dans l'identité même qu'elle conteste mais sans laquelle elle n'est rien. La scissiparité infinie des différences repose sur le paradigme implicite de la différence comme consensus, si bien que la multiplication des différences aboutit soit à les tenir en respect dans une organisation rigoureusement utopique qui leur assigne une place dans une totalité organique, soit à les récuser deux à deux dans un processus d'effacement qui tend vers zéro. Je me demande, Ravier, si le professeur Goldstein n'a pas décrit là le paradoxe de la « culture ».

Notes

1. Exemple : « Si je fais lire les cinquante premières pages de *Madame Bovary* à la télévision, beaucoup de gens seront surpris que cela débute comme un roman policier », Françoise Giroud, *Les Nouvelles littéraires,* mars 1982.

2. Musil, *L'Homme sans qualités,* Paris, Gallimard, coll. « Folio », II, p. 17-18.

3. *Journal, 1957-1960,* Paris, Denoël, 1976, p. 12.

Benjamin Fondane en idéologue

Tant va la croyance au cri qu'à la fin on oublie que quelqu'un, ayant des lettres, a pris la plume pour y déposer des virgules à propos. L'oraison souffreteuse ou geignarde manque de spiritualité tant qu'elle manque de forme, c'est-à-dire de mathématique et de sévérité. Le cerveau est une machine cybernétique qu'il faut avoir l'aplomb d'introduire dans les pires malheurs dès l'instant où l'on se vante d'entrer dans le commerce des lettres. Écrire est une occupation difficile qui peut être à elle-même sa propre souffrance. Écrire n'a de sens que si c'est plus complexe que souffrir. Il y faut la totalité de la machine, et pas seulement les maigres affres « existentiels » de qui n'écrit pas, pour communiquer le système dans son entier, corps, esprit, monde, langage, y compris cette partie de nous-même *qui ne souffre jamais.* L'indifférence et la paix sont l'envers du cri, sans quoi il n'existerait pas sur le papier. Se dégager de l'« humain », c'est souffrir plus haut que la souffrance : la littérature est toujours plus « humaine » que le cri parce que sa complexité est incommunicable et parce que cette complexité est justement ce qu'il lui faut communiquer. Écrire, c'est se faire une raison avec tout ce qui empêche d'écrire et qui fait que je ne serai jamais réductible à cette souffrance qui me réduit. La littérature n'exprime pas le cri, elle ne l'épuise pas, elle l'investit. Elle le contourne, le dérobe, l'abolit, le met en tombeau. La rhétorique est plus « humaine » que le cri, parce qu'elle figure à la fois cet écart qui me sépare à jamais de tout cri et cet océan déchaîné d'informations contradictoires qu'est l'admirable phrase, l'impavide écriture.

L'obsession de l'« humain », si l'on n'en lâche le cours, ne peut conduire qu'à l'obsession complémentaire de l'« inhumain », tout comme le culte du cri débusque l'efficacité sociale du discours. Ceux qui voudraient, tel Fondane *(Faux Traité d'esthétique),* libérer « la poésie » de la « dictature du rationnel », ne parviendront jamais qu'à la tenir en respect dans cette dichotomie même qu'ils réprouvent mais dont ils se font les thuriféraires. Pour ceux-là, il y aurait d'un côté la pensée spéculative rationaliste, engagée dans un processus de connaissance purement conceptuelle (l'intelligence spatialisante de Bergson), légitimée par le Progrès, la Vérité, le Droit, obsédée tant par le modèle des sciences physiques que par les exigences bavardes de l'éthique, attardée dans les fausses splendeurs de l'objectivité philosophique ou positiviste, dès lors menacée par les intempérances de l'engagement politique, affichant le plus insoutenable mépris pour la souffrance, l'instinct, le subconscient, le rêve, l'irrationnel et leur expression directe : cri, prière, magie, et de l'autre côté, irréductible, il y aurait « la poésie » comme participation de l'homme à la réalité totale de l'être. Comment ne voient-ils pas que cette distinction elle-même rendra suspecte une « poésie » qui, dans sa prétention à la totalité, abandonne tout ce qui ne vérifie pas l'axiome dont elle s'est constituée? Si, concept et/ou expérience, la « poésie », ainsi détachée du tout humain dont elle prétend rendre compte, a le moindre sens, ce ne peut être qu'à condition de refuser pour soi la plus petite parcelle d'autonomie. Ce qu'elle refuse la destitue. La poésie, pour autant qu'elle existe, ne porte aucun insigne à la boutonnière, et surtout pas celui du cri. Elle est le ramage de l'aphasie lorsque l'individu se voit désuni, elle absorbe la division, la prend en charge, toutes facultés réunies.

Selon Fondane, cette méfiance intellectuelle de l'instinct, ce besoin exagéré de contrôle affiché par l'esprit au nom d'impératifs éthiques ou esthétiques, ne feraient que signaler – de Platon à Valéry, en passant par les surréalistes eux-mêmes – une « peur de l'humain » : « S'il refuse [Valéry] l'état de transe, c'est de crainte, précisément, d'éprouver que l'humain n'est qu'une introduction au surhumain. » Poe, Baudelaire, Mallarmé, Proust, Joyce, seraient tous également tombés dans cette passion *schizophrénique* qui, éprouvant « le dégoût et la haine de l'existence, la poursuit avec acharnement au nom d'une pensée évidée de tout contenu sensible, appelée Esprit ».

Si Fondane n'était pas par ailleurs un indiscutable poète, c'est-à-dire s'il n'avait apporté mot à mot la preuve de l'imbécillité de ses propres théories (imbécillité au demeurant parfaitement « philosophique » et proférée « au nom d'une pensée »), on pourrait consacrer quelques minutes à contester cet accaparement de l'« existence » par un théoricien de l'antithéorie. Reprocher à Valéry son trop pur « intellectualisme » – il se serait « évertué à réduire la poésie à la " rigueur " de la pensée rationnelle » – est un amusement répandu chez ceux qui, ne l'ayant guère lu, n'ont pu sympathiser avec cette souffrance, « existentielle » si l'on y tient, qui naît du croisement impraticable du corps, de l'esprit et du monde. Sans parler du *langage* – mot que Fondane n'écrit pas une seule fois. Mais soyons juste : à ceux qui lui reprocheraient cet oubli de la condition verbale de la poésie et lui feraient remarquer qu'il est difficile de croire sur paroles (puisque après tout il faut croire) le producteur de si belles ratures, l'artisan volontaire de si beaux vers, Fondane répond que c'est bien dommage en effet, mais que c'est comme ça : « le subconscient *devrait être* premier » mais « il ne cède et ne se livre qu'à une longue et patiente sollicitation », exactement ce que pense Valéry. Écrire un tant soit peu est tout de même nécessaire pour faire taire la conscience, crever l'écran de la rationalité, et finalement restituer l'homme à sa bêtise originelle et à son ignorance divine.

Reste que nous aurons toujours un résultat et que demeure le problème de l'arbitraire ou de l'absence des preuves. Qu'est-ce qui me prouve qu'au travers de cette métaphore, le poète participe, a participé *réellement* à l'être? « Et si, après tout, il a *vraiment* habité sous de vastes portiques? » Que signifient *vraiment, réellement?* Cette épreuve de réalité et de vérité est-elle nécessaire? Comment fait-on pour « participer à l'être » par l'intermédiaire d'une métaphore? La représentation d'une « participation » est-elle équivalente à une participation? Ne va-t-on pas être contraint de faire appel à la preuve biographique et à sa tautologie productrice de croyance : ma souffrance garantit l'authenticité de mon cri, lequel garantit l'authenticité de ma souffrance? Encore que la souffrance et ce besoin d'écrire, le malheur et cette « démangeaison interne » qui incite au poème ne soient nullement de même nature : souffrir ne conduit à s'écrire que ceux qui, ayant choisi la médiation verbale comme planche de salut, se hâteront de l'oublier pour la pseudo-transparence de la poésie comme état et du poème comme sentiment.

Le seul *témoin* permettant de mesurer l'élargissement de la fissure existentielle reste le poème. La figure du poète tout comme les pouvoirs de la poésie ne seront qu'autorités superflues pour ceux qui concéderont un minimum d'existence aux mots. « J'ai toujours sur moi un petit cadre en bois doré, au travers duquel je contemple les couchers de soleil » (Picabia). Je ne vois guère de poème qui ne soit entouré d'un tel cadre, ni d'existence qui, poétisée, ne soit ainsi encadrée. Tel est le paradoxe indépassable du poème, paradoxe qui est le poème lui-même. A part ce cadre, la pensée est dans le poème comme un ver devenu papillon, qui, rendons-lui cette grâce, produirait son propre crochet X. Entre un poème écrit sur un coin de table par un souffrant solitaire et un poème – le même – rédigé sur un bureau ministre par un esthète, la différence est nulle si la preuve photographique n'est pas faite.

PASSAGES DE ZÉNON

Si vous avez peur de ne pas être pris pour un *sujet,* accompagnez vos poèmes de petites notes biographiques genre Lagarde et Michard. Comme dit encore Picabia : « Le seul mort qui ne soit pas éphémère, c'est le mot mort. »

André Breton ou le chanteur de Mexico

De sa tournée de conférences au Mexique du général Cardenas, André Breton rapporte quelques métaphores plénières, une brassée de contraires comme d'habitude parfaitement réconciliés (la vie/la mort, l'ombre/la lumière, etc.), le lexique même qu'il y avait emporté à la semelle de ses souliers (pôle, fatalité, désir, fascination, étincelle, etc.), l'image – une de plus – d'une jeune créature entr'aperçue « idéalement décoiffée », et des propos maigrichons échangés avec le camarade Trotski. C'était en 1938.

Il en rapporte surtout de nouvelles assurances sur sa propre image d'artiste « véritable » et d'intellectuel investi d'une mission de guetteur. Par lui – artiste ou intellectuel – passe le futur affranchi de l'Humanité entière, laquelle est grâce à lui destinée à « s'élever à des hauteurs que seuls des génies isolés ont atteintes par le passé [1] ». Sans doute le projet d'accéder à de telles hauteurs n'est-il pas l'ambition unique de tous les génies : certains se sont contentés de faire leur boulot de génies, pour l'un le clinamen, pour l'autre le vers de douze pieds, pour celui-ci sa psycho-physiologie quotidienne. Penser la pensée en termes d'élévation est par ailleurs un *a priori* qui risque de ne pas inventer autre chose que ce qu'on a posé au départ. Quant à la penser en termes de libération, il arrive que la pensée de la libération libère trop de la pensée elle-même, ou que la volonté d'émancipation de l'esprit émancipe trop des questions sur la possibilité ou les limites de cette émancipation.

La réaffirmation lancinante du rôle imparti à l'écrivain « dans la société capitaliste qui s'écroule » (p. 56) est finalement le plus sûr profit de l'occasion mexicaine. Il n'y a pas grand-chose à penser dans : « Il importe matériellement que l'imagination échappe à toute contrainte » (p. 58), mais en revanche beaucoup à croire. Échapper n'est peut-être ni facile, ni souhaitable, et encore moins possible. Il importe tout autant que l'imagination ait l'imagination de ses contraintes. Il importe aussi de savoir sur quoi repose l'énoncé de ce qu'il importe. Une imagination sans contraintes ne serait-elle pas contrainte de ne plus rien imaginer?

Il est vrai que dans le no man's land euphorique où André Breton situe l'écrivain « authentique » (critères, s.v.p.), c'est-à-dire, si l'on comprend bien, délivré magiquement des conditions mêmes de son existence matérielle et mentale, mais aussi des environnements culturels, psychologiques, idéologiques, etc., il n'y a plus place pour le moindre empêchement, pour la plus petite contrainte. A tel point qu'il paraît superflu de revendiquer ce qu'on pose en principe : la liberté « naturelle » de l'esprit. André Breton avait le privilège de voir clairement en quoi l'exercice de cette « anarchie » mentale débouchait nécessairement sur « la tâche suprême de l'art à notre époque », à savoir « participer consciemment et activement à la préparation de la révolution » (p. 59). On peut assigner à l'art d'autres tâches, mais qu'importe : il suffit que le péremptoire constitue dans l'énoncé l'image de l'artiste en prophète. Que la défense de la « liberté de l'art » soit équivalente au projet de « servir la révolution par les méthodes de l'art », il y faudrait la foi du charbonnier qui, faute de déplacer les montagnes, s'y exhausse. Que signifie « Fédération internationale de l'art révolutionnaire indépendant »? Cet énoncé, chaque terme pris séparément et dans sa totalité, est-il seulement pensable? Ne peut-on assigner à l'esprit d'autres desseins que la résolution « des contradictions les plus graves de son époque » (p. 57)? Qu'est-ce que « résoudre des contradictions » pour l'esprit? L'esprit ne doit-il tout autant susciter des contradictions, se susciter lui-même comme contradiction?

Tel est l'infini des questions qui se pressent à l'ombre de la statue du poète-prophète au moment où il lève son verre au camarade Trotski, « le théoricien immortel de la révolution permanente ».

Note

1. *La Clé des champs*, Paris, UGE, coll. « 10-18 », p. 55.

Artaud, le Mexique, la culture

Un fantasme de l'Un : qu'est-ce d'autre que le Mexique pour Artaud ? A la « conscience séparée », à l'« égocentrisme individualiste et psychologique », aux « sciences séparées »[1] – façon de reprendre à son compte les assauts marxiens contre le capitalisme coupable d'avoir déchiré « les liens multicolores qui attachaient l'homme à son supérieur naturel dans la société féodale » et d'avoir noyé les « frissons sacrés et pieuses ferveurs [...] dans l'eau glacée du calcul égoïste », ou encore les constats nostalgiques d'un Claudel : « Je regarde autour de moi et il n'y a plus de société entre les hommes » – il oppose le syncrétisme chaleureux d'une « culture unitaire [2] », sans hérésie ni sujet, grâce à quoi le Mexique aurait su miraculeusement préserver l'unité mythique de l'homme et de l'homme, de l'homme et du monde. Espace global, organique, totalitaire, d'une culture collective homogène, non livresque, spontanée, non dualiste, magique [3], que la conquête espagnole aurait « foudroyée » mais qui ne demanderait qu'à « renaître mais d'une vie encore plus rapace et concentrée [4] ».

Parce qu'elles pourraient tout aussi bien être signées Georges Duhamel ou Georges Lukács, les pages d'Artaud sur le Mexique nous plongent dans un état de stupeur que sa gloire, par ailleurs, ne saurait nullement nous interdire d'éprouver [5], bien que nous devinions d'avance que ce fantasme de l'Un ne s'exhibe ici que pour se dissimuler comme symptôme assez classique d'un sujet divisé.

Contre la « barbarie » de l'Europe, pour préserver du désespoir « la jeunesse française [...] sur le point de perdre confiance dans les ressources de la vie » dans cette Europe aux « progrès purement matériels et mécaniques [6] », le Mexique ne nous offre-t-il pas l'image d'une « culture éternelle », « unanime », à la fois moniste et panthéiste, fondée sur l'harmonieuse relation métonymique homme-animal-plante, elle-même hantée par les mêmes sorcières analogiques dont résonne toute la cabalistique romantique, de Svedenborg à Balzac [7] ? Qu'importe si, à ressasser son enthousiasme moniste, Artaud donne à fond dans le piétinement dualiste (esprit/corps, culture/vie, cri/écrit, masse/élite, masculin/féminin) qu'il prétend dépasser, ou si, à entonner des litanies qu'on croyait réservées à un Rolland de Renéville [8], il inaugure le catéchisme moderne raison = mal, ou si, à nier *mordicus* la diversité des cultures au Mexique (« l'ancien Mexique n'avait en réalité qu'une seule culture [9] »), il témoigne, dans son mépris des pitoyables adeptes de quelque savoir, d'une outrecuidance qu'on pardonne volontiers à la gloriole du scribe, ou si encore il avoue se défier du marxisme pour la raison qu'il « ne détruit pas la notion de conscience individuelle » alors que « la destruction de la conscience individuelle représente pourtant une haute idée de la culture [10] » : on sait, depuis, à quel point une telle suspicion était parfaitement imméritée, et comment le marxisme et ses avatars ont su, çà et là, réaliser par la destruction de maintes consciences individuelles la plus haute idée de la culture qu'il était possible.

Encore une fois, il n'est peut-être pas nécessaire de prendre pour une terrifiante puérilité une opinion comme celle-ci : « Ne pas se sentir vivre en tant qu'individu revient à échapper à cette forme redoutable du capitalisme que moi, j'appelle le capitalisme de la conscience puisque l'âme c'est le bien de tous [11] » : aussi bien l'insistance du *je* dans un tel énoncé signale-t-elle clairement quel fantasme du sujet s'y investit. En un sens, qui n'ignore pas tout à fait le degré de despotisme auquel s'était hissée la sanguinaire et totalitaire civilisation aztèque précortésienne comprendra la supériorité véritable et secrète de cette civilisation sur le marxisme qui, « en conservant le sentiment de la conscience individuelle, empêche la Révolution de revenir à ses sources [12] », et il ne lira pas comme échappée au sottisier de Bouvard et Pécuchet l'opinion selon laquelle « en France la jeunesse croit à une renaissance de la civilisation précortésienne [13] ».

Reste que ces vigoureuses pensées culturelles qui bien sûr traînaient à l'époque dans la plupart des consciences de pointe sont elles-mêmes condamnées par leur dispensateur même, lorsque tout à coup, dans le texte intitulé *le Théâtre et les Dieux* [14], abandonnant l'idéologie au détour de l'intelligence qui le crucifiait, elle aussi, au plus haut point, il évoque la croix par laquelle « l'ancien Mexicain se met au centre d'une espèce de vide », centre de gravité de l'homme au milieu de l'espace qui est en même temps « son point mort [15] » :

> Quand il y a accord dans les pensées des hommes, où peut-on dire que se fait cet accord, sinon dans le vide mort de l'espace. La culture est un mouvement de l'esprit qui va du vide vers

> les formes, et des formes rentre dans le vide, dans le vide comme dans la mort. Être cultivé c'est brûler des formes, brûler des formes pour gagner la vie. C'est apprendre à se tenir droit dans le mouvement incessant des formes qu'on détruit successivement [16].

Intuition et savoir admirables de l'éternelle thermodynamique humaine qui réduit à néant les précédents énoncés d'un totalitarisme culturel dévot. Que la culture soit le lieu et l'outil de la mise à mort de tout, à commencer par elle-même, dans l'expérience à la lettre *exhaustive* de la mise en abîme et du brûlage des formes, dans cet enfer où l'on n'entre que pour y laisser toute espérance (cheminement à déconseiller fortement, donc, à toute jeunesse en mal de croyance et de salut), voilà bien en effet l'évidence à quoi rien n'accroche, le destin incontournable de toute quête si l'on veut « spirituelle ».

Si la véritable culture est une souffrance, c'est parce que celui qui entre dans cet espace mobile et sans frontières fait l'expérience réitérée, pulsionnelle, du manque. Chercher à savoir ou à prendre position, à se stabiliser un instant, dans le domaine toujours *catastrophique* de la culture humaine, c'est s'ouvrir, même malgré soi, non au ressassement mais au creusement infini du manque, de l'incertain, à la brisure perpétuelle des symétries et des formes conquises, accepter la chute vertigineuse dans le passé, là où les régressions sont à nouveau des prospectives et les prospectives des trous d'air. La véritable culture est toujours absence d'elle-même, dynamisme sans modèle, agression de virtualités. A partir du moment où l'esprit entreprend de mettre en relation plus de deux objets ou plus de deux concepts, c'est-à-dire plus de deux différences, il prend le risque de se déborder lui-même, comme la vague et sa crête d'écume débordent sans fin la mer et l'excèdent. La culture est cette expérience du débordement continuel et de la mise à mort de l'esprit par lui-même, l'infernal conflit, la mise à l'épreuve de l'esprit par ses discontinuités sans lesquelles il n'est pas. Ce qu'on appelle habituellement culture est, au contraire, la recherche des figures statiques, de cette immobilité formaliste qui culmine dans l'idéologie. Il n'y a pas de jouissance culturelle possible par la consommation d'objets culturels sur le mode du loisir, parce que la véritable culture est destruction d'elle-même comme objet, déstabilisation de soi par le travail incessant de la singularité, alors même que cette singularité n'existe que dans son rapport inévitable à d'anciennes singularités devenues régularités, qu'elle ne peut ni tout à fait ignorer ni tout à fait accepter. La véritable culture est ainsi comme le travail de l'hétérogène au sein de l'homogène qui et que constitue l'espace social; elle n'est pas l'étude ni l'histoire mais l'*expérience* des écarts. Le lieu et l'outil de cette expérience, l'esprit, ne peut être que sans espoir et ne trouvera son euphorie que dans la chute perpétuelle des idoles et châteaux de cartes. Expérience à la limite aussi suicidaire que la vie elle-même puisqu'elle suscite ses propres irrégularités et dérèglements pour mieux éprouver les battements d'un cœur toujours précipité.

Notes

1. *Œuvres complètes*, Paris, Gallimard, 1971, t. VIII, p. 144-188.
2. *Ibid.*, p. 194.
3. « Si la magie est une communication constante de l'intérieur à l'extérieur, de l'acte à la pensée, de la chose au mot, de la matière à l'esprit, on peut dire que nous avons depuis longtemps perdu cette forme d'inspiration foudroyante, de nerveuse illumination, et que nous avons besoin de nous retremper à des sources encore vives et non altérées », *ibid.*, p. 164.
4. *Ibid.*, p. 162.
5. Lecture osée, on l'avoue, qui consiste à lire ce qu'il y a à lire sans s'en défendre et sans prétendre que la lecture d'Artaud « résiste à tout discours qui tendrait à en dire quelque chose d'autre » (Marcelin Pleynet, *Art et Littérature*, Paris, Éditions du Seuil, 1977, p. 161).
6. *Ibid.*, p. 157 et 235.
7. « L'homme croit-il être seul, sans correspondances avec la vie des espèces [...]? L'esprit de la matière est le même partout », etc., *ibid.*, p. 280-281. Obsession analogique qu'heureusement Artaud reniera vers la fin, cf. *Lettre à Jacques Prevel*.
8. Voir à ce sujet ce qu'en dit Queneau dans *Le Voyage en Grèce*, Paris, Gallimard, 1973.
9. *Ibid.*, p. 232.
10. *Ibid.*, p. 240.
11. *Ibid.*
12. *Ibid.*, p. 241.
13. *Ibid.*, p. 240.
14. *Ibid.*, p. 196 et s. Écrit en 1936, à Mexico.
15. *Ibid.*, p. 202.
16. *Ibid.*

La sottise d'Œdipe

Déjeuné avec Ravier qui me dit vouloir entreprendre « une histoire de la pensée ». Tendresse et ricanement. Qu'entend donc Ravier par « pensée »? Une histoire des théories et des systèmes? Quelle représentation à la va-comme-je-te-pousse se dissimule sous le mot « histoire »? Je n'ose interroger Ravier : c'est mon ami. Mais comment un tel projet est-il seulement pensable?

Mon cher ami Ravier, dès que « la pensée » se laisse investir par quelque chose comme « la pensée de l'histoire », il ne peut plus être question que de noter des traces, des empreintes, des signes, mais l'acte, où est-il passé? Cet *espace* entre les traces, que devient-il? Comment feras-tu pour penser l'intervalle, pour concevoir la possibilité même d'un vide entre les événements que tu appelles « pensées », d'un vide d'événements? La pensée n'est-elle pas justement cet événement particulier qui fait le vide, se situe dans l'écart qu'elle produit et n'existe que par lui? Penser n'est-il pas un événement historique qui évacue l'histoire, la rend momentanément impensable? Penser, n'est-ce pas d'abord provoquer un écart et s'écarter en lui?

Ravier adhère, il se situe, il a besoin d'un aide-mémoire pour assurer la liaison sans intervalle de ses pensées. Il est persuadé que « tout » se tient, alors que ce qui tient ce « tout » c'est précisément cette pensée même du « tout » qu'il pense avant de penser. Une véritable « histoire de la pensée », *si elle n'était pas paradoxale,* ne serait-ce pas une histoire toute blanche : l'histoire de ce qui n'a pas d'histoire? Elle aurait à retracer les signes de ce qui est entre les signes, l'intervalle devenu signe.

La grande misère de l'historien, c'est qu'il est contraint à réduire l'histoire humaine à la succession des traces, à la somme des traces : des tas de traces. Mais l'expérience me donne des failles, des absences. C'est un peu comme si on écrivait l'histoire d'un homme sans même esquisser l'histoire de ses nuits. De ses oublis, de ses ruptures, de ses stupeurs, de tout ce qui ne laisse pas de repères mémorables. L'histoire de nos vides, qu'on ne peut écrire, si l'on imaginait qu'une divinité pût en être le greffier, elle occuperait des milliers de tomes, et l'espace entre ces tomes, à son tour, des milliers de tomes, à l'infini. Pour commencer son œuvre, l'historien est obligé de se débarrasser de la pensée même d'un infini, de la pensée de ce qui est *entre* ses pensées, par là même irréductible au contigu et au métaphorique. Ce qui est *entre* est irreprésentable par nature et non pensable, mais c'est l'*entre* aussi qui rend possible ce qui n'est pas lui. Le curriculum vitae est ce qui manque le plus de *cours :* si nous n'étions pas habitués à sa fiction qui nous le fait percevoir comme plein, nous verrions qu'il n'est qu'une page blanche.

L'historien occidental n'abandonnera donc Hegel que pour Bergson proclamant sa certitude que l'idée de néant est une « pseudo-idée ». Dans le triomphaliste historicisme du XIXe siècle, le « ma pensée s'est pensée » de Mallarmé ne pouvait que retentir comme un glas encore plus inadmissible qu'insupportable. Pour l'historien, la mort est une histoire de tombes et de monuments en péril, alors que chaque journée humaine est une histoire où les monuments tombent en ruine. En bon historien, Freud n'hésite pas à intégrer une histoire vectorielle dans celle qu'il attribue au moi individuel, quand il affirme que « rien dans la vie psychique ne peut se perdre », que « tout est conservé d'une façon quelconque et peut reparaître dans certaines circonstances favorables ». Si « tout » est conservé, comment peut donc naître l'histoire? Si l'espace est plein toujours, comment l'espace peut-il s'agrandir? Si quelque chose se conserve, il faut bien que la mort elle-même soit une trace et qu'elle soit donc autre chose que la mort, qui est l'autre nom de l'intervalle. A une philosophie du pourrissement, où la mort donne naissance à la vie, il faut préférer une esthétique de l'intervalle, où ce qui manque donne vie à ce qui est. Que je ne puisse m'atteindre et me totaliser, que je n'existe au contraire que du zéro qui m'expulse et auquel je tends dans mon existence sans cesse infinitésimale, et aussi que je ne puisse atteindre l'objet que dans la distance et l'absence que fait surgir le mot, on voit mal comment l'historien pourrait le prendre en compte, pour qui l'apparition des sépultures intentionnelles il y a 45 000 ans constitue l'événement fondateur de l'*homo sapiens,* et encore plus, c'est évident, de sa propre discipline; ainsi a-t-il intérêt à s'obséder sur le monument totalisateur qui, en légitimant la survie du groupe, construit une représentation de l'histoire où les *temps morts* de l'individu sont ce qui doit à tout prix être exclu.

L'obsession de la continuité est une conduite mentale assez grotesque qui n'aurait, à la rigueur, de signification que si la liberté fonctionnait toujours à plein rendement, ce qui serait contradictoire avec la possibilité et les conditions d'émergence de cette liberté. Il ne suffit donc pas plus d'affirmer que l'homme est tout entier dans un seul de ses actes qui rassemblerait et projetterait dans l'avenir tous les autres et leurs traces (ce que font, me semble-t-il, aussi bien Freud que Bergson) pour résoudre ainsi, par le double appel à la métonymie et à la métaphore, la question du vide, que le XIXe siècle s'est acharné à contourner, heureusement sans succès.

*
* *

Les combats que se livrent encore les historiens entre partisans de la ligne et partisans du cercle, ces derniers subissant avec morosité le triomphalisme des autres, sont peut-être tout ce qui nous reste de primitif. La conscience historique construite à grand-peine par le christianisme n'étant pas plus vérifiable que le temps vide et illimité des Grecs, il devrait être encore possible de proposer à l'esprit le choix entre différentes temporalités qu'il essaierait successivement selon son bon plaisir. Il serait intéressant, pour voir ce que ça donne, de traduire une portion de temps rectiligne dans un discours de style astrologique. Ce que la rhétorique politique essaie d'imposer avec le schéma mythique de l'alternance n'est vraisemblablement que le retour au retour, une façon vieille comme le monde de gérer les consciences sur le mode des lunaisons. On en pourrait dire autant de la rupture et du bouleversement révolutionnaire qui, comme la régression, récupèrent toujours d'autres ruptures et d'autres révolutions. Un esprit qui entendrait justement ne pas perdre son temps dans le temps rectiligne pourrait envisager comme une activité digne de lui la pratique systématique de l'anachronisme. L'imagination anachronique est un droit dont la conscience occidentale a été privée au bénéfice d'un mieux-être dans le processus de sa « réalisation ». Reste à savoir ce que produirait l'anachronisme s'il était soudain rendu obligatoire par un rituel ludique. Une histoire de la Ve République écrite sous le signe de la Grande Année platonicienne, évaluée à environ 760 000 ans, pourrait se révéler pleine d'imprévus. Il est dommage pour ma libido que je ne puisse penser à cette journée-ci qu'à partir de la référence implicite de la mort du Christ. Je ne puis en effet *a priori* considérer comme inconcevable que cette journée ne soit prise, plus modestement, dans l'intervalle de 18 000 années qu'Héraclite assignait à la Grande Année. Cela me délivrerait peut-être du lourd souci d'être originel et de me concevoir une origine qui soit totalement moi-même, alors qu'aucun homme n'est encore parvenu à un tel résultat. Il est même plus vraisemblable qu'étant constitué d'une somme de plagiats génétiques et culturels, je continuerai à me plagier moi-même dans les temps et les temps. Enfilant demain les babouches du pythagorisme, je me répéterai, répétant un autre, soit τῷ ἀριγμῷ, c'est-à-dire de manière rigoureusement identique, soit χατ 'εἶδος, autrement dit avec la possibilité d'une petite différence. Il est étrange que cette *petite différence* n'ait guère inspiré les historiens, pas plus que n'a fait le *tant soit peu* lucrécien, comme si l'exactement identique ou l'un tantinet différent n'étaient pas des schémas imaginaires de nature à initier une réflexion ou une action. (Je note au passage que le mot même de *réflexion* n'a guère de sens en dehors d'une conception circulaire et réversible du temps, alors que le mot *initier* implique le postulat exactement inverse, ce qui prouve que deux conceptions parfaitement antinomiques peuvent se rencontrer dans le même lambeau de phrase, voire de conscience.) Plagiaire de moi-même mais avec une petite différence, il me serait possible d'écrire mon histoire, semblable à celle de tous les hommes, et en tout cas semblable à celle d'au moins l'un d'entre eux, d'une manière un peu moins confuse et plus rigoureuse que ne le ferait un biographe rectiligne accaparé par l'obsession d'y inscrire à chaque instant la trace d'une unité et d'un progrès. Chaque fois que j'écris *je,* je suis tout de même plus pythagoricien que chrétien du fait que je circule dans une circulation tautologique de l'identique. Pour qui souffre d'un excès de narcissisme – comme c'est justement le cas des partisans du temps vectoriel qui n'ont de cesse de limiter dans le moi la fuite irréversible du temps –, cette circulation tautologique présenterait des vertus thérapeutiques non négligeables puisque, après tout, on peut toujours remettre au lendemain ce que le moi ne peut pas être aujourd'hui. Dans le temps cyclique, on est toujours de la revoyure avec soi-même ou avec les choses. Cela laisse l'esprit disponible pour des occupations plus exaltantes et moins absurdes que cette inscription dans le temps rectiligne à quoi l'ego occidental a épuisé le plus clair de ses forces. *Que tu brilles enfin, terme pur de ma course!* Cette invocation kafkaïenne du Narcisse valéryen résume sur le mode héroï-comique l'irrémédiable échec auquel se voue celui qui, à travers le temps vectoriel, cherche à s'atteindre lui-même. La flèche du moi est cruelle qui sans cesse déborde les limites de l'espace assignable et s'enfuit à jamais. On pourrait alors imaginer que la médiation du temps cyclique et de ses récurrences, source de toutes les réflexions comme de toutes les redites, image de la possibilité du retour au même, serait en mesure de régulariser ces milliards de petites névroses qui dévorent la planète pour cette raison que le temps vectoriel, qui a produit la première blessure narcissique, est l'assassin du moi, et un assassin qui court toujours.

Mais cette pilule douce-amère, ne nous l'administrons-nous pas déjà à nous-mêmes avec cette perpétuelle redite de l'idéologie invisible qui nous maintient, par son ressassement, dans le psittacisme et le doxa? L'opinion, en tant qu'elle est ce qui est par nature répétable, ressemble à l'assujettissement des consciences à la révolution astrale. Comme réitération inépuisable du déjà-dit, la doxa signale l'émergence protectrice d'une figure cyclique au sein du flux. « Il nous faut affirmer que les opinions émises par les hommes reviennent périodiquement identiques à elles-mêmes, et non pas une fois, deux fois ou un petit nombre de fois, mais une infinité de fois » (Aristote, *Météores*). Destiné à illustrer le vertige logique de la répétition astrale, cette petite remarque désigne le stéréotype comme la sphère des fixes de nos consciences. Le stéréotype est comme l'obstacle dont l'histoire se freine ou se bloque selon ses besoins. C'est le piétinement récurrent, la comptine, dont toute conscience peut se prémunir quand le temps, dont on lui a fait un devoir, lui pèse trop. Le stéréotype (y compris le stéréotype de l'historicisme) serait au moins une épopée sur place, il apporterait une pause névralgique dans l'intolérable succession des phases. Paradoxalement, il procurerait la jouissance d'échapper *ad libitum* à la loi harassante du devenir, de narguer la contrainte d'une liberté vouée à l'obligation d'innover. En pervertissant cette liberté en liberté de refuser la liberté, le stéréotype témoignerait de la liberté humaine de faire obstacle, en se précipitant dans la citation, au temps vectoriel. C'est la parole des dieux.

Ce désir plus ou moins conscient de réaliser par la répétition l'identité de deux événements aurait pu prendre le nom de complexe d'Œdipe si Œdipe ne servait d'étiquette au processus inverse. Œdipe ne se conçoit que dans une perspective étroitement cyclique. Il suffit de se placer à l'instant où il devient le meurtrier de Laïos pour s'apercevoir que, réalisant un oracle, il boucle ainsi, avec un souci d'exactitude confondant, un cheminement où l'événement – le meurtre – l'attendait depuis toujours. En réalisant une prophétie (tu tueras ton père), Œdipe ne fait donc que répéter un déjà-dit et apporte ainsi, avec un acharnement un peu sot, la preuve qu'il est possible de passer du pareil au même. S'il avait été placé par les dieux sur un chemin rectiligne ou vectoriel, s'il avait été chrétien, Œdipe aurait peut-être rencontré Laïos, il l'aurait peut-être tué, mais il n'aurait certainement pas coïncidé d'une manière aussi étroitement déterministe avec le sens de cet acte : dans un temps rectiligne, Œdipe n'aurait été que le jouet du hasard.

Le complexe d'Œdipe n'est donc pas une histoire de famille mais une ténébreuse affaire d'espace-temps, ce qui est beaucoup plus grave. Dès l'instant où il rejoint Laïos au carrefour, l'histoire d'Œdipe se met à raconter la victoire du circulaire sur le temps rectiligne, car ce n'est pas faute d'avoir essayé d'aller de l'avant qu'Œdipe s'accomplit finalement par l'arrière. Réalisant la clôture du cercle, il en exclut d'un seul coup toute idée d'origine. Tant et si bien que, plus rien ne faisant obstacle sur le cercle sans commencement ni fin, il pourrait dans la foulée épouser sa mère puis en renaître indéfiniment.

L'histoire n'a pourtant pas retenu cette version. Avant d'être l'interdit de l'inceste, Œdipe est l'interdit du cercle. La nécessité du renoncement au cercle est ce qui fonde la loi de l'histoire. Œdipe, en échappant à la circularité physique et astrologique, sort de la nature primordiale pour entrer dans une seconde nature, spirale, ellipse, toutes formes travaillées en catimini par l'histoire. La tragédie œdipienne : accomplir l'oracle et y échapper, est celle d'une double contrainte représentée par le conflit entre deux figurations incompatibles de l'espace-temps : en tant que stéréotype, Œdipe n'est pas coupable; ce qui fonde sa culpabilité, c'est qu'il s'affirme sottement comme sujet autonome et libre d'une histoire qu'il lui aurait été possible de modifier (éviter le meurtre du père). En cela il marque bien un commencement : celui où l'homme s'en remet au temps pour oublier, se changer, se faire autre. Autrement dit, Œdipe est bien l'inventeur du refoulement. Dans le système circulaire la notion même de refoulement est tout à fait inconcevable car on ne refoule pas un cercle, on n'intériorise pas une prophétie qui vous traverse. Dans le système des astres, on traverse sa mère et on lui dit en sortant : à l'année prochaine. Dans le système du temps historique, au contraire, on ne peut aller de l'avant qu'en intégrant l'avant et en le désintégrant. Au lieu de réaliser un désir prévu et prévisible de toute éternité, Œdipe court le risque de la castration pour fonder l'histoire en s'érigeant en sujet. Bien fait pour lui.

Reste qu'on ne fait pas la nique aux dieux impunément. La leçon paradoxale et ironique de toute cette histoire, c'est qu'elle se termine par une régression. Si l'interdit de la jouissance circulaire (réaliser le déjà-dit) fonde l'histoire, ce sacrifice – qui n'était tout de même pas indispensable – entraîne le névrosé vers la voie même qu'il a refusée et le contraint à tenter de retrouver la figure manquante du cercle à laquelle il a cru échapper une fois pour toutes. Revenant sur ses pas pour avoir oublié que, comme dit le Tao, « qui marche bien ne laisse pas de traces », il tentera d'effacer ces traces dans la récurrence du retour au même. Pour avoir voulu tromper le temps circulaire, Œdipe y trouvera son enfer. Si Œdipe marque le début du temps linéaire, il devra expier sa faute et sera condamné à rebrousser chemin pour retrouver la voie courbe qu'il a perdue. Jamais, et c'est là le nœud où se boucle son « complexe », Œdipe ne parviendra à oublier tout à fait que les dieux avaient promis à cet être privilégié le bonheur de n'être pour eux qu'une redite et qu'il a trahi à jamais la foulée transparente et accueillante des astres et de leurs révolutions.

Liquider la métaphore

Ravier, qui consacre ses loisirs à la littérature, m'avise, euphorique, qu'après plusieurs heures de travail vespéral il a enfin trouvé la bonne formule : *le jour mûrit la nuit.* Me faisant grâce du contenu implicite de cet énoncé enthousiasmant, Ravier commente toutefois : *mûrit* est transitif ou bien intransitif, selon la coupe. Ravier est doté d'un inconscient réflexif qui ressemble au Larousse en dix volumes multiplié par l'inconscient Payot, l'inconscient PUF, l'inconscient Gallimard, l'inconscient Seuil, bref l'ensemble des inconscients disponibles sur le marché, sans compter l'inconscient collectif, ce qui n'arrange pas les relations que l'inconscient de Ravier s'efforce de nouer avec des inconscients beaucoup moins inconscients tels que le mien. La formule lui a donc été « dictée » par l'entéléchie de ses divers inconscients mis bout à bout, qui ont horreur du vide mais font signes de partout. Ravier se drogue à l'herméneutique et se persuade qu'il mourra complètement interprété. J'ai la conviction exactement inverse. Je quitterai cette terre comme une partition sans interprète et qui s'en moque. Il ne se passe pas de jour que je ne perde la trace d'un signe et ne me soustraie l'avatar d'une de mes formes possibles. Chaque énoncé n'annonce en moi que la multitude de ceux auxquels il renonce. Je n'écris – paradoxalement – que pour atteindre une forme plus complète d'incomplétude, convaincu que je n'ai plus d'autre projet véritable que d'abandonner un à un tous les renseignements dont je pourrais encore disposer sur « moi-même ».

Personnellement je n'ai rien contre l'idée qu'il puisse exister quelque rapport – public ou privé – entre le jour et la nuit. L'idée me paraît un peu faiblarde, mais pour ce qui est du rapport il est tout simplement équivalent à la liste des verbes acceptant un complément. Si le jour *mûrit* la nuit, il peut tout aussi bien la semer, la planter, la biner, la bêcher, la sarcler, incidemment marcher sur ses plates-bandes, la greffer, l'émonder, la cueillir, la peler, y mordre et finalement la bouffer. Voilà le genre de relations que le jour et la nuit peuvent entretenir à notre insu. Inversement, rien ne prouve que la nuit ne s'occupe à mûrir le jour jusqu'à ce qu'ils se livrent à des activités moins jardinières. Demain Ravier m'informera que le jour lave la nuit, qu'il la gave, la transperce, la questionne, la redoute, l'emprisonne, puis la libère, lui fait des gosses, la déménage, l'oublie, l'exaspère, la rature, l'entrave, la délie, la met en pièces, la considère avec amertume, la pétrifie, l'ausculte, la rapièce, l'exagère, la débine, la disculpe, l'abandonne, la narre, la dramatise, la nomme, l'énumère, et ainsi de suite jusqu'à ce que inversement, etc.

Ravier a découvert la littérature. Avec la métaphore il s'est installé d'emblée au cœur du monde, mais de lui-même surtout. Car il y a toujours un implicite de toute métaphore, ce sujet qui lui sert de garantie et de témoin. La métaphore conspire dans l'euphorie à réunir notre multitude de « moi » dans un transfini éblouissant. Elle éclaire mais en aveuglant. Où est la preuve, en effet, si je délie au-dedans de moi le sujet de la métaphore de ses éclatantes promesses? Qui signe le contrat métaphorique – hors d'elle? Qui t'a fait reine? Il faut bien pourtant que le métaphoricien s'imagine que « notre langue retrouve au fond des choses une parole qui les a faites [1] ». Elle, qui est langage, n'est donc plus langage quand elle persuade qu'elle se pose sur les choses comme si elle en venait : devenue réalité jaillissante, elle efface le langage lui-même dont elle provient. Mais dans cette extrémité même, elle ne relève que du déjà-écrit. Plus elle se donne pour innocente et originelle, plus elle camoufle ce qu'elle révèle : le déjà-dit des significations inépuisables. Épiphanie des stéréotypes du grand livre du monde, ce qu'elle désigne est pourtant nul auprès de ce qu'elle opère, cette courte rêverie que l'on bricole pour relier les deux bouts qui nous divisent, remplir l'espace de la béance, masquer le malheur de n'être jamais « soi ». L'efficacité thérapeutique de la métaphore consiste dans la résolution imaginaire de la dualité, et sa séduction dans sa capacité à représenter dans l'unité insécable la confusion de deux points assez éloignés pour produire *un effet d'infini.*

Ainsi toute réflexion sur la métaphore rencontre l'espace. Elle se développe dans une étendue imaginaire qu'elle produit tout en lui assignant des limites : étendue à la fois hypertrophiée, puisque l'*entre-deux,* l'*en-deçà* et l'*au-delà* jouent pleinement leur rôle de représentant d'infini, et atrophiée, puisque les deux « termes » de la métaphore se disposent comme des bornes indépassables sur le chemin de ce qu'il y a à connaître. La paix métaphorique vient de ce sentiment des limites confondues à ce qui les nie. Une translation d'un point à un autre sur une ligne est une expérimentation métaphorique que la métaphore dissimule et exalte. Si je parle des « racines du ciel », je parcours mentalement un vecteur, et pourtant l'image, à la fois temporelle et de toute éternité, semble jaillie immédiate et fixe. La métaphore, c'est Achille qui rattrape la tortue toujours et immédiatement. Il faut imaginer des milliards de milliards de milliards de milliards d'Achille rattrapant sur le papier et dans la tête des hommes des milliards de milliards de milliards de milliards de tortues : de cette course sans obstacle *et qui n'échoue jamais* naissent toutes les croyances et tous les dogmes. Rattraper la tortue immédiatement est un paradoxe que la métaphore assume avec ingénuité comme fiction de l'abolition de l'espace et du temps. Plus particulièrement, elle récuse par principe l'hypothèse même du discontinu. Les apories de Zénon lui seraient fatales car elle se perdrait dans le calcul infinitésimal des parties infinies qui séparent les deux termes dont l'union feinte constitue son mode d'être. Fiction de la réunion de deux réalités distantes, la métaphore est littéralement incalculable puisque tout calcul rencontrerait sur son chemin une infinité de quantités finies quoique évanouissantes, proches de zéro, voire égales à lui, mais de « zéros qui gardent la trace de leur origine, si l'on peut ainsi parler », comme dit d'Alembert. Autrement dit, le calcul de la métaphore pose le problème du passage à la limite, où l'infini serait la limite du fini, c'est-à-dire le terme auquel le fini tend toujours sans jamais y arriver. Ravier aurait beau produire plusieurs milliers de métaphores par jour – ce qui est tout à fait possible –, il n'aurait encore rien dit de ce qui, hors la croyance aux révélations de l'inconscient ou du génie sur la nature des choses, légitime ce *passage* d'un signifiant à un autre et leur confusion dans un signifié qui en serait la somme. L'espace mental, à l'image de l'espace-temps, est-il continu ou discontinu? indivisible ou divisible? et cette divisibilité laisse-t-elle pourtant la possibilité de combler tout vide entre deux points? la métaphore est-elle un processus mental ou son simulacre? produit-elle de l'Un ou un effet d'Un? Un coup de hasard continu abolit-il l'infini discontinu? le processus métaphorique s'accomplit-il dans la durée pour échapper aux apories de l'espace (est-il « pensée en durée »?), pénètre-t-il dans la voie du qualitatif pour échapper aux dichotomies du quantitatif? cet effacement immédiat de la distance qui se donne à lire dans la métaphore est-il pensable, vérifiable, falsifiable, aléatoire, arbitraire? et même l'effacement, l'immédiat sont-ils pensables? l'efficacité métaphorique est-elle concevable en dehors de la confusion, obligatoire en mathématique, de l'imaginaire et du symbolique? le signifié de la métaphore n'est-il pas, plus encore que la métaphore elle-même, la capacité de construire des métaphores comme métaphores du déplacement, de l'indivisible et du continu ?

Reste qu'en toute logique une métaphore ne peut être qu'interminable. Il n'y a aucune raison de considérer qu'une métaphore puisse avoir un terme, dans la mesure même où elle est elle-même transgression dans l'imaginaire d'une infinité de *termes*. S'il y a déplacement, ce déplacement rencontre « à chaque instant » le transfini qui le constitue, comme dans ce poème de Jean Tardieu intitulé *Cascade de génitifs* [2] :

Seuil du roi de la nuit des fleuves d'or (etc.)

de sorte que la métaphore ne pourrait être que le balaiement interminable et aléatoire des syllabes et de leur agencement innombrable progressant dans un espace infini en y dessinant des figures aussitôt défaites (étant variables et fonctions les unes des autres) et qui, littéralement, se perdrait dans la nuit du temps et du langage. Bref, si la métaphore est, elle n'est pas. Si, entre deux mots, il est toujours possible d'en insérer un troisième, puis un quatrième, un cinquième, ainsi de suite, le terme de la métaphore n'existe pas. L'idée même d'UNE métaphore est impossible : il n'en existe qu'une infinité infiniment filée. Échappant à sa clôture, toute métaphore se dissoudra et l'on pourra toujours construire une métaphore qui sera la puissance, ou la soustraction, ou la somme, de la métaphore précédente. D'où il ressort que l'égalité qu'elle tend à imposer (du type : ceci est cela) est en réalité une égalité ou inégalité inassignable. La borne n'est jamais atteinte ou, si elle est atteinte, elle est transfinie. La métaphore se donne pour de l'infini donné alors qu'elle ne saurait être qu'infini potentiel, donc transmétaphore. C'est ce qu'avait découvert Isidore Ducasse à travers « les mathématiques sévères » destructrices de toutes les croyances euphorisantes de son siècle : figée dans le sens, la métaphore se nie elle-même, c'est la raison pour laquelle on ne sera fidèle à la métaphore qu'en la *liquidant*.

Notes

1. M. Merleau-Ponty, *La Prose du monde*, Paris, Gallimard, 1979, p. 9.
2. *Comme ceci comme cela*, Paris, Gallimard, p. 59.

III

L'écrivain comme représentation

Pour qui envisage de prendre l'écrivain pour objet d'enquête et de réflexion, la tentation est grande de fermer l'angle de cette prise de vue sur le *statut* occupé par l'*écrivain* dans telle *société*, si l'on entend par statut l'ensemble formé par les conditions concrètes de son existence quotidienne, son rapport aux institutions, ses comportements, ses fonctions et ses rôles. Si la démarche qui consiste à porter l'essentiel de son attention sur les pratiques et les lieux où elles s'insèrent semble indispensable, elle court pourtant le risque de n'avoir en vue qu'un objet *a priori* – une sorte de concept, alors que l'écrivain se construit plutôt sur le mode métaphorique –, dont on n'examinerait que les processus d'insertion ou de non-insertion dans les institutions qui gèrent et délimitent sa pratique, sans prêter assez d'attention au procès de construction et de définition symbolique de la *figure* que tout à la fois désigne et recouvre, exhibe et offusque le terme, lui-même toujours en procès, d'*écrivain*.

C'est cette construction d'une image qui n'est jamais qu'en partie « déjà formée et comme instituée [1] » qui va me requérir. Image assurément « sociale », mais où la répétition des schémas hérités ne se réalise qu'au prix de décalages concertés, d'innovations idéologiques, d'avatars formels [2]. Les institutions, même si l'on élargit leur définition, par-delà les « arrangements sociaux fondamentaux », à cet ensemble constitué par « les usages et les modes, les préjugés et les superstitions », ne devront jamais être considérées ici comme totalement « préétablies [3] » : il s'agira plutôt de les concevoir dans leur rapport à l'*opinion* qui les constitue. Elles seront définies comme un « ensemble de représentations [4] » construisant leur autorité en même temps qu'elles l'énoncent dans l'accomplissement d'une *pragmatique* du langage toujours plus ou moins indépendante des états de choses que ce langage serait censé décrire.

Que l'écrivain ait récupéré comme par réversion dans les sociétés occidentales (et pas seulement dans leurs minorités intellectuelles) une partie des excédents idéologiques investis jadis dans le « bon sauvage » ou le « fou », cette capacité qu'on lui accorde, ou dont il se prévaut, de refuser l'oppression de la langue, de l'État ou du pouvoir en général, voilà qui pourrait par ailleurs nous mettre sur la voie d'une anthropologie de la fonction mais aussi de la fiction littéraire.

La ritualisation post-rousseauiste des schémas biographiques sacralisants qui ont contribué à constituer l'image *ne varietur* de l'écrivain [5] ne saurait en tout cas être confondue d'emblée avec l'insertion du scribe dans les institutions au sens restreint : au contraire, c'est souvent dans le décalage entre les comportements vérifiables (si tant est qu'il en soit aucun) et les rituels symboliques et formels que se définit, dans une prétention générale à l'indéfinissable, *la représentation contradictoire de l'écrivain qui n'est jamais tout à fait là où il est parce qu'il voudrait être mis et se mettre partout à la fois : dans le réel, dans l'imaginaire et dans le symbolique.*

Toute sa stratégie mentale, scripturaire et sociale, ne consiste-t-elle pas précisément à tenter de confondre ces trois champs ou perspectives pour en imposer la confusion à l'Autre? S'il n'y a pas « d'identité ou d'individualité humaine qui puissent s'appréhender indépendamment de leurs déterminations sociales, il n'y a pas non plus d'institutions ni d'organisations sociales spécifiques qui ne mettent en œuvre un symbolisme plus général [6] ». De sa naissance à sa mort, quel qu'il soit et quelles que soient ses visées individuelles et sociales, l'écrivain n'est-il pas soumis à la loi d'un destin cérémonieux construit par des actes mais aussi par des actes de discours, des rites d'insertion et d'exclusion pas seulement mais toujours discursifs, des gestes d'intronisation et d'initiation « qui font sens, sociologiquement » mais « qui font signe, anthropologiquement [7] »?

Le *découvert* entre son statut social et sa statue dans l'imaginaire, les excessives dépenses symboliques auxquelles il est parfois contraint pour équilibrer son déficit narcissique dans la vie sociale, tel est l'espace ambigu au sein duquel se produisent ces signes vacillants et troubles. La difficulté que l'on éprouve à les capter et à les circonscrire tient au fait que ces signes sont moins émis que *désémis*, raturés dès leur esquisse, esquivés dès leur inscription, résultat brouillé de dénégations, subterfuges, confusions, manœuvres de déplacements, dépenses compensatoires, où le jeu de l'écriture et le jeu social (pour simplifier une opposition qui, justement, dans ce cas, n'en est plus une) se complètent, se doublent, s'entrecroisent, se mettent en conflit, s'harmonisent, se camouflent, se servent de mutuels alibis, s'abolissent parfois, pour la plus grande gloire – bonheur et/ou malheur – du sujet-scribe [8].

S'engageât-il en effet dans l'écriture au point, selon la réputation qu'on lui fait, de se sentir dépossédé de ce qui l'aliène, le sujet ne s'engage-t-il pas simultanément dans cette « œuvre dans l'imaginaire » qu'est la figure que prendra son ego lorsqu'il sera enfin reconnu immédiatement dans les signes qu'il exhibe : *tu es, je suis écrivain?* Dire qu'il y a de l'imaginaire dans la fonction écrivain n'est sans doute qu'une évidence, car où se constitue cet ego sinon dans l'image que nécessairement l'autre lui renvoie? Mais c'est une évidence *dérobée* sans cesse par les deux acteurs de la reconnaissance, dérobée à l'un par l'autre, dérobée à eux qui s'y dérobent en s'imposant mutuellement la reconnaissance du leurre. Être écrivain, c'est toujours agresser et capter l'autre en vue d'une reconnaissance en tant que tel, aisément vérifiable, malgré les dissimulations et dénégations, dans l'obsession souvent excessive des postulants à l'égard des lieux publics de la reconnaissance. L'imaginaire, ici indistinctement individuel et social, est ce par quoi et en quoi se constitue le leurre qui, pour le sujet comme pour le groupe, sera utilisé en fonction-fiction après la traversée des divers chemins du symbolique. *Écrivain* devrait donc être étudié d'abord comme signifiant, dans ses relations de substitution avec d'autres signifiants interchangeables tels que : comédien, bouffon, mage, prophète, homme, humain, savant, prolétaire, expert, scribe, représentant, porte-parole, révolutionnaire, bouc émissaire, martyr, etc. Envisager l'écrivain-image exigera que soit d'abord dressée la liste, historiquement si l'on veut, de ces signifiants substitutifs qui sont autant de représentations de l'écrivain.

S'il va de soi que le statut social (politique, économique, idéologique) d'un écrivain du type Ronsard n'a guère de rapport avec celui d'un écrivain du type Flaubert, celui d'un Racine avec celui d'un Petrus Borel, celui d'un Voltaire avec celui d'un Antonin Artaud, c'est moins le statut social, assez facilement repérable, qui les distingue ou les oppose, que les représentations imaginaires et/ou symboliques, fantasmatiques et/ou scripturaires, par lesquelles un écrivain ou groupe d'écrivains de tel type légitime, authentifie, dénie, conteste, récupère, obscurcit, efface – sur le mode spécifique qui est le sien : celui de la pratique du langage – *un statut qu'il entend le plus souvent rendre irreprésentable au profit d'une représentation dont il entend faire son statut véritable.*

A la question : « Jacques Chancel, journaliste, homme de radio, homme de télévision, écrivain, ce multiple Chancel, qu'est-il au fond [9]? », l'intéressé répond :

« Je ne sais pas ce que je suis. Je suis un homme en marge, ça c'est vrai. Je fonctionne. Je ne m'interroge pas sur les choses. Je fais. Je me nourris. Je me saoule. Je suis enthousiaste, disponible, utopiste. Je suis fou. »

Parce qu'elle est caricaturale, cette réponse signale à ravir les limites d'une enquête qui porterait sur le seul statut ou la seule fonction. Parfaitement intégré dans les différentes institutions qui gèrent le marché des valeurs symboliques, l'écrivain en question, quand la publication d'un ouvrage lui donne l'occasion de se définir comme tel, abandonnant le statut d'interviewer pour aller rejoindre la cohorte des scribes, esquisse une représentation de soi en « marginal » qui récupère sans pudeur excessive des représentations de type romantique parfaitement identifiables par un public même assez peu lettré. Pour euphorique qu'elle soit, c'est cette schizophrénie du statut et de la représentation qui me semble devoir être prise pour objet à *décevoir* (au sens où Proust « déçoit » son imaginaire guermantésien).

En d'autres termes, cette opposition-complémentarité-ambivalence du statut et de la représentation pourrait rejoindre et recouper celles, bien vastes, du profane et du sacré, de la fonction et du symbole. Qu'un écrivain prétende à la fois s'énoncer comme victime sociale (dans son corps, son inconscient, sa langue) et comme héros chargé de rédimer son propre malheur originel, et plus encore celui des autres, et tirer dans le même temps les bénéfices sociaux, économiques, narcissiques, de l'exhibition de sa figure dans des lieux où il n'est plus ni victime ni héros, ne relève pas seulement du jugement moral. Cette apparente contradiction, il convient de l'analyser en tant que telle, sans renoncer *a priori* à l'hypothèse du jeu infini et de la mise en perspective réciproque du statut dans l'image et de l'image dans le statut. Chacun a en effet d'un écrivain une représentation assez confuse où se mêlent, en désordre et entre autres, des renseignements sur sa carrière, sa valeur reconnue ou déniée, le rythme de ses phrases, son champ sémantique, ses amours et ses professions, les groupes auxquels il appartient ou appartint, l'identification à ses personnages ou à la position de son « moi » devenu sujet de l'énonciation, son idéologie poétique, son rapport à la tradition, son discours plus ou moins explicite sur l'histoire, les schémas biographiques qui nous ont été transmis, par lui-même, par d'autres, etc., sans qu'il soit possible à aucun moment, dans la pratique courante, de faire définitivement *la part des choses*. Simplifions encore : l'image de l'écrivain Racine est tout à la fois dans les œuvres de Racine, dans Lagarde et Michard, dans la réflexion pédagogique des maîtres, dans Valéry, au Secrétariat d'État à la

Culture, au café du Commerce, dans la conscience de l'analphabète comme dans celle du professeur d'université, dans Picard et dans Barthes, à l'Académie française, à la télévision, et dans mille lieux encore où se mêlent réel, imaginaire et symbolique.

La difficulté extrême du repérage, et même la quasi-impossibilité du partage, tient peut-être au fait qu'aucun de ces champs n'a de véritable statut d'autonomie. J'en propose un exemple.

Lorsque dans *Paradis,* ouvrage parfaitement autobiographique où la plupart des conditions du « pacte [10] » sont remplies, Philippe Sollers se définit comme « employé d'édition 1980 fin de siècle témoin suspect [11] », on voit bien qu'il cite à comparaître – sur un mode en partie ironique – ce qui pourrait constituer son statut d'écrivain. « Employé d'édition » désigne une situation tout à fait vérifiable de salarié d'un important éditeur parisien, et se présente ainsi comme le premier terme d'un paradigme : non rentier (vs Flaubert), ne tirant pas la plus grande partie de ses revenus de sa plume (vs Troyat), ni du journalisme (vs Poirot-Delpech), ni de l'enseignement (vs cent autres), etc. Mais il est tout aussi clair que, par-delà la constatation d'un ancrage professionnel, cet énoncé suggère une relation de dominé, la prolétarisation du scribe (vs Ancien Régime). Statut en fait à la fois exhibé et dénié : employé mais dévoyé, employé mais irréductible à son emploi. Statut qui, travaillé par les fantasmes prolétariens, voire populistes, est déjà une représentation, un rôle.

Dans *Vision à New York,* dont la parution coïncida avec celle de *Paradis,* l'auteur n'a-t-il pas pris soin de mettre en place les stigmates de sa nouvelle prestation sur la scène littéraire? Ce qu'il retient de son enfance bourgeoise, et de l'usine « qui est à côté de la maison où j'habite, l'usine qui appartient à mon père (p. 30) », c'est le polyglottisme des travailleurs émigrés : « Un très grand mélange de populations, de langues et de situations extrêmement perturbées » – vision cavalièrement prospective de l'artiste lui-même en travailleur déplacé et de sa pratique signifiante polyphonique et plurielle. De même, ce père chef d'entreprise n'est valorisé que pour sa « belle voix » et son amour de l'opéra (p. 43) : ce qui légitime par atavisme rétroactif l'actuel rapport fantasmatique du fils à la voix. Par la suite, le dialogue avec l'interlocuteur bienveillant ne cessera de constituer l'auteur en montreur d'images de lui-même, autour de biographèmes à lire, le plus traditionnellement du monde, comme unités de destin :

– corps morcelé, orphique : « Je ne me rappelle pas avoir eu un corps complet, fermé (p. 47) »;

– fétichisme de la partie pour le tout, mise en scène de l'oreille : « C'est grâce à tous ces ennuis d'oreille que j'en suis venu, malgré tout, à avoir une très bonne oreille, ou plutôt à me rendre compte que, du corps, ça commence, peut-être, avant toute chose, par de l'oreille *(ibid.)* »;
– problématique du souffle, de la voix insuffisante, reconvertie en pratique victorieuse dans *Paradis :* « Mais entre six et quinze ans, j'ai eu à répétition, constamment, des crises d'asthme d'une durée de deux, trois, quatre jours, avec la série d'essoufflements et de tout ce que cela comporte d'exploration systématique [...] de la fragilité du souffle *(ibid)* »;
– réhabilitation révolutionnaire du manque dans le chahut : « je perturbais les cours, je jouais de la trompette ou alors je faisais l'ours [...]. J'avais des éternuements énormes, n'est-ce pas? Donc, j'ai été mis à la porte », puis dans l'écriture : goût de l'imitation, de la parodie, du mime vocal (p. 65);
– réactivation des figures baudelairiennes de la déviance théâtralisée : le clown (« cette histoire de spectacle au second degré », p. 65), l'exilé, le hors-la-loi (« écrire, cette sortie d'Égypte [...] La langue de l'exception », p. 134), le chaman (« c'est de l'art magique. C'est le chamanisme [...]. Si, en pleine société [...] *un* sujet, en pleine civilisation, se met à faire ça alors, tout à coup, c'est soit le scandale, soit la répression proprement dite, soit l'énigme, le mystère », p. 153).

Cette compilation de figures anciennes ne va pas toutefois jusqu'à se méconnaître totalement. L'auteur ici se glose lui-même en se gaussant de ce « lui-même » *qui n'est pas,* puisque pluriel, polyphonique, ambivalent, transitoire, etc., mais *qui est* tout de même puisqu'il se donne à lire dans l'unité d'un je biographique et d'un nom. Ambiguïté qu'exprime assez bien le passage de l'*auteur* à l'*autreur* (p. 170), c'est-à-dire le jeu des apparitions « en tant que moi, sur différentes scènes, dans différents moments physiques, mentaux, verbaux, géographiques *(ibid.)* », la contestation du *moi* inhibeur et inhibé par le je-jeu voué à une perpétuelle et libératrice altérité.

Nouvelle image astucieusement ambiguë que celle du je en non-je. Vérifiable dans la psychologie du sujet individuel, dans sa self-variance mentale, elle ne l'est plus du tout dans la communication sociale du sujet écrivain, qui ne pourra jamais, quelle que soit sa démarche intérieure, échapper à une représentation médiatisée, paraphrasée, glosée, informative de lui-même sur lui-même. Je est un autre, mais le moi comme autre revient au galop. S'il est vrai que, selon la formule parfaitement valéryenne de Sollers, « l'important, c'est que *je* sois considéré comme *pas moi* » (p. 171), rien ne pourra faire, pourtant, que la représentation imaginaire et symbolique de *je* en *pas moi* ne se donne à lire, par l'effet de ce métalangage qui souligne l'imaginaire en évinçant le symbolique, comme idéalisation du *je* à travers des modèles, plus que comme sa métaphore réellement en acte et seulement scripturaire [12].

Aussi bien, lorsque Sollers affirme [13] que l'écrivain peut et doit désormais « se débarrasser des justifications idéologiques qu'il donne à la nouveauté de son écriture », et qu'il s'en serait lui-même débarrassé, ne désigne-t-il pas par inadvertance le fond même de toute justification idéologique, à savoir qu'on ne saurait s'en débarrasser que sur le mode magique de la dénégation?

En voici d'ailleurs une autre : celle du sujet désassujetti miraculeusement dans l'origine absolue et liquide de la voix. Problématique de l'écriture et de la voix réconciliées dans une fusion que vient figurer et authentifier la métaphore de l'*audio-visuel :* de l'écriture qui se donne à l'oreille, de la parole qui se donne à lire. L'immédiat comme nouvelle médiation. Bien loin d'abandonner toute « justification idéologique », on en accroche simplement une nouvelle, techniciste, où le modèle de la machine et des médias vient remplir la case abandonnée non par l'idéologie mais par *les* idéologies. D'où la possibilité d'un astucieux rétablissement : puisque l'audio-visuel modélise et garantit l'écriture-voix, la production de l'écrivain par lui-même sur la scène des médias est non seulement justifiée mais inévitable et conseillée : écrire et informer sur celui qui écrit deviennent équivalent. « Il n'y a pas de différence entre un écrivain consacré à son œuvre, et la manière qu'il a de lui donner du poids par les moyens d'information : les deux fonctions tendent à se confondre. »

Il importe peu de savoir si une telle affirmation est vraie ou vérifiable; il importe seulement de constater que le nouveau discours de Sollers récupère sans difficulté les antiques légitimations de la présence (« la présence physique, la façon de s'exprimer »), reprenant à son compte des énoncés de type « rousseauiste » devenus classiques : « La voix et l'image révèlent quelqu'un bien davantage que l'écriture. L'écrit permet des inventions, des légendes, des dissimulations incroyables [...]. L'écrivain est en train d'acquérir sa présence physique. Sa voix, son corps, la façon dont il parle, dont il se tient, deviennent tout à fait importants. » Sans doute cette naturalisation du corps transparent et spontané cache-t-elle autant d'astuce que de naïveté. Reste qu'une légitimation chasse l'autre : le nouveau scribe ne fait ici que s'installer dans l'idéologie utopiste de la coïncidence où se produit l'illusion qu'il n'y a plus d'idéologie ni de justification à donner puisque aussi bien il n'y a plus que de *l'immédiat.* Paradoxalement, c'est le recours aux médias qui sert ici à produire de l'immédiat. Illusion propre aux médias que cette idéologie de la présence, qu'ils sont là pour construire et propager [14], et que glose (entre mille gloses) cette remarque que l'écrivain « apostrophé » inspire à un échotier :

> Et si l'on se prenait à rêver : si nous avions conservé les conversations à bâtons rompus d'Homère ou de Shakespeare! Et si soudain Flaubert, franchissant les portes du petit écran, s'asseyait en face de nous? Alors sachons profiter de leurs héritiers, puisque le « grain de la voix » (Pivot dixit) des aînés nous restera éternellement inconnu. Salut à la littérature en chair et en os : vivante [15]!

Qu'il ne puisse être question ici que d'un combat d'images et de représentations, Sollers ne l'ignore d'ailleurs pas quand il oppose la défense de sa propre illustration à d'autres figurations concurrentes : celle du secret monacal, type NRF (« ils ont peur de ne pas faire le poids dans l'audio-visuel. Et en effet ils ne le font pas ») ou celle de l'universitaire archivé en lui-même, alors même qu'il réactive, pour faire bonne mesure, l'image du duo troubadour-jongleur (« au Moyen Age il y avait les troubadours et les jongleurs, qui interprétaient la chanson du troubadour »), duo qu'il entend quant à lui unifier dans une prestation (s'écrire, se communiquer) tout à la fois archaïsante et à la pointe du progrès technologique.

Voilà, en tout cas, qui nous conduit bien loin du statut dont l'énoncé provocateur (« employé d'édition ») inaugurait une cascade d'*images* dont tout le charme tient aux embruns qu'elles projettent comme une poudre aux yeux du spectateur ébloui. Le combat pour la reconnaissance dans l'imaginaire est assurément inséparable de la conquête des gratifications symboliques grâce auxquelles le sujet, tout « pas moi » qu'il soit, se fait tout de même reconnaître comme « quelqu'un ».

De la même façon, tel autre, s'autoréputant « d'avant-garde » [16], pourra s'afficher dans une somptueuse filiation régressive : contrepèterie → sexe → peuple. Retrouver, par un « travail de la langue », le vieux fond d'obscénité naturelle qui la travaillerait elle-même *naturellement,* ce serait du même coup s'inventer une paternité gratifiante : fils de la langue du peuple, voire réprouvé fils du peuple, finalement père du peuple sans épreuve. *Naturalité* et *popularité* de la langue qui auraient été évacuées (« voir la manière dont la France jacobine a éliminé les patois et les dialectes ») par la bourgeoisie triomphante, mais dont l'écrivain nouveau s'instituerait heureusement le vigile, et, pourquoi pas, le martyr [17].

Peu importe qu'une telle conception participe encore d'une représentation fantasmatique d'une « langue populaire » naturellement naturelle donc dotée de sens et d'histoire, argotique et scatologique parce que antérieure, proche de la terre, de l'humus, de la défécation primitive : les annales du « peuple » seraient ainsi archivées dans l'anal et la langue vulgaire dans la sexualité. Que cette autre vulgarité devienne par lui et en lui éclatante *distinction*, c'est ce qu'il ne dit pas, mais fait : effet de vulgarité qu'il ne serait pas habile de souligner puisque lui-même s'exhibe assez, implicitement, comme porte-parole désigné de la langue-peuple. Procédure aussi naïve qu'efficace, et qui s'avoue dans la dénégation à travers cette litanie de noms propres (très propres, pourrait-on dire), anagrammatisés, contrepèterisés, déréférentialisés (« et Barthes et Lacan et Kristeva et Freud et Deleuze et Guattari [...] et Larthes et Bacan et Fristeva et Kreud et Gueleuze [...] et Barthes et Bacan et Bristeva et Breud et Buatari [...] et Larthes et Macan et Nristeva et Preud et Releuze et Suattari [...] et Yarthes et Zacan et Warthes et Vacan et Uristeva et Taguary et tutuguri et Carbes et Talan et Talon et Achille et Triste-Eva et Adam et Reuf et Froidy et Œdipe et Rutabaga et Rita Magic et [...] » où se donne à lire, fût-elle objet de ricanement langagier, la traditionnelle obsession de la Gloire du nom d'auteur, fidèle pulsion depuis qu'il y a des hommes de lettres et qui y croient.

Croyance et mise en place de l'ego et du nom attestées ici par la référence à une ou plusieurs lectures faites par l'auteur au centre Georges-Pompidou : lieu privilégié, étroit, où pourtant le fantasme du « peuple » primitif est remarquablement mis à mal par la réalité de la consommation petite-bourgeoise des images culturelles, puisque aussi bien « ceux qui viennent, ils sont acquis d'avance ». Image en définitive assez réussie dans son triple soutien symbolique (la langue), imaginaire (le peuple) et social (la reconnaissance publique).

Il en est de plus achevées, de plus démonstratives et de plus rusées encore. En 1972, à la suite de l'interdiction de son livre *Eden, Eden, Eden* [18], Pierre Guyotat publiait, sous le titre *Littérature interdite*, quatre entretiens où il s'expliquait sur son projet d'écrivain.

Prétendant refuser « le genre *poète maudit* », les schémas traditionnels de l'idéologie bourgeoise, et même toute idéologie, Guyotat n'en reconstruit pas moins, à travers ces textes, sa figure d'exclu en victime émissaire de la lutte des classes : je mets en question la langue bourgeoise et l'usage bourgeois de la langue, donc je suis l'objet d'attaques, de censures, etc. Dire l'interdit, c'est être interdit, mais en même temps légitimé. Légitimation qui commence par s'énoncer en référence à des modèles parfaitement culturels à travers lesquels se constitue l'image à la fois fragmentée et totalisante d'un sujet imaginaire :

– *le nègre* (lutte pour la liberté, la nourriture);
– *l'acrobate* (« avoir assumé un risque physique fantastique »);
– *le travailleur manuel* (tourner dans sa chambre « bourrée de livres en espérant y trouver une truelle »);
– *le génie* (« tout enfant, déjà, je ne pouvais admettre qu'on pût vivre sans génie »);
– *le poète-aristocrate* (« cette aristocratie de la vision poétique née du refus et du mépris de la sagesse »);
– *le sauvage* (l'écriture du texte sauvage immédiat par où s'« évacue un refoulé sexuel brut ») [19].

Ayant ainsi dressé le catalogue non exhaustif de ses doubles référentiels, le sujet ne s'interdit pourtant pas, quand bien même il se refuse à envisager sa pratique comme ayant quelque chose à faire avec « la littérature », de se reposer à la fin sur les traditionnelles représentations de l'être-poète ou de l'être-écrivain : « quelqu'un qui, étant marxiste, étant écrivain, étant poète [...] [20] ».

La vérité du texte, son évidence, son immédiateté, sont par ailleurs et par avance authentifiées par cette relation *physique* à la langue que permettrait l'usage de la machine à écrire par où s'établit un rapport de *possession* (« possédé physiquement par le besoin de rester devant cette machine »). Gestuelle, motricité, qui assurent « l'utilisation immédiate dans le texte des phénomènes biologiques simultanés du corps écrivant ») et justifient l'évidence de cette « écriture organique », impulsive et pulsionnelle, que redouble, pendant l'expérience scripturaire même, l'expérience sexuelle de la masturbation, « pratique immédiate sexuellement *interdite* en tant qu'immédiate ». Non pas dangereux supplément cette fois, mais euphorique et euphasique coïncidence, par où s'inscrit une « corporalité-limite », pour aboutir au texte comme « scripto-séminalogramme [21] ».

La rigueur de cette authentification par le corps spontané est elle-même confirmée non seulement par le discours savant qui lui sert d'autorité (Freud, Lacan), par la référence à la psychanalyse comme science et fondement de tout « acte scientifique », mais aussi par cet envers complémentaire du texte sauvage, le texte *savant,* travail sur le texte premier et immédiat, à visée d'*intertextualité* et d'*encyclopédisme* (références implicites ou explicites : les romantiques allemands, Lautréamont, Joyce). Fantasme de l'immédiat et travail du médiat se rassemblent alors dans une double relation, nécessairement subversive, à la mère et à la langue-mère. Fœtalité, oralité (écrire « ce qu'un bébé ne peut écrire »), mère et langue-mère objets à la fois de convoitise et de refus, branchant le texte sur une chaîne signifiante qui le conduit vers son origine (« les bases pulsionnelles de la phonation ») la plus originellement originale et la plus originalement originelle. Là, la textualité la plus littérale rejoint et redouble l'ultime légitimation du vrai : le *souffle,* le « paquet de voix dans la gorge », « bouillie de voyelles, de consonnes, de syllabes, de mots entiers même, qui demandent à sortir, à gicler sur la page ». Ainsi est désigné et cité comme témoin l'espace corporel tout entier et, plus encore, l'espace définitivement probatoire de l'inconscient, à la fois nature et culture, lieu de rencontre de l'immédiateté et d'une scientificité (la psychanalyse) toujours à l'œuvre (« je travaille un matériau, une matière première : ma langue maternelle – ce qui constitue psychanalytiquement un acte scientifique [22] »), texte et prétexte, lieu de toute inscription et de toute rature, de toute polysémie-polyphonie et de toute loi, lieu absolu, total, parfait.

Pas tout à fait encore, car cette vérité du corps ne serait elle-même qu'une pseudo-légitimation si l'*articulation* au politique et à l'économique faisait défaut au biologique et à l'inconscient. L'« engagement physique » n'est encore que la doublure expressive, par « corps écrivant » interposé, de ce qui du sujet est engagé dans l'oppression, l'échange, l'exploitation, la violence de classe, la violence raciale, là où le sexuel et l'économique se constituent mutuellement. De sorte que l'écriture sauvage-savante, rendant compte de l'« effleurement permanent de la pulsion économique dans le tissu du texte », produira le lieu de jonction (delta, carrefour) de toute aliénation en même temps que de toute libération. Par-delà l'économie libidinale et la libido économique du sujet, c'est tout ou partie du corps social qui pénètre dans l'écriture, répercutant « *textuellement* la rumeur matérielle de la masse, de son aliénation consciente et inconsciente, de l'exploitation de sa force sexuelle dans le travail », constituant ainsi à la fois son dedans et son dehors, assurant au texte l'ultime légitimation du hors-texte des « luttes auxquelles le sujet a adhéré », de la classe (le prolétariat) et du parti (communiste) auxquels il déclare être rattaché et attaché. C'est donc tout naturellement qu'il pourra conclure : « je maintiens que la littérature que je signe est résolument *prolétarienne* [23] ».

Il ne s'agit pas de discuter du bien-fondé, voire du sens, de pareilles prétentions. Il s'agit seulement de constater que le sujet (celui de l'énonciation comme celui de l'énoncé) s'est entouré du maximum de légitimations possibles; d'une certaine façon, il a fait le plein des légitimations. Là encore, un interminable système métonymique assure la liaison des légitimations et leur équivalence : corps = sexe = nature = langue = lutte des classes = textualité = souffle = corps = sexe = inconscient = pulsion = origine = signifiant = matière = matérialité = matérialisme = marxisme = communisme = prolétariat = nature = sauvage = oralité = paradis perdu = retour du refoulé = écriture = science = inter-textualité = totalité = tous = je = nous = eux = histoire = significations = futur = passé = présent = langue = nature = sexe = corps, etc.

Pour parfois caricaturales qu'elles soient, ces représentations ne relèvent pourtant pas d'une épreuve de vérité : elles ne sont ni justes ni fausses, elles sont. On peut seulement envisager de les décrire, de repérer éventuellement leur origine, leur constitution, leur permanence et leur diffusion, ou encore de souligner les relations conflictuelles qu'elles entretiennent entre elles. A la limite, on pourrait se borner à en dresser la liste, sans se bercer de l'illusion de les évincer toutes ensemble de l'imaginaire social.

Au demeurant, la mise en question d'une représentation, jugée dominatrice ou triviale, n'implique pas la moindre lucidité sur le processus incessant de leur renaissance : la critique d'une figure constitue dans la plupart des cas la production non critique d'une nouvelle figure. J'illustrerai cette remarque adventice par un bref extrait de presse, introductif à une enquête ouverte par les questions suivantes : Où, à quel rythme, et dans quel ordre travaillez-vous? Comment vivez-vous le rapport entre votre travail et votre profession? Comment vivez-vous le rapport entre le poème et la prose?

« Pour le commun des mortels, le poète, cet animal étrange, reste un être maudit, génial clochard reclus dans une chambre au septième étage, perdu dans les brumes opaques d'un tabac fort, schizophrène au bord quotidien du suicide, partagé entre l'alcool et les péripatéticiennes, récitant ses strophes à haute voix et s'effondrant au petit matin sur un matelas troué, l'œuvre essentielle enfin achevée. On le respecte de loin. De près, on s'en éloigne comme de la peste. Ce portrait hâtif a le charme désuet des images d'Épinal : s'il demeure quelques irréductibles pour qui Rimbaud et Verlaine sont des modèles d'existence, caricatures en voie de disparition, la plupart des poètes font des pointes sur l'autoroute, vont se reposer dans le Midi, occupent des postes importants dans l'édition, le journalisme, les affaires, et même dans la politique, ou bien mènent tout simplement des vies semblables à celles des autres – métro, boulot, dodo. La poésie n'est pas une panoplie : c'est une nécessité intérieure. On n'en vit toujours pas, mais elle vit en eux, brûlante. Le soir, les cadres dynamiques ont leur programme télévisé : les poètes, eux, ont leurs feuilles blanches à remplir, coûte que coûte. Bref, la mythification a assez duré. S'ils ne font toujours pas la " Une " des journaux et du petit écran, les poètes demandent à être considérés pour ce qu'ils sont : des professionnels de la plume, comme les romanciers ou les essayistes. Nous avons demandé à quelques-uns de témoigner de leur travail – ce qui ne retire rien à l'inspiration, cette grande dame qui n'a pas cessé de les gouverner [24]. »

Annonçant bien haut son intention de « démythifier » une représentation encore dominante, dont il n'analyse ni l'origine (la faire venir de « Rimbaud et Verlaine » est une galéjade), ni la constitution, ni les modes de diffusion, le journaliste ne fait ici que reconstruire ailleurs ce qu'il croit avoir défait. Prenant acte de l'insertion relative des écrivains dans les espaces de production et de consommation des biens symboliques, il tente un amalgame entre situation, position sociale, métier, d'une part, et statut imaginaire d'autre part. A l'exhibition romantique de la seule différence succède celle de la ressemblance démocratique et petite-bourgeoise (« des vies semblables à celles des autres ») et de valeurs fantasmatiques (« des professionnels de la plume ») qui pourraient ne traduire que l'obsession de s'introduire plus avant dans le commerce de la librairie. Représentation du « poète » en jeune cadre qui n'abandonne l'informatique que poussé par une « nécessité intérieure ». Figuration modern style qui ne récuse le cliché romantique de l'« inspiration » que pour mieux le récupérer *in fine :* comment, en effet, si le poète était à ce point « semblable » aux autres pourrait-il tout de même être assez « différent » pour prétendre à quelque distinction? « Employé d'édition », mais corps malade, mais voix naturelle, mais promu par un destin, mais voué à l'écriture par une « grande dame ». Le discours, aussi bien, tire son efficacité de ce qu'il peut s'inverser : corps, nature, destiné, inspiré, mais, comme tout le monde, employé. Ressemblance et différence, le vieux stéréotype romantique est toujours là.

Si l'écrivain est donc bien un objet de discours et de consommation, il n'est jamais qu'un objet produit, tant par les autres que par lui-même. Le rapport que nous entretenons avec l'écrivain, qui passe dans tous les cas par l'articulation au *nom de l'auteur* (voir plus haut : « Rimbaud et Verlaine ») comme lieu de rassemblement de l'ensemble confus et diffus des signes qui le constituent, participe d'un échange imaginaire par lequel le lecteur, et, de façon plus générale, le consommateur de biens symboliques, est conduit à attribuer à l'*autre* qu'est l'écrivain, ou reconnaît en lui, des qualités, des valeurs, des pouvoirs, des gestes, une intériorité, une intimité, une socialité de caractère imaginaire, symbolique ou mythique [25]. On montrera que cette reconnaissance par projection et effet de retour de l'altérité de l'écrivain ne peut s'accomplir réellement que par la reconnaissance simultanée de sa *mêmité.* C'est cette reconnaissance que définit le statut imaginaire de l'écrivain sans lequel sa « réalité » ne saurait être prise en compte, perçue et intégrée dans la nôtre.

Cette représentation est d'évidence énoncée puis gérée, dans et par un ensemble de discours contradictoires, émanant de lieux différents et concurrents, qui ont pour fonction non de dire une « réalité » mais d'énoncer des signes qui permettront de mettre en place les conditions de recevabilité de ce donné sur le mode du plus vaste consensus possible. L'étude de ces énoncés, on le verra plus loin, relève donc d'une *pragmatique.* Son objet est l'analyse des pratiques représentatives qui tendent à faire coïncider un *message* avec une *image.*

Il me paraît donc nécessaire d'envisager l'écrivain non comme une origine absolue, soit qu'elle soit elle-même sans origine, soit qu'elle s'origine dans le sujet, lui-même étayé par toutes sortes d'origines annexes, mais comme un *effet.* Si un *rituel* est l'ensemble des pratiques qui permettent de définir et d'imposer à l'imaginaire social « la qualification que doivent posséder les individus qui parlent [...], les gestes, les comportements, les circonstances, et tout l'ensemble de signes qui doivent accompagner le discours [26] » mais aussi ceux qui constituent ce discours lui-même, si un rituel est ce qui « fixe l'efficacité supposée ou imposée des paroles, leur effet sur ceux auxquels elles s'adressent, les limites de leurs valeurs contraignantes », ce qui « détermine pour les sujets parlants à la fois des propriétés singulières et des rôles convenus [27] », mon propos est donc bien l'examen des rituels qui assurent la transformation d'un sujet-qui-écrit en *écrivain* et sa réception (ou son refus) en tant que tel par tout ou partie du corps social.

Notes

1. Paul Fauconnet et Marcel Mauss, *Essais de sociologie*, Éditions du Seuil, coll. « Points », p. 16 et s.
2. Je distingue provisoirement mais à tort *idéologique* et *formel*. Cette distinction sera rectifiée par la suite.
3. Fauconnet et Mauss, *op. cit.*
4. *Ibid.*
5. Voir en particulier les travaux de Jean-Marie Goulemot.
6. Marc Augé, *Symbole, Fonction, Histoire*, Paris, Hachette, 1979, p. 22.
7. *Ibid.*, p. 22.
8. Quelle stratégie met-on en œuvre pour être à la fois professeur du secondaire, martyr de la littérarité, petit bourgeois, protégé par l'État, « grand écrivain », homme de lettres, doublure de Kafka, moine des lettres et adepte des médias : telle est toute la question.
9. *Le Parisien*, 23 octobre 1980.
10. Cf. Philippe Lejeune, *Le Pacte autobiographique*, Paris, Éditions du Seuil, 1975.
11. *Paradis*, Paris, Éditions du Seuil, 1981, p. 244.
12. *Vision à New York*, Paris, Grasset, 1981.
13. *Seul contre tous...*, Entretien avec Philippe Sollers, *Le Magazine littéraire*, nº 171, avril 1981.
14. Cf. Philippe Lejeune, *Je est un autre*, Paris, Éditions du Seuil, 1980.
15. Claude Glayman, *Les Nouvelles littéraires*, 2 avril 1981.
16. *Tartalacrème, gazette bimestrielle d'orthographe et de poésie*, nº 13.
17. Cf. Poulaille, Ragon, etc.
18. Pierre Guyotat, *Littérature interdite*, Paris, Gallimard, 1972.
19. *Ibid.*, p. 18-22.
20. *Ibid.*, p. 50.
21. *Ibid.*, p. 13-47.
22. *Ibid.*, p. 28.
23. *Ibid.*, p. 85.
24. J.G., *Les Nouvelles littéraires*, 29 janvier 1981.
25. Cf. Jacques Dubois, « Statut de l'écrivain et conditions de la production littéraire », dans *Problèmes et Méthodes de l'histoire littéraire, RHLF*, 1974. « Toutefois, ce même statut, s'il postule des pratiques et des échanges de caractère concret, n'acquiert sa validité qu'à la faveur de sanctions symboliques relevant d'un système de représentations. »
26. Michel Foucault, *L'Ordre du discours*, Paris, Gallimard, 1976, p. 41.
27. *Ibid.*

La poésie est une paire de bretelles

Si je dis : Saint-John Perse est né en 1887 à la Guadeloupe, je produis un énoncé déclaratif dont on pourra dire qu'il est vrai à partir du moment où l'on aura vérifié la conformité de la date et du lieu de naissance de Saint-John Perse sur un registre d'état civil. Il me faut passer provisoirement sur le fait que cette vérification se révélerait négative : aucun être humain répondant au nom de Saint-John Perse n'est né en 1887 à la Guadeloupe [1].

Tel quel, cet énoncé est donc radicalement faux et cette déclaration dit non seulement autre chose que ce que dit le registre d'état civil, mais autre chose que ce qu'elle dit (l'énoncé est faux mais non dépourvu de signification) : c'est cet *autre chose* qu'il conviendra d'examiner.

Disons donc plutôt : Alexis Saint-Léger Léger est né en 1887 à la Guadeloupe. Voici un énoncé déclaratif presque parfait, en tout cas parfaitement vérifiable. Si l'on accepte le principe qu'un énoncé déclaratif est vrai s'il correspond à une réalité (principe qu'il est d'ailleurs possible de mettre en question), *la neige est blanche* est vrai, *la neige est noire* est faux. François Recanati [2] cite la phrase suivante : *les avatars désossent l'œil du canevas,* énoncé éminemment problématique, en tout cas difficilement vérifiable. De ce qu'il n'est peut-être pas vrai, peut-on conclure qu'il est dépourvu de signification?

L'énoncé *la neige est noire comme une nuit blanche* constate-t-il quelque chose de vérifiable? On peut en douter : aucune métaphore n'est vérifiable. Et pourtant, selon l'idéologie poétique, toute métaphore se donne pour vraie. *La neige est blanche comme une nuit noire* serait d'une certaine manière plus vrai que *la neige est blanche, a fortiori* plus vrai que *la neige est noire.* Un secret, dira-t-on, s'y délivre, plus vrai que l'apparence, plus réel que le réel. Tout cela est bien confus mais tourne pourtant dans l'implicite de l'évidence. C'est cet effet d'évidence qu'il faut interroger.

Si je lis l'énoncé *les avatars désossent l'œil du canevas* dans une plaquette de 98 pages in-8° publiée par les éditions Gallimard, Seghers, du Seuil, ou même aux éditions de la Pensée universelle, il est vrai que j'aurai tendance à croire qu'il signifie quelque chose. Que cette tendance soit ou ne soit pas justifiée, qu'elle soit aberrante ou raisonnable, importe peu : elle, du moins, est bien réelle et parfaitement vérifiable. L'exégèse de cet énoncé est possible. Qu'il soit réellement porteur de vérité, de réalité et/ou de significations importe pourtant beaucoup moins que la croyance réelle qu'il détermine et/ou implique chez le destinataire en la possibilité, voire la quasi-certitude, que cet énoncé ne soit pas totalement dépourvu de réalité, vérité et/ou significations. C'est que parmi les implicites qui impulsent cette croyance, il en existe au moins un, d'ailleurs quasi explicite : l'énonciateur est un poète. L'hypothèse du dément ou du mauvais plaisant étant exclue, rien d'autre ne saurait légitimer semblable énoncé que la qualité reconnue de son énonciateur. Autrement dit, pour que cet énoncé soit considéré comme porteur possible de réalité, vérité et/ou significations, il faut et il suffit que l'énonciateur soit investi des marques qualificatives du poète. Inversement et complémentairement, un tel énoncé est doté des marques significatives qui suffisent à investir son énonciateur de la qualité de poète. Il dit donc implicitement *autre chose* que ce qu'il dit explicitement (à savoir que quelque chose survient aux avatars quand ils entrent dans un certain rapport avec l'œil des canevas), et cet implicite dit : je suis poète. Je me demande d'ailleurs s'il ne dit pas que cela. Quoi qu'il en soit, il réalise pragmatiquement, par-delà son sens possible et par-delà ou à cause de son allure constative et assertive, la figure du poète en son énonciation.

D'une manière générale, il est clair que tout discours littéraire relève d'abord d'une *pragmatique,* et non pas seulement d'une sémantique : c'est ce qui a lieu réellement sur l'axe locuteur-auditeur ou scripteur-lecteur qu'il convient d'examiner plutôt que le rapport de tel ou tel énoncé à la vérité ou à la réalité. La plupart des énoncés sont en effet sans rapport vérifiable à la vérité ou à la réalité : tout ce qu'on peut en dire c'est qu'ils sont énoncés sur le mode du « ceci est vrai » ou du « ceci est réel ». J'appellerai *pragmatique* tout ce qui relève de cette production de la croyance. Qu'il se trouve quelqu'un pour croire que *la neige est noire comme la mémoire des astres* ou *la poésie est l'évidence même,* ou *même quand il a tort le poète a raison* sont des énoncés vrais quoique non vérifiables, voilà ce qui m'intéresse. « En tant qu'étude du comportement empirique des sujets parlants, la pragmatique est plus proche de la psychologie ou de la sociologie que de la logique ou de la linguistique [3]. » Elle partira de la constatation que, dans tous les cas, ces énoncés ne sont possibles que si « le locuteur s'assigne un certain rôle et assigne à l'auditeur un rôle complémentaire [4] » et que si cette assignation se réalise dans et par le discours. Puisque la relation du discours littéraire au vrai ou au réel est toujours improbable – ce vrai et ce réel n'étant jamais que des effets du discours –, puisque, par ailleurs, il lui faut faire passer cette relation discrète pour une relation secrète et cette relation secrète pour une évidence, aucune littérature ne peut faire l'économie de la mise en place, dans la pratique scripturaire elle-même, au cœur même de la littérarité, des codes destinés à assurer la croyance en son autorité ainsi qu'en l'autorisation de son auteur. A l'origine comme au terme il y a toujours un « je déclare que ceci est vrai, réel, signifiant » implicite, que le discours littéraire partage avec tous les autres discours producteurs de croyance, même s'il prétend, lui et lui seul, en faire l'économie. C'est dans cette activité performative que se réalise (se donne comme réelle) l'identité du poète et du mage ou du prophète, et d'une manière générale sa relation avec les différentes figures dont il tire sa légitimité dans l'imaginaire : le criminel, le despote, le dissident, le malade, le fou, l'enfant, le savant, le mathématicien, etc.

Sans doute, si ce discours n'était pas doté d'autorité par les institutions sociales, et si cette autorité n'était pas reconnue, sa crédibilité serait-elle faible, voire nulle. Mais les institutions qui gèrent le symbolique et l'imaginaire sont le plus souvent impuissantes à imposer une croyance à la grande majorité des mécréants. A l'inverse, si ce discours ne produisait pas sans cesse les marques de son autorité il échouerait à se combiner à l'action des donateurs sociaux d'autorité. S'il est vrai que « l'autorité advient au langage du dehors [5] », il revient aussi au langage de faire reconnaître du dedans sa légitimité. Si « le porte-parole ne peut agir par les mots [...] que parce que sa parole concentre le capital symbolique accumulé par le groupe qui l'a mandaté [6] », il faut encore que ce porte-parole produise au niveau discursif la fascination imaginaire sans laquelle ce capital symbolique serait tout simplement liquidé, intérêts compris. Il faut donc que le porte-parole soit constamment tendu vers la représentation énonciative de lui-même en écrivain, représentation par laquelle il fera oublier qu'il est *aussi* mandaté et qu'il y a représentation. Toute énonciation est une représentation, toute représentation se constitue dans la performance énonciative.

Soit les énoncés suivants, dont la liste quasi infinie constituerait l'ensemble du discours constitutif de l'idéologie poétique [7] :

– la poésie est l'évidence même, elle coule de source, elle parle clair, elle est l'eau, la transparence lucide;
– la poésie n'est pas objet d'interrogation, elle ne pose pas de problèmes, elle n'est pas à comprendre;
– la poésie dit toujours la vérité, elle est le contraire du mensonge du discours quotidien qu'elle purifie;
– la poésie ne sert à rien, elle est pur don, gratuité;
– la poésie est l'étoile qui mène à Dieu rois et pasteurs;
– la poésie c'est le progrès, la révolution, la rédemption;
– la poésie est seule capable de restituer à l'homme intégrité et intégralité;
– tout en ne disant rien d'autre qu'elle-même, la poésie dit davantage;
– « la parole de la langue s'éclaire et brille dans l'écriture » (Heidegger);
– la poésie est l'équation ontologique qui s'établit dans le poète entre l'être et le langage;
– le poète est celui qui seul porte sur l'être un regard authentique;
– le poète est celui qui a conscience qu'écrire engage l'existence;
– la poésie est une manière de convoiter l'absolu;
– dans la poésie la parole parle au nom de la Parole;
– la poésie traduit dans la parole la présence d'un mystère premier et comme préexistant;
– le langage poétique construit à l'écart un « simulacre linguistique des choses » mais dont « la singularité » est d'« apparaître » comme n'étant pas un simulacre linguistique;
– le réseau de signes qui constitue le poème « correspond à une certaine structuration de la réalité »;
– la poésie nous met en rapport avec ce que nous ne savons pas;
– la poésie cherche à « établir entre les mots et les choses des rapports aussi consubstantiels que possible »;
– le poème exprime autre chose que l'imaginaire;
– la poésie naît non d'une théorie mais de l'obsession d'être d'une parole;
– chaque poème n'est qu'un fragment du poème global qui s'écrit dans l'Histoire;
– chaque poète invente la forme propre de son langage;
– la nature immédiate et justifiante du poème est d'être poésie, c'est-à-dire de transcender toute théorie;
– la poésie est une chose inexplicable et fulgurante, immédiatement probante;
– il n'existe pas de définition de la poésie parce que la poésie n'est mesurée par rien d'autre qu'elle-même;

– lire un poème doit correspondre à la même opération qu'écrire un poème;
– la poésie est le réel absolu;
– le langage dit l'être et le poète doit lui permettre de laisser passer cette parole en attente, il doit répondre à cette exigence pure du langage;
– « l'être parle partout et toujours à travers notre langue » (Heidegger);
– la poésie est un moyen de libération;
– le poète exprime le non-dicible;
– en exprimant des rapports nouveaux entre les mots, le poète délivre des significations cachées entre les choses;
– la poésie est le lieu où les contraires s'accordent;
– la poésie dit l'essentiel, avec des mots essentiels, dit l'origine avec des mots originels;
– la métonymie et la métaphore sont la parole de l'être;
– le pouvoir métonymique du poème réduit la distance entre les mots et les choses;
– la poésie est un langage libre qui s'oppose aux langages conventionnels, contraignants et abstraits qui pétrifient;
– la profondeur et le mystère du poème sont la profondeur et le mystère mêmes du monde;
– les significations sont les choses;
– le langage poétique, subjectif, s'oppose au langage des mathématiques, contraignant et abstrait;
– etc.

Indépendamment de leur caractère lancinant, de leur contenu religieux et de leur forte teneur en idéologie (qui se présente bien sûr comme l'anti-idéologie ou comme hors idéologie), ces quelques énoncés (dont la liste diachronique pourrait constituer l'histoire des croyances littéraires, sans laquelle l'histoire littéraire manque en quelque sorte de fondements, et qui pourrait se continuer par la liste des énoncés inverses mais identiques des avant-gardes contemporaines) ont tous un point commun : ils s'énoncent sur le mode de l'assertion et se donnent pour des constatifs. Sur le modèle : *la poésie est X,* il est en effet possible de construire une infinité de propositions qui, pour être apparemment diverses, voire contradictoires, auront du moins en commun leur caractère péremptoire et le fait qu'elles produisent la croyance sans laquelle elles seraient purement et simplement lettres mortes.

Il est clair que ces énoncés ne sont pas sans rapports avec tels autres où s'exhibe d'abord une évidence qui en fait s'y construit : les proverbes. « Le proverbe est, en toutes langues, une phrase pleine de sagesse et de poids, qui invite à l'adhésion [8]. » L'absence apparente du sujet de l'énonciation produit ici et là un même effet d'atemporalité et d'universalité, que le sujet, à l'instant où il reprend à son compte le cliché, transforme en effet de parole « qui invite à l'adhésion ».

C'est donc « l'*adhésion* qui est à théoriser [9] ». Théoriser l'adhésion, en matière d'idéologie poétique comme en toute autre, serait s'interroger sur la façon dont celle-ci est sollicitée et obtenue. Comment, à travers un unique énoncé, sont à la fois signés et signifiés quatre contrats : un contrat de vérité, un contrat de réalité, un contrat de signification, un contrat d'évidence ? On ne prétend pas ici répondre à cette question, on croit toutefois qu'il convient de la poser. Qu'est-ce qui, par ailleurs, autorise les deux contractants à accorder une valeur à ces contrats, comme s'ils étaient reconnus *a priori* libres de toute hypothèque : comme si la question de leur légitimité ne se posait même pas ? Or c'est précisément ce *comme si* et ce *même pas* qui constituent le problème.

On pourrait se demander si les énoncés de l'idéologie poétique cités plus haut relèvent du constatif ou du performatif. Si l'énoncé *la poésie est l'évidence même* (avec lequel, pour ma part, je n'ai signé aucun des quatre contrats) ne s'apparente pas au performatif explicite (du type « je jure » ou « je m'excuse »), est-on pour autant en droit d'affirmer qu'il s'agit d'un simple constatif relevant d'un critère de vérifiabilité ? Malgré tous mes efforts, il ne m'a pas été possible de conclure à la fausseté pas plus qu'à la véracité d'un tel énoncé. Au demeurant, quand bien même j'aurais conclu à sa fausseté, un autre, en l'énonçant, pourrait avoir conclu à sa vérité. Il serait en effet bien curieux, comme le suggère Wittgenstein [10] que nous soyons forcés de croire ce témoin digne de foi quand il dit : « Je ne peux pas me tromper », ou encore celui qui dit : « Je ne me trompe pas. » Il faut donc que l'énonciation importe ici davantage que l'énoncé et qu'il ne soit pas possible d'envisager de tels énoncés en dehors de « la situation concrète et conventionnelle du discours dans laquelle la parole acquiert, au-delà de son sens, une certaine force d'énonciation [11] ». Considéré comme acte locutoire, l'énoncé *la poésie est l'évidence même* produit un sens, comme acte illocutoire ce même énoncé produit une force, ou bien il apparaît lui-même comme le produit d'une force dont on peut se demander si elle n'est pas en grande partie le produit en feed-back de cette énonciation elle-même. S'il en était autrement, la quasi-totalité des jugements échapperait à la question de leur légitimité, de la légitimité de ce qui les rend possibles, de la maîtrise qui se constitue et se transmet à travers eux. Ce refus de la question par imprégnation et imprécation de l'évidence est pourtant constant dans tout système de représentation qui « tient par soi et convertit en conditions universelles de l'expérience les conditions de fait de la pratique sociale et du discours social », système où « c'est, paradoxalement, l'ostentation du verbe qui permet de dissimuler l'énigme de son engendrement [12] ».

On dira donc que l'énoncé *la poésie est l'évidence même,* tout à la fois force et sens, est un énoncé pragmatique dans la mesure où il est inconcevable en dehors des relations qu'il entretient « avec le cadre fourni par les repères pertinents de son énonciation [13] », ces repères fussent-ils – comme c'est le plus souvent le cas – fictifs. Si l'on enlève fictivement ces repères – abolition qui pourrait bien signaler une zone d'humour –, cet énoncé perd non seulement toute force mais jusqu'à son sens. Je puis alors aussi bien dire : *la poésie est une paire de bretelles,* ou, à l'instar d'Isidore Ducasse, prétendre qu'elle serait la rencontre fortuite sur une table d'énonciation d'un sujet et de n'importe quel prédicat.

Quoi qu'il en soit, la perspective suggérée par Pierre Flahaut, selon laquelle « la portée illocutoire [d'une] proposition implicite ne se comprend que par rapport à la question des places qu'occupent l'un par rapport à l'autre les deux personnes entre lesquelles circule [une] énonciation [14] », et par conséquent « se formule à partir d'un qui je suis pour toi, qui tu es pour moi [15] », me paraît d'autant plus positive qu'elle renvoie, à travers l'énonciation même, à des rapports sociaux et intersubjectifs qui à la fois légitiment l'énoncé et sont appelés à être légitimés ou reconnus comme légitimes par et dans l'énonciation. Que ces places soient réelles, symboliques ou imaginaires (elles sont généralement réelles dans l'imaginaire) n'importe que secondairement puisqu'il s'agit dans tous les cas de les produire en les manifestant. Tout énoncé assertif ayant le poète pour objet consiste à *mettre à sa place* et le poète et celui qui énonce un savoir sur le poète, mais de sorte que cette place soit effacée, renvoyée ailleurs, transcendée, dans l'acte même qui l'institue.

Il est clair que dans le cas où celui qui dit (pour prendre cet exemple entre mille) : *le poète est un veilleur* [16] est reconnu comme poète avant même qu'il ait rien dit, la force illocutoire de l'énonciation est décuplée. L'affirmation, légitimée par la place reconnue de l'énonciateur dans le jeu social, ne fait qu'ajouter sa force illocutoire à la légitimité sur laquelle elle est censée reposer tout en consacrant rétrospectivement le rôle dont elle n'est qu'une des répliques attendues. En tant qu'acte illocutoire *le poète est un veilleur* ne saurait donc être considéré comme une simple formule d'information mais comme une « demande de reconnaissance [17] » adressée par celui qui prétend savoir à celui qui sera chargé d'identifier cette prétention et ce prétendant.

Ces quelques remarques ne sont esquissées que pour leur éventuel intérêt méthodologique. Elles suggèrent que, plutôt que de partir du statut comme d'une source, il convient d'y remonter en suivant le fleuve et les canaux discursifs tout au long desquels ce statut s'exhibe, se constitue et se transmet sous forme de pertinence, celle-ci fût-elle le plus souvent de nature purement perlocutoire. Autrement dit, il conviendra de distinguer le *statut* du *rôle,* ce dernier seul impliquant une somme d'actes verbaux visant à produire des effets de croyance au sein d'une connivence. « Toute place (à quelque registre qu'elle appartienne) est à définir sous deux faces : d'une part, celle des déterminations qui font que le système dont elle relève s'impose comme une réalité, d'autre part, l'investissement de désir venu s'inscrire et se méconnaître dans tel rapport de places. Soit, par exemple, la question des places dans le cas d'une entreprise. Il est souhaitable de prendre en compte le dispositif matériel de production, le système comptable, les différentes instances qui exercent un contrôle [...] et bien d'autres facteurs qui constituent les déterminants réels des systèmes de places qui y fonctionnent. Mais on doit également se demander comment des sujets, suivant la place qu'ils occupent, trouvent (ou non) dans ces déterminations matières à insignes, donc à investissement de désir [18]. »

Pour évidente qu'elle soit, cette distinction me paraît importante. Lorsque, par exemple, Philippe Sollers se définit comme « employé d'édition [19] », l'insistance sur le premier degré du statut ne saurait être prise pour une simple information : il ne s'agit pas ici de désigner une place mais de la représenter, avec tous les investissements idéologiques, voire fantasmatiques, que cette représentation implique (salariat, relation au prolétariat, aliénation économique au sein du système capitaliste, lutte contre cette aliénation, etc.). Mais, inversement, il s'agit aussi de *faire comme si* il n'y avait pas représentation mais désignation factuelle. Double jeu, donc, qui assure au sujet une double légitimité : « je ne suis qu'un simple employé d'édition, un travailleur semblable à vous », « je ne suis pas qu'un simple employé d'édition, vous vous en rendez parfaitement compte, puisque je suis en mesure d'écrire et de publier que je ne suis qu'un simple employé d'édition, ce que vous n'êtes pas en mesure de faire ». A partir du moment où la référence à un rapport social repérable s'inscrit dans un discours public et implique la reconnaissance de l'énonciateur comme écrivain, il y a production d'un insigne appelant la reconnaissance d'une « représentation qui vaut comme réalité [20] ».

Notes

1. De même, aucun individu du nom de Paul Éluard n'est né à Saint-Denis en 1895.
2. François Recanati, *Les Énoncés performatifs*, Paris, Éditions de Minuit, 1981, p. 11.
3. *Ibid.*, p. 13.
4. *Ibid.*, p. 19.
5. Pierre Bourdieu, « Le Langage autorisé », dans *Actes de la recherche*, novembre 1975, nº 5-6, p. 184.
6. *Ibid.*, p. 185.
7. La bibliographie de l'idéologie poétique exigerait plusieurs dizaines de volumes. Je me contenterai de signaler quelques ouvrages qui peuvent servir de référence :

Jean Onimus, *La Connaissance poétique*, Desclée de Brouwer, 1966. – Alain Bosquet, *Verbe et Vertige*, Hachette, 1961. – Robert Sabatier, *L'État princier*, Albin-Michel, 1961. – Jean Rousselot, *Mort ou Survie du langage?*, Sodi, 1968. – Georges Mounin, *Avez-vous lu Char?*, Gallimard, 1946. – Pablo Neruda, *J'avoue que j'ai vécu*, Gallimard, 1974. – Jean-Claude Renard, *Une autre parole*, Seuil, 1981.

8. Jean Paulhan, *Œuvres complètes*, Paris, Tchou, II, p. 121.
9. Henri Meschonnic, *Poésie sans réponse*, Paris, Gallimard, 1978, p. 140.
10. Wittgenstein, *De la certitude*, Paris, Gallimard, coll. « Idées », 1976, p. 35.
11. François Flahaut, *La Parole intermédiaire*, Paris, Éditions du Seuil, 1978, p. 21.
12. Claude Lefort, *Les Formes de l'histoire*, Paris, Gallimard, 1978, p. 306.
13. Flahaut, *op. cit.*, p. 37.
14. *Ibid.*, p. 47.
15. *Ibid.*
16. Meschonnic, *op. cit.*, p. 162.
17. Flahaut, *op. cit.*, p. 70.
18. *Ibid.*, p. 138.
19. Sollers, *Paradis*, Paris, Éditions du Seuil, 1981, p. 244.
20. Flahaut, *op. cit.*, p. 147.

Comment devenir légitime

Ces représentations, ces « images écrites [1] », il pourrait sembler légitime, fût-ce par souci de clarté, de les répartir en deux grandes classes de discours : celui que l'écrivain tient sur lui-même, celui qu'on tient sur lui. La première classe serait celle d'un discours voué aux fantasmes du sujet, tandis que la seconde serait censée corriger les excès imaginaires de l'autoreprésentation. En fait, il n'en est rien. La représentation de l'écrivain dans l'œuvre de Huysmans, Gourmont, Proust, Gide, Aragon, Vailland, Queneau, Blanchot, Pinget ou Sarraute n'est ni plus ni moins « subjective » ou « objective » que la représentation de l'écrivain dans le discours d'escorte (journalistique, scolaire, universitaire, iconographique, cinématographique, etc.) qui prend ces écrivains pour objet. Le discours social et l'autoreprésentation individuelle (si tant est qu'elle le soit jamais) ne sont pas à considérer dans leurs rapports à une réalité qui leur serait extérieure et qu'on aurait d'ailleurs bien du mal à extraire comme référent du discours lui-même, mais dans leur relation aux différents modes d'énonciation qui les constituent [2], non dans leur « articulation [3] » à une vérité qui permettrait d'estimer du dehors la valeur documentaire de ces représentations, mais dans leurs relations à une rhétorique, à des schémas narratifs ou même simplement syntaxique, à des « formes-sens », à un ensemble divers et complexe de codes de production et de gestion de l'imaginaire social.

C'est ainsi que toute une série de textes critiques, relevant à la fois de la biographie et du commentaire de texte, m'ont semblé coïncider avec des structures de caractère proprement romanesque. Les cinquante premiers volumes de la collection *Poètes d'aujourd'hui* (1944-1955), en raison même de leur sérialité, manifestent une grande cohérence dans l'emploi systématique de procédés narratifs dont l'organisation et la récurrence permettent la production d'un effet-personnage. Telles sont, au demeurant, la visée propre et la stratégie de ces discours particuliers, sériels, fortement modélisés, dont j'ai fait une partie de mon corpus (*Poètes d'aujourd'hui*, numéros d'hommage de la *NRF*, etc.) : assurer par un rituel discursif la transformation de l'auteur [4] en personnage.

La distinction entre représentation fictionnelle et représentation non fictionnelle ne me paraît donc devoir être formulée que pour être mise en cause. La relation spéculaire ou même d'identification de l'auteur et du personnage, telle qu'elle est largement pratiquée et répandue dans l'ensemble du discours critique [5], n'est pas l'effet d'une confusion simpliste sur laquelle il conviendrait d'ironiser, mais, plus vraisemblablement, l'effet de la reproduction de procédés et de modèles antérieurs destinés à assurer la mise en place des signes qui constitueront la différence de l'écrivain, sa légitimation, sa métamorphose en héros. C'est donc moins entre la figure « réelle » de l'écrivain et sa représentation qu'il conviendra de marquer les points de jonction et de référence, qu'entre la représentation du personnage de la fiction classique et celle du personnage-écrivain.

On ne peut ici que poursuivre la réflexion de Michel Foucault lorsqu'il invite à « envisager la manière dont la critique et l'histoire littéraires des XVIIIe et XIXe siècles ont constitué le personnage de l'auteur et la figure de l'œuvre, en modifiant et déplaçant les procédés de l'exégèse religieuse, de la critique biblique, de l'hagiographie, des “ vies ” historiques ou légendaires, de l'autobiographie et des mémoires [6] ». J'ajouterai quant à moi les procédés de narration, qu'il s'agisse de ceux du roman « réaliste », ou, plus largement, de ceux du conte populaire, voire du récit mythique.

Ce concept de *modèle* narratif me semble d'autant plus efficace que toute réflexion sur la constitution de l'image de l'écrivain ne saurait échapper à la prise en considération des *médiations*. Ce qui caractérise en effet la figure de l'écrivain, c'est qu'elle s'énonce le plus souvent à travers d'autres figures extérieures à son champ propre, qu'il s'agisse de figures déjà constituées d'êtres-écrivains, soit pour les redoubler, soit pour les questionner et s'en distinguer, ou qu'il s'agisse de figures constituées ailleurs, dans un autre domaine du discours social, figures que l'écrivain va s'approprier et à travers lesquelles il va préciser, légitimer et transmettre les signes de sa propre représentation. Il faudra donc repérer ici les indices d'une représentation doublement médiatisée :

– Médiatisée d'une part par l'intermédiaire de la référence à des héros types de la « saga » littéraire, tels que – pour ne citer que quelques-un parmi les plus fréquents : Rousseau, Hölderlin, Balzac, Baudelaire, Nerval, Rimbaud, Lautréamont, étant entendu qu'il ne s'agit pas ici du Rousseau « réel » ni du « vrai » Baudelaire, mais de la représentation de l'écrivain et du poète qui s'est déjà constituée par eux, à travers eux, ou, si l'on veut, de l'ensemble des stéréotypes différentiels dont le nom de *Rousseau* ou le nom de *Baudelaire* sont les signes et même quasiment les icônes.

– Médiatisée d'autre part, et plus fréquemment, par la référence à des héros types n'appartenant pas au champ littéraire, et qui joueront le rôle de métaphores, tels que : le prêtre, le chaman, le moine, le prophète, le saint, la martyr; l'assassin, le bourreau, le condamné à mort; le combattant, le réfractaire, le révolutionnaire; le malade, le fou; le primitif, l'enfant; le *pater familias*, le séducteur; le travailleur, l'ouvrier, le prolétaire, l'artisan; le comédien, l'histrion, etc. [7].

De cette seconde médiation *par le double*, je proposerai pour l'instant un seul exemple, d'autant plus significatif qu'il fut conflictuel.

Dans une des premières conférences prononcées au nom du Collège de sociologie sacrée, et reprise sous le titre *l'Apprenti sorcier* dans le numéro de juillet 1938 de la *NRF*, Georges Bataille s'en prenait immédiatement à la figure traditionnelle de l'homme de lettres asservi à la production d'œuvres sans efficace, sorte de fonctionnaire (condamné à « n'être plus qu'une des fonctions de la société humaine [8] ») qui « prend la gloire de ses œuvres littéraires pour l'accomplissement de son destin » et qui répond par le mensonge, c'est-à-dire par le particulier, à l'exigence de totalité et de réponse globale que lui impose le caractère inacceptable de la vie sociale. Réprouvant l'image de *l'homme de science* qui réduit « le souci de la destinée humaine » à « celui de la vérité à découvrir [9] », il rejetait plus nettement encore celle de *l'homme de fiction* qui se réfugie dans la constitution d'images accommodantes de lui-même, au lieu qu'il devrait ne s'accommoder de rien, et surtout pas de ses propres fantasmes.

La démarche initiale de Bataille est ici un modèle de regard critique dans la mesure où elle pose en principe que l'écrivain est d'abord un producteur d'images qu'il consomme et donne à consommer pour le plus grand confort de son ego et de son public. Ce qui rend à ses yeux cette imagerie caduque, c'est justement d'être confrontée au statut que n'en conserve pas moins l'homme de lettres et qui le conserve lui-même : « Les serviteurs de l'art peuvent accepter pour ceux qu'ils créent l'existence fugitive des ombres : ils n'en sont pas moins tenus d'entrer eux-mêmes vivants dans le royaume du vrai, de l'argent, de la gloire et du rang social. Il leur est donc impossible d'avoir autre chose qu'une vie boiteuse. Ils pensent souvent qu'ils sont possédés par ce qu'ils figurent, mais ce qui n'a pas d'existence vraie ne possède rien : ils ne sont vraiment possédés que par leur carrière. Le romantisme substitue aux dieux qui possèdent du dehors la destinée malheureuse du poète, mais il est loin d'échapper par là à la boiterie : il n'a pu que faire du malheur une forme nouvelle de carrière et il a rendu les mensonges de ceux qu'il ne tuait pas plus pénibles[10]. »

L'analyse de Bataille est pénétrante dans la mesure où elle distingue, pour les opposer mais aussi pour en observer les complémentarités, ancrage social, relevant d'un examen des comportements, des places, des institutions et des rôles, et tribulations fantasmatiques n'ayant d'autre pouvoir d'action que symbolique ni d'autre efficacité qu'imaginaire. L'assaut contre l'image de l'homme de lettres, quand bien même il s'énonce sur le mode de la révolte, est toujours tributaire de cela même contre quoi il se révolte : ce qui existe, se déploie ici, au nom de la totalité de l'être (qui n'est d'ailleurs peut-être, elle aussi, qu'imaginaire...) dans ses rapports à la totalité du monde (peut-être inconcevable...), contre la fonction, les capacités, le savoir, le talent, etc.

Dans cette recherche d'une nouvelle légitimation pour l'écrivain, qui serait, selon Caillois, fondée éthiquement sur l'honnêteté, le mépris, l'amour du pouvoir, la politesse[11], une figure médiatrice originale va bientôt s'imposer : celle du chaman.

Sans doute les signes par lesquels se manifeste l'élection du chaman – recherche de la solitude, tendance à la rêverie, retour à la nature, rupture du lien social – rejoignent-ils les symptômes les plus traditionnels, voire les plus conformistes, de l'élection ou auto-élection du poète et de l'écrivain dans les sociétés occidentales. Mais les travaux de Lewitzky sur le chamanisme sibérien, succédant à ceux de Lévy-Bruhl puis de Mauss, rencontrent tout à coup les préoccupations du Collège de sociologie sacrée, en particulier celles de Bataille et de Caillois, à qui ils offraient une image susceptible d'accueillir bien des investissements idéologiques et fantasmatiques[12].

Lorsque, par exemple, Lewitzky concluait sa conférence du 21 mars 1939 en soulignant que « le chaman semble être surtout un magicien, mais un magicien remplissant une fonction consacrée par la société, c'est-à-dire une sorte de prêtre[13] », il n'est pas difficile de voir tout le parti que des intellectuels en quête d'une nouvelle définition de leurs pouvoirs et de leur insertion dans la société pouvaient tirer de cette nouvelle image. Soit, comme Caillois, que le chamanisme défini comme lié « à l'intelligence et à la volonté de puissance [14] » leur serve à déprécier l'activité littéraire définie par ailleurs comme « activité se substituant à la mythologie quand celle-ci perd sa nécessité [15] ». Soit, à l'inverse, qu'ils justifient par lui, comme fait Bataille, la part importante faite « au mysticisme, au drame, à la folie, à la mort [16] », part déjà jugée par Caillois (et, à la même époque, par Queneau) excessive : « On sait ainsi assimiler couramment l'une à l'autre les pensées mythique, poétique, enfantine et morbide [...]. On ne paraît pas s'apercevoir que, dans ces conditions, il est infiniment plus fécond pour une phénoménologie générale de l'imagination de préciser les différences que d'affirmer de lointaines analogies [17]. »

Quelle que fût l'attitude revendiquée, c'était bien toujours par rapport à une représentation étrangère à la culture occidentale strictement littéraire (*parce qu'*elle lui était étrangère) que l'intellectuel-écrivain dessinait ainsi les contours d'une représentation utopique de lui-même. Lorsque le modèle fut mis en cause (par Caillois et Leiris), on eut recours à une autre figure médiatrice, disponible celle-là depuis longtemps et déjà réactivée à la fin du siècle [18] : celle du *savant.* A l'objet de l'ethnologue se substituait ainsi l'image de l'ethnologue lui-même.

Dans une conférence du mardi 4 juillet 1939, Bataille signale ce qui constitue à ses yeux la régression scientiste de Leiris : « Je souffre de voir Leiris nous reprocher de ne pas ressembler davantage à des savants de l'enseignement desquels nous nous réclamons [19]. » Réponse, par retour du courrier, à une lettre de Leiris qui avait parfaitement perçu les conséquences de l'investissement chamanique : « Je crains fortement que, si des gens issus du milieu intellectuel veulent se constituer en Ordre et en Église, ils n'en viennent à former simplement ce qu'on nomme une " chapelle " dans le langage courant [20]. » Ce mois de juillet 1939 marque bien, au sein des membres du Collège et de leurs sympathisants (Paulhan, Wahl), un conflit de représentations et de modèles : mystique fasciné par le sacrifice, c'est-à-dire « homme total » (Bataille), intellectuel attaché à la rigueur et à la raison (Caillois), intellectuel de type scientifique, proche des maîtres de la science sociologique (Leiris).

A ces modèles complexes et contradictoires, surdéterminés par une écriture empruntant à la sociologie sa rhétorique, à Lautréamont son agressivité et à l'air du temps (surréaliste, communiste, chrétien) l'ardeur imperturbable du Vrai, venaient s'ajouter ceux du *banni* devenant *l'élu,* toutes les images du *despote* baudelairien devenu *activiste,* du dandy et de l'homme des foules séparé des foules, pour constituer une représentation syncrétique dont Caillois ne manquera pas de dénoncer plus tard [21], non sans excès, l'ambiguïté ou la naïveté.

Notes

1. Claude Cristin, *Aux origines de l'histoire littéraire*, Presses universitaires de Grenoble, p. 12.

2. La représentation du romancier dans *la Fête* de Roger Vailland n'est ni plus ni moins « vraie » que la figure de l'écrivain produite par les *Écrits intimes*, l'étude consacrée à Laclos, etc. La représentation du poète énoncée dans le discours prononcé par Saint-John Perse à l'occasion du septième centenaire de la naissance de Dante ou lors de la réception du prix Nobel n'est pas moins fictive que celle du poète des Cigales dans *Loin de Rueil* de Queneau, ou celle de Canalis dans *Ursule Mirouët*. Cette question est nettement posée par Cl. Cristin (*op. cit.*, p. 114), qui distingue, par souci de méthode semble-t-il, les « représentations offertes par les ouvrages qui ne sont ni des romans, ni des pièces de théâtre, ni des ouvrages poétiques », des « représentations offertes par les œuvres romanesques, théâtrales et poétiques », et qui commente ainsi sa distinction : « Il ne s'agit pas évidemment d'une distinction entre des images " vraies " et des images moins " vraies ". Tel éloge d'académicien pourra être moins authentique que, dans un roman, le portrait typique d'un philosophe imaginaire. Au demeurant, le problème de la véracité des représentations ne nous intéresse qu'indirectement : notre travail ne consiste pas à confronter l'image littéraire à ce que l'on suppose avoir été la condition réelle des hommes de lettres. »

3. Sur ce mot problématique, voir plus loin, p. 157 et sv.

4. Je distingue ici, provisoirement sans doute, *écrivain* et *auteur*. L'*écrivain*, dans ma perspective actuelle, ne désigne pas tel individu particulier écrivant, mais les codes et les figures qui définissent son personnage, assurent sa représentation. J'entends par *auteur* ce qui ne saurait être rapporté ni à la particularité de l'individu ni à la généralité de la figure : l'écrivain moins la personne et moins le personnage. L'auteur apparaît alors comme une désignation minimale, un indicatif du texte. Il ne renvoie ni à la fonction ni à la fiction. L'étude de ce corpus constitue un ouvrage à paraître.

5. Voir à ce sujet F. Bastier, « Un concept dans le discours des études littéraires », *Littérature* 7, 1972.

6. Michel Foucault, *op. cit.*, p. 66-67.

7. Sur le concept de *médiation*, voir plus loin, p. 157 et sv.

Comme le remarque Georges Duby, « Histoire sociale et idéologies des sociétés », dans *Faire de l'histoire*, Gallimard, 1979, t. I, « ce n'est pas en fonction de leur condition véritable, mais de l'image qu'ils s'en font et qui n'en livre jamais le reflet fidèle, que les hommes règlent leur conduite. Ils s'efforcent de la conformer à des modèles de comportement qui sont le produit d'une culture et qui s'ajustent tant bien que mal, au cours de l'histoire, aux réalités matérielles ».

8. Denis Hollier, *Le Collège de sociologie sacrée,* Paris, Gallimard, coll. « Idées », p. 39.

9. *Ibid.,* p. 41.

10. *Ibid.,* p. 42-43.

11. *Ibid.,* p. 92-93.

12. *Ibid.,* p. 421-446.

13. *Ibid.,* p. 445.

14. *Le Mythe et l'Homme,* Paris, Gallimard, coll. « Idées », p. 8.

15. *Ibid.,* p. 9.

16. *Ibid.,* p. 31.

17. *Ibid.,* p. 7.

18. De Zola à Valéry.

19. Denis Hollier, *op. cit.,* p. 525.

20. *Ibid.,* p. 549.

21. *L'Homme et le Sacré,* préface de la 3e édition, Paris, Gallimard, coll. « Idées ».

Discours fictionnel et discours critique paraissent donc relever l'un et l'autre d'un métalangage ayant pour but la production ou la reproduction des croyances qui fondent toute entreprise littéraire. Ce métalangage n'est pas seulement hors du texte, il est généralement ce texte lui-même. Fût-elle la plus travaillée par les fantasmes d'un sujet posé absolument dans l'espace d'une « pratique signifiante », toute écriture est son propre métalangage : l'énonciation constitue l'énoncé, mais également le sujet imaginaire de l'énonciation. Ce qui distingue le *Discours* de Stockholm de tel poème d'*Amers* ou d'*Anabase,* ou *la Littérature à l'estomac* du *Château d'Argol,* ce sont la rhétorique et les procédés d'énonciation, non la croyance qui les fonde et les constitue. L'utilisation réitérée de l'apostrophe et de l'invocation définit une position pour le poète, produit une image de ses qualifications, l'investit d'un pouvoir qu'il exerce performativement dans le poème : le poème performative l'idéologie, le discours idéologise la performance [1].

La croyance romantique au caractère privilégié (supérieur, sacré, énonciateur de secrets, de vérités, etc.) du discours poétique (reconnu comme tel, se présentant comme tel) ne peut cesser d'être perçue comme *croyance* (dans le cas contraire, on pourrait tout aussi bien ne pas y croire, ce qui réduirait le discours à néant) que si ce discours réussit à s'imposer comme *évidence.* Si le discours poétique est tenu par la doxa comme « plus vrai », c'est parce qu'il porte les marques énonciatives d'un perpétuel : « je dis le vrai », ou « le vrai se dit par moi ». L'énonciation produit l'évidence du vrai qui se dit en elle, qui légitime par feed-back la capacité du poète de dire le vrai; une fois l'énonciateur ainsi légitimé, l'énonciation l'est doublement, et ainsi de suite, circulairement. Idéologie poétique et pratique scripturaire non seulement se confortent tautologiquement mais se constituent mutuellement [2]. Quant à la croyance selon laquelle le discours poétique transcenderait, en qualité et en extension, le discours d'escorte ou métalangage, pouvant être ainsi défini comme

« une idéologie de l'anti-idéologie [3] », elle fait partie de cette idéologie poétique elle-même et des pratiques signifiantes qui la constituent.

Analysant des réflexions de Paul de Man sur ce qu'il appelle *le mythe rilkéen,* un commentateur écrit, non sans quelque humour semble-t-il :

> De là Paul de Man passe très vite à l'idée que Rilke promet plus qu'il ne tient et que cette promesse constitue en grande partie *le mythe rilkéen :* « L'œuvre de Rilke ose affirmer et promettre, plus que tout autre, une sorte de salut existentiel qui s'accomplirait dans et par la poésie » [...]. Paul de Man montre que la revendication de maîtrise qui s'y déploie n'est réalisée que dans et par le texte, jamais au-delà : c'est ce qu'il appelle le *phonocentrisme ;* « La preuve de la maîtrise revendiquée ne peut être cachée que dans le texte [...] » [4].

Comment, en effet, le *phonocentrisme,* cette réalisation performative de l'idéologie poétique, pourrait-il ne pas être au cœur de toute croyance de type romantique? Et comment cette « preuve » pourrait-elle être jamais prouvée? Charismatisme du signifiant, le *phonocentrisme* est tout simplement l'activité poétique elle-même comme productrice d'effets à la fois exhibés et dérobés : effets de croyance imposés comme effets de réel et de vérité. Par définition, ce *phonocentrisme* ne peut se laisser percevoir comme tel, ce qui induirait les plus graves soupçons sur ce qu'il a justement pour fonction d'établir sur le mode de l'évidence, à savoir cette relation réelle au réel, vraie au vrai, qu'on pourra dire authentique, essentielle, profonde, etc. [5].

Pour prendre un exemple fort banal, lorsque Baudelaire affirme (énonce avec coefficient : vérité) quelque chose comme : « La Nature est un temple ou de vivants piliers/Laissent parfois sortir de confuses paroles » – énoncé, on l'accordera, discutable –, il fait deux choses à la fois : il produit un énoncé (une métaphore) et il assure rhétoriquement (métaphoriquement) la *crédibilité* de son affirmation, qui est au moins aussi importante pour lui que sa *véracité.* Que le poète occupe une position particulière, privilégiée, entre ciel et terre, que son rôle (sa mission, sa fonction) consiste à assurer par le discours la relation entre le manifeste et le caché, l'apparence et le chiffre, peut-être une longue tradition l'en a-t-elle intimement persuadé, voilà en tout cas ce qu'il lui faut encore donner à croire. Le collégien qui rit manifeste qu'il n'y croit pas. Les manuels scolaires ne sont pas toujours très clairs sur ce point, mais ils font « comme si ». La plupart des poètes de cette fin de siècle, malgré la forte concurrence d'idéologies inverses (de Ducasse à Dada), y croient toujours. S'ils y croient, c'est parce que l'exercice du discours poétique passe nécessairement par la mise en place d'un système énonciatif suffisamment cohérent, impératif et péremptoire pour transformer du problématique en évidence.

Au cours du XIXe siècle, les légitimations ont été, grossièrement, de deux sortes : d'ordre formel et d'ordre social. Le *Sonnet allégorique de lui-même* de Mallarmé est une légitimation d'ordre formel, le discours sur le poète qu'on trouve dans les *Tombeaux* est une légitimation d'ordre social. Dans le premier cas, la légitimation est fondée sur la production d'un langage codé qui désigne par reflet et par allusion, alors même que la stratégie scripturaire l'efface symboliquement et le désigne comme effacé dans l'imaginaire [6], le producteur du texte; dans le second, elle est fondée sur l'exhibition directe d'une représentation socialisée, ouvertement modélisée et médiatisée. Dans le *Sonnet*, le texte tout entier fonctionne comme machine à produire une disparition symbolique destinée à être perçue par l'imaginaire comme réelle. Dans les *Tombeaux*, cette disparition fait moins appel au symbolique (un peu moins) qu'à l'imaginaire, nourri de modèles, et montre du doigt le référent.

Figure sociale du poète violenté par la foule mais que son martyre volatilise et convie à la résurrection sur le modèle christique, ou figuration textuelle de cette néantisation victorieuse : deux figurations au sein d'une même stratégie. Médiation par les modèles, mais médiation aussi par l'écriture en tant que modèle de pratique symbolique, redoublant, sur un autre mode, la figure sociale. Relation, on le voit, purement métonymique, en cela bien caractéristique du *métonymisme* universel et généralisé du siècle.

Chacun sait que l'histoire si l'on veut littéraire du XIXe siècle n'est qu'une longue crise des légitimations. La recherche obsessionnelle de ce que j'appellerais les *légitimations externes* (Dieu, Histoire, Progrès, Démocratie, Peuple, Art, etc.) a été peu à peu soit supplantée soit confortée par la constitution de *légitimations internes* plus intimement liées à la pratique scripturaire elle-même. Qu'on les nomme style, écriture, voix, graphie, textualité, pratique signifiante (ces concepts ne sont certes pas équivalents : ils désignent des pratiques, donc des représentations fort dissemblables), ces modes de légitimation interne, à la fois totalement exhibés et parfaitement dérobés (ils fonctionnent comme émissions *désémies* et comme dénégation de tout ce qui n'est pas eux), ont ceci de particulier que leur efficacité se vérifie au moment même où elle rejoint celle des légitimations externes. Lorsque l'effet cherché est effectivement produit, lorsque scripteur et lecteur fonctionnent comme en direct ou en quasi-transparence, les codes rhétoriques (alors même, bien sûr, qu'ils ne sont pas perçus comme codes ni comme rhétorique, mais comme vérité, nature, évidence) brillent du même éclat idéologique que les figures types et les modèles véhiculés dans le métalangage pur. La réunion et la confusion de l'écriture-figure et de la figure écrite se réalisent alors au travers d'un acte de croyance. Si bien que l'idéologie littéraire a atteint sa perfection lorsque légitimation externe et légitimation interne sont devenues indiscernables [7].

Avant d'entrer dans le détail de cette analyse [8], je voudrais seulement en illustrer encore les prémisses par quelques exemples très simples. A considérer l'écriture-Goncourt, on voit bien que ce mélange un peu crispé de rhétorique scientiste et de rhétorique artiste ne fait que répéter la double référence, ailleurs explicite, au savant, au médecin et au juriste d'une part, à l'artiste non conformiste, antibourgeois et conventuel d'autre part. Le distingué, l'exclusion, la clôture, le monacal, le travail, le métier, le célibat, « la vie d'ours », se donnent à lire dans cette écriture qui signifie l'écart constitutif de l'homme de lettres, sa professionnalité en même temps que son refus « de la vanité mondaine, de l'argent, de la politique, du mariage, de la famille, de la sexualité [9] ». L'écriture-Goncourt, double revendication d'un savoir clinique et de son annulation dans la mort, métaphorise ainsi le lieu privilégié de la fiction-Goncourt : l'hôpital, le cimetière. Double lieu qui est lui-même la métaphore tautologique de cette écriture et qui trouve son unité symbolique dans cette *Maison de l'artiste* où, sur le modèle encyclopédique, s'étale le catalogue d'un tombeau et s'énonce le rituel funéraire qui l'organise quotidiennement. Les modèles s'ajoutent ici les uns aux autres pour fabriquer une sorte de totalité inerte, en équilibre toujours instable : le modèle encyclopédique, le modèle « Pompadour », le modèle scientiste, chirurgical, le modèle monacal, etc., dont l'ensemble désigne et définit une distinction de nature aristocratique. Alors que la génération précédente se légitimait encore dans les utopies du Peuple, de l'Humanité, de l'Avenir ou de la Femme, les Goncourt, rhétoriquement, gestuellement, se légitiment dans la rature de ces destinateurs, sans pour autant que la machine autoreprésentative ait été profondément changée : son inversion témoigne pour sa pérennité.

Si les modèles médiateurs de la légitimation externe sont parfois extraordinairement simplistes (poète = martyr, poète = prophète), il arrive souvent que la complexité d'une œuvre soit directement proportionnelle à la quantité de modèles contradictoires qu'elle doit assumer et représenter scripturairement *en même temps.* C'est ainsi que la charge métaphorique que Remy de Gourmont entend faire assumer à l'écrivain Hubert d'Entragues dans *Sixtine,* et les conséquences stylistiques que cette complexité entraîne, témoignent, elles aussi, d'une crise de la représentation. Figuré tour à tour en *chirurgien* (« il n'avait rien à faire que de l'anatomie littéraire [10] »), *mathématicien* (« il aimait à rencontrer des mentalités complexes, des problèmes dont, plus tard, il éluciderait par déduction l'herméneutique momentanée »), *mécanicien* (« la machinerie sans cesse en mouvement de ma tête »), *contemplatif, logicien, styliste, sémanticien, ermite, anachorète,* voire *petit-bourgeois* ponctuel abruti d'idées fixes et de querelles de ménage, *aristocrate* doublement opposé au peuple et au bourgeois, le personnage-écrivain est comme étourdi par ses propres représentations métaphoriques. La littérature, fille du néant, abolition de toutes ces figures en figure atopique, exhibée en salut, mais aussi herméneutique totale jusqu'à épuisement, est tout à la fois exaltée et dépréciée : erzatz de prière, elle reste pourtant prise au piège du moi social et des manigances du sujet conscient de son histrionisme et du caractère stéréotypé de sa distinction : « Tu aimerais mieux plaire à dix choisis entre tous, qu'à tous à l'exclusion des dix. » Mais alors pour qui et pourquoi écrire? Ni la figure en plein ni la figure en creux n'assurent la moindre euphorique stabilité. L'excès même de Littérature n'abolit pas sa contingence, et la voici renvoyée à son néant originel que ne pourra fonder, en dernière analyse, que l'instabilité perpétuelle de « l'acte intérieur ». Plus on avance dans le siècle, plus cette multiplicité des images s'accentue et devient intenable. J'ai esquissé ailleurs [11], par l'exemple de Valéry, les crises et les apories auxquelles conduit la conscience exacerbée de cet embarras, et la façon dont l'écrivain tentera de s'en échapper.

Encore, dans le cas de l'homme de lettres fin de siècle, la fonction sociale est-elle fort réduite, le pouvoir négligeable et le solipsisme envahissant. Il n'en va pas de même, par exemple, des grands rhétoriqueurs de la fin du XVe siècle, tels que Paul Zumthor les a magistralement étudiés du double point de vue de leur fonction auprès des princes et des pratiques scripturaires (cryptographies) à travers lesquelles ils se représentent à eux-mêmes l'utopie de leur non-fonction ou de leur dysfonction [12].

A la cour des rois, des princes et des ducs apanagés, le poète, historiographe et orateur, ambassadeur et héraut, joue le rôle de metteur en scène et de maître des cérémonies. Sa fonction est de conférer le verbe en tant que « fonctionnaire du langage curial [13] ». Il fabrique les discours hautains que la cour va répéter au jour le jour. Sa pratique encomiastique implique une relation de subordination sur le plan économique, mais aussi sur le plan discursif. Fonctionnaire de l'idéologie, voué à l'illustration des valeurs curiales, il peut être tout à la fois poète à gages, légiste, chroniqueur, inspecteur de chantiers, trésorier, receveur des tailles, secrétaire, etc. On n'est pas alors écrivain, mais écrivain de tel ou tel prince, ce qui implique, en ces temps d'incertitudes et de versatilité, une grande instabilité de ce statut même. L'étroite dépendance économique de ces poètes et la fragilité de leur statut vont déterminer chez eux un sentiment d'insécurité et des tentations de revanche.

Aussi bien ce refoulement du verbe individuel au profit d'une parole prêtée va-t-il trouver son échappée belle dans la pratique scripturaire même. Constituant une sorte de contre-statut symbolique, ces rites de langage arrachés à la Loi et livrés à la jouissance, en s'infiltrant dans le dire officiel, « y introduisent une étrangeté inquiétante [14] ». Au discours de la gloire va alors s'opposer, tel le secret à l'évidence, celui de la parodie, de la polyphonie, de l'équivocité généralisée, de l'emblème et des rébus, de l'anagramme et de l'acrostiche, abécédaires et pantogrammes, calembours et devinettes, autant de « distorsions du signifiant [15] » par lesquelles le poète alors « se retranche intégralement ».

Ainsi, à sa fonction sociale, à son statut réel, le poète oppose ce que Zumthor appelle une « fonction cachée » ou « fonction poétique [16] », construisant ainsi, au sein d'une pratique symbolique légitimante, un véritable statut imaginaire. Commentant cette dualité quasi schizophrénique, Paul Zumthor fait implicitement appel, non sans raison, à la fameuse distinction mallarméenne des deux langages, celui de l'« universel reportage » qui « n'a trait à la réalité que commercialement », et celui, hors commerce et non référentiel, qui se constitue dans l'activité poétique. Ce que refusent les Molinet, Jean Lemaire, Meschinot, Gringoire, etc., « c'est l'accaparement et la conservation du sens, cette monnaie [...], c'est d'aliéner leur désir en l'investissant dans un avoir, une épargne : dans autre chose [17] ».

Ce commentaire m'inspire toutefois deux remarques. La première c'est qu'il n'est pas impossible que Zumthor reconstitue ici, à partir d'une problématique marxo-jakobsonienne ou wurmsero-kristevienne, une image du grand rhétoriqueur qui doive beaucoup aux fantasmes de la modernité des années 60. La seconde, plus décisive à mes yeux, concerne la distinction des deux langages elle-même. Ce stéréotype de la modernité est précisément un de ceux à partir desquels s'est constituée et s'est dite l'image du poète en tant que doublement séparé du travailleur et du bourgeois, qui fonctionnent tous deux dans l'utilité et dans l'échange. Il est évident que cette distinction purement économiste entre un langage qui s'échange et un langage qui résisterait à tout *commerce*, hors idéologie et en quelque sorte atopique, est elle-même une représentation idéologique dans laquelle la modernité a sculpté sa propre figure [18].

Quoi qu'il en soit de ce statut imaginaire du grand rhétoriqueur, lui-même sans doute en partie imaginaire, tel qu'il est produit par l'activité symbolique, il est évident qu'il ne donne à lire que sa spécularité et son autarcie. Nul dehors ne serait en effet nécessaire pour accueillir cette transgression du texte par le texte, pour transformer ce refus en contestation. Bien plus, tout dehors doit être exclu qui, par définition, les déferait. Le temps n'est pas encore venu où la Révolution prolétarienne, s'investissant et comme se répendant dans la pratique signifiante, viendra lui donner un surcroît de légitimation en même temps qu'une extériorité fantasmatique. Ici, la seule instance invitée à introduire son droit du regard est celle du scripteur lui-même, qui joue également le rôle de destinataire. Transfuge fantasmatique d'une insertion qui, par ailleurs, le protège et l'autorise, camouflé sous le masque du bouffon et les voiles du code dont il partage les secrets avec ses pairs et eux seuls, le poète s'institue en despote imaginaire et récupère une partie du pouvoir dans le prestige de la lettre et de ses fictions.

C'est dire que, dans une telle perspective, la distinction jakobsonienne des différentes fonctions du langage [19] ne saurait conserver toute sa pertinence. Dénotative, expressive, conative, magique, phatique et métalinguistique, *la fonction poétique est tout cela à la fois.* Que la distinction de ces fonctions soit constitutive de la figure, c'est aussi l'évidence même, mais qu'il convienne de repérer ce qui se fait, ce qui se commente, ce qui s'impose, ce qui se figure dans ce qui se dit, telle est notre opinion. L'autotélisme, la clôture, la paronomase, etc., sont tout aussi référentiels (sinon plus) que le discours que je tiens actuellement, dans la mesure où la construction d'une *littérarité* est toujours celle d'un *littérariteur* [20]. En ce sens, et la modernité en brille de mille exemples, la *littérarité* est une *médiation* au même titre que les héros-modèles évoqués plus haut.

La recevabilité d'un discours poétique ne se mesurera finalement qu'à la réussite des diverses représentations, externes-internes, qui s'inscrivent dans cet espace « infini » d'un miroitement tautologique. Ainsi, tel poème d'Eluard, travaillé par le double projet imaginaire et symbolique de « fonder une langue commune » et, ainsi, de

« réaliser de nouvelles conditions d'unité sur des bases révolutionnaires [21] », n'atteindra sa pleine efficacité que si les procédés d'énonciation parviennent à *faire croire* à la légitimité, à la possibilité ou même à l'intérêt d'une telle entreprise. Le discours poétique d'Eluard, où l'énonciation allégorique, célébratrice ou proverbiale joue un si grand rôle, visant « la disparition apparente du sujet dans une voix souveraine qui assure le pouvoir de sa parole [22] », peut donc être tenu pour une représentation du poète en porte-parole de la voix commune, voire de l'humanité, *un* chargé d'être *tous,* facteur et conservateur du consensus, représentation que le discours critique, journalistique, ne fera que redoubler. De même, on a pu montrer [23] comment, dans tel poème de Jules Laforgue, les procédés d'énonciation viennent corriger ou souligner une représentation historique ou mythique. « Un discours unique est ici langage-objet et métalangage : il n'y a pas dichotomie [24]. » Toute énonciation est représentation, tout style est figure. Il n'est pas nécessaire qu'il y ait *mimésis* pour qu'il y ait représentation.

Notes

1. Sur la *performatisation,* voir plus haut, p. 132 et sv.
2. Si j' (Daniel Oster) écris : *Les charrues du soleil qui creusent dans l'Icare, Ô le Temps incrédule cheminement sans voie!,* etc., il n'est pas certain que de tels énoncés puissent passer pour recevables. Si je suis considéré comme « poète », ils seront lus, voire commentés. Mais si je ne produis pas de tels énoncés, je ne serai jamais considéré comme « poète ». Les énoncés produisent ma qualification, ma qualification produit leur recevabilité, et ainsi de suite, circulairement.
3. Jean-Claude Renard, *Une autre parole,* Paris, Éditions du Seuil, 1981, p. 125.
4. Serge Meitinger, « Rilke entre deux interprétations : phonocentrisme ou " penser poiétique " », *Littérature* 35.
5. *Ibid.,* p. 44-45.
6. Cf. mon article, « D'un statut d'évangéliste », *Littérature* 33.
7. C'est évidemment la marque du succès : faire croire.
8. Dont le mauvais esprit ne m'égare pas tout à fait : l'auteur de ces lignes consomme des images comme tout un chacun, quelquefois avec plaisir, mais le plaisir est d'autant plus vif qu'elles se dissimulent mieux, ce qui est rare.
9. Jean Borie, « Une littérature démocratique? La situation des écrivains

naturalistes », dans *Qu'est-ce que la culture française?*, Paris, Denoël-Gonthier, p. 82.

10. *Sixtine*, Paris, UGE, coll. « 10-18 ».

11. Voir en particulier *Monsieur Valéry*, Paris, Éditions du Seuil, 1981.

12. *Le Jeu de la cour*, dans *Le Masque et la Lumière, la pratique des grands rhétoriqueurs*, Paris, Éditions du Seuil, 1978.

13. *Ibid.*, p. 42.

14. *Ibid.*, p. 52.

15. *Ibid.*, p. 53.

16. *Ibid.*, p. 52-53.

17. *Ibid.*, p. 53.

18. Voir plus loin, p. 162 et sv.

19. *Essais de linguistique générale*, Éditions du Seuil, coll. « Points », chapitre IX.

20. Le message du poétique est toujours : *je suis le poétique*. Ce message étant par ailleurs exhibé comme message sans message, la pléthore des signes constitue une représentation excessive, fût-ce comme représentation de l'absence et du vide.

21. Nicole Boulestreau, « Comme une langue commune, Eluard à l'école de Paulhan », *Littérature* 27.

22. *Ibid.*, p. 53.

23. Claude Abastado, « La glace sans tain », *Littérature* 27.

24. *Ibid.*, p. 64.

La littérature comme désarticulation

La façon dont les formations discursives dont il vient d'être question « s'articulent » aux réalités politiques, économiques et sociales pourrait relever d'une théorie des représentations idéologiques à condition que cette théorie soit faisable et qu'elle ne soit pas contradictoire avec les termes mêmes de l'articulation supposée. Depuis le temps qu'on cherche cette fameuse articulation (concept qui a pris la suite du concept de *correspondance* qui était, lui, de nature ouvertement mystique), on serait peut-être en droit d'interroger la métaphore qui continue de fonder une ambition aussi peu couronnée de succès. La recherche de *l'articulation* entre des *formes* artistiques et des *forces* productrices ou bien présuppose qu'une telle articulation existe, ou bien la construit à force de l'énoncer. On peut donc être amené à se demander si le rapport entre *formes* et *forces* est vraiment de nature articulatoire, voire articulaire. Quant à cette *articulation* elle-même, sera-t-elle forme ou force? Les deux à la fois ou plutôt l'une que l'autre? Et comment s'articulera-t-elle à son tour à chacun des objets qu'elle articule? D'articulation en articulation, on risque d'être renvoyé à l'infini d'un montage sans achèvement possible et de sombrer dans une mer démontée d'articulations en suspens. Car si une métaphore de relation n'est pas plus une relation que le déterminisme n'est une détermination, l'inverse est également vrai : la métaphore produit des relations comme le déterminisme des déterminations, si bien qu'on court le risque de ne plus pouvoir discerner l'effet de la cause, ni la maladie du symptôme.

Ayant troqué la catégorie purement métaphorique du *reflet* (qui ne prouve finalement qu'elle-même : poser le *reflet* en principe herméneutique c'est se condamner à en voir partout, tout comme celle de *correspondance* implique par définition que n'importe quoi puisse correspondre avec n'importe quoi) contre celle d'articulation, l'enquêteur n'est guère avancé. *Reflet, correspondance* ou *articulation* n'ont de signification que pour qui les considère comme des catégories universelles et totalitaires : elles ne souffrent en effet ni exceptions ni degrés, et s'il existe une seule articulation, il en existe une infinité qui s'articulent les unes aux autres dans un processus articulatoire sans limites qui devrait laisser au moins perplexes les impavides postulants au déchiffrement.

S'il est vrai que *l'articulation* est encore elle-même une représentation, on pourrait suggérer d'en entreprendre l'examen à partir d'une psycho-sociologie de la croyance qui tenterait de déterminer non seulement les modes de constitutions des représentations-médiations en général, mais aussi, et surtout, les mécanismes ou dynamismes mentaux par lesquels le sujet s'assimile (à) ces représentations avant de s'en faire le reproducteur, à la fois comme s'il en était l'origine et comme si elles n'étaient pas des représentations. Comme s'il en était l'origine : le professeur ou le journaliste qui consacre ses heures de loisir à la graphie monacale, à travers laquelle il se constitue et se valorise comme martyr de la langue exquise marginalisée par le système de consommation culturelle de masse, ne reconnaîtra pas volontiers qu'il s'inscrit ainsi dans un système de représentation dès longtemps organisé par Chateaubriand, Flaubert ou Kafka et leur discours d'escorte. Sujet absolu, il dispose en origine absolue de son entreprise ce qui n'est déjà plus qu'un paquet de représentations légitimantes ficelé en idéologie. Comme si elles n'étaient pas des représentations : incapable de reconnaître pour ce qu'ils sont les masques dont il s'affuble, se refusant à parcourir en sens inverse ou par réflexivité le chemin au cours duquel se sont élaborés les stigmates qu'il exhibe comme siens, il n'acceptera de voir dans ces médiations que la transparence pure de son immédiateté, son évidence de sujet en proie à l'expression directe de lui-même. Appartenant au champ social en tant qu'élaborées en idéologie, ces représentations relèvent donc aussi de la psychologie en tant qu'un sujet s'y constitue mentalement en miroir dans un processus – parfaitement dénié par lui – de fiction mimétique.

Sans doute pourra-t-on prétendre, pour esquisser une ébauche d'hypothèse articulatoire, que l'habitus petit-bourgeois en mal de légitimation trouve dans la représentation monacale du scribe en héros et martyr des belles-lettres l'occasion de se reconstituer des réserves de valeurs aristocratiques. La fraction la plus scolarisée et la moins liée au secteur productif de la petite bourgeoisie, en forçant ainsi sur les signes, inverse sa contingence en destin, l'ignorance de ses fins en savoir, et son impuissance en pouvoir. Héritière d'un humanisme sans valeur aux yeux des masses et désireuse de perpétuer une ambition culturelle et sociale que les idéologies politiques n'ont plus envie de supporter, une fraction de la petite bourgeoisie semble avoir trouvé dans la pratique signifiante révolutionnaire et/ou suicidaire une représentation enfin gratifiante. Gratifiante dans la mesure où elle sera toujours déçue, euphorisante dans la proportion même de son quasi inévitable échec. A constater plus ou moins clairement l'impuissance du symbolique – sur lequel elle a tout misé – à produire de l'événement autre que symbolique, elle ne peut que tirer un surcroît de légitimation de cette impuissance même qu'elle avait d'abord reconnue pour sienne dans le « réel » et qui n'interdit pas, par ailleurs, de caresser l'idée que cette impuissance dissimule ou préserve, prépare ou produit un pouvoir spirituel qui ne perdra rien pour attendre : Flaubert n'a-t-il pas gagné *dans l'écriture* ce qu'il était contraint d'ambitionner de perdre hors d'elle ? La sacralisation du texte ayant ainsi pris la relève de l'exaltation ou de la dépréciation (ce qui revient au même) du philosophe comme auteur ou fauteur de révolutions, le mythe monacal celle du mythe mandarinal, l'intellectuel-artiste petit-bourgeois parvient à retrouver dans la lettre comme déréalisation cela même qui désormais le *réalise.* Produisant mot à mot de l'absence pour nier ce qui le nie, il fait de cet espace de graphique atopie le champ, couvert de mots et de mort, sur lequel il régnera dans l'imaginaire.

Si articulation il y a, il convient donc de ne jamais perdre de vue qu'elle ne se constitue le plus souvent que sur le mode de la désarticulation : le réel d'une représentation, c'est d'abord la distance fantasmatique et l'intervalle idéologique qui la séparent de ce réel. Sans cet espace libre, ce jeu, et selon des processus sans doute comparables à ceux de la condensation et du déplacement, de la métaphore et de la métonymie, la représentation ne saurait surgir : fille et mère de la néantisation, elle s'articule d'abord au néant qui lui sert de matrice et ne tire son efficacité que d'être imaginairement articulée à un « réel » lui-même élevé à la dignité de l'imaginaire. Entre le statut de l'écrivain-fonctionnaire et la représentation du scribe héros et martyr, une articulation-hiatus et une charnière-béance situent le no man's land où tout – n'importe quoi – devient possible.

La notion d'articulation est donc comme une détermination qui recouvre une contingence. Ceux-là mêmes qui l'affirment avec le plus de force nous livrent peut-être la clé d'un processus où l'énonciation quasi performative constitue seule cette articulation elle-même. Si, dans les années 70, l'extrême avant-garde s'est découvert des légitimations révolutionnaires fondées sur une prétention à exprimer, dans la textualité même, « l'intensification de la lutte des classes », ou encore « l'affleurement permanent de la pulsion économique dans le tissu du texte [1] », il est probable que cette prétention articulaire n'a jamais eu d'autre réalité que celle d'une *figure*. Lorsque aux questions portant sur cette articulation, le sujet-écrivain répond : « J'ai déjà dit que je ne pouvais dissocier ma pratique d'écrivain pour un texte précis (ce qui, dans mon corps, dans mon mental, provoque ce texte, manière de vivre l'état d'écrivain) de ce qui est produit dans le même temps aux niveaux politique, social scientifique et littéraire, artistique [2] », ces réponses, si elles n'apportent pas le moindre commencement d'éclaircissement sur la nature et les moyens de cette articulation, nous signalent en revanche assez clairement la présence d'un fantasme articulatoire. Tout écrivain – bourgeois, réactionnaire, académique – pourrait faire la même réponse, dans la mesure même où, comme je l'ai dit, s'il y a de l'articulation, elle n'est le privilège de personne mais la chose du monde la mieux partagée. La seule différence est qu'ici l'articulation est énoncée comme valeur, comme fin et comme origine productrice. L'extrême avant-garde ne fut peut-être, à cet égard, que la répétition obsessionnelle de cette rêverie articulatoire, masquée comme imaginaire dans l'exhibition exacerbée de sa représentation symbolique.

Il en va peut-être aussi de cette affaire de l'articulation du discours au « reste » comme de la relation du mot à la chose : Cratyle ou Hermogène. Si l'articulation des discours entre eux est toujours facile à repérer, y compris celle des discours littéraires au discours non littéraire, la motivation cratylienne, qui tendrait à établir comme significatives et tautologiques les relations des mots aux choses, relève d'une mythologie particulière qui constitue l'essentiel de l'idéologie poétique romantique. Aucun mathématicien, aucun physicien même, n'affirmerait avec certitude la coïncidence de son discours et de ce qui est : il n'y a guère que les poètes pour s'installer d'emblée avec des mots au cœur de l'être. Si l'on écarte les formes les plus aiguës de la croyance romantique, on peut suggérer que ce qui relie la littérature au social, c'est avant tout la *représentation* de cette liaison. Cette représentation est la seule chose dont on soit sûr, qu'il soit possible de délimiter et d'analyser. Dans les cas les plus extrêmes, la littérature se représentera elle-même, dans et par l'énonciation, comme forme-force de contestation, d'abolition ou de conservation du social, mais dans chacun de ces cas elle n'« exprimera » que sa propre image, n'énoncera que ce qui convient à sa propre légitimation, n'articulera que la nécessité de sa propre présence fantasmée dans une représentation aussi fantasmatique de l'histoire.

Je me demande donc si la relation des formes et des forces n'est pas davantage *désarticulaire* qu'articulatoire. A tout imaginaire de l'articulation, le symbolique de la forme oppose la séparation des mots et des choses, si bien que toute articulation du « réel » passe d'abord par la négation de ce « réel » et, par suite, comme négation de cette articulation. Telle serait peut-être la part inaliénable du symbolique : l'inscription d'un effacement imaginaire de l'opposition-articulation des formes et des forces. Peut-être n'y a-t-il pas d'autre articulation du symbolique au réel que ce refus de l'articulation qui constitue le réel du symbolique. Si l'économique, le social, le politique, en tant que forces, peuvent s'articuler entre eux, la forme quant à elle ne surgit que comme effondrement et effacement *symbolique* de toute articulation (je dis bien *symbolique)*. Il convient donc moins de se demander comment telle œuvre « s'articule » aux réalités politiques, sociales, économiques, etc., d'un temps, d'un groupe, d'un sous-ensemble quelconque (encore une fois la modalité articulatoire du rapport forme-réalité me paraît : 1) une pétition de principe; 2) relever d'une méconnaissance de qui est visé dans et par la forme) que comment elle s'en *désarticule* dans un insidieux, subtil, fabuleux, puéril ou grotesque mouvement d'arrachement à tout ce qui n'est pas elle, et comment ce mouvement est justement ce qui la constitue en constituant son champ, sa pratique, sa littérarité, son idéologie, autrement dit son utopie.

Avant même de chercher à mettre en relation de causalité, voire de causalité réciproque, des séries d'événements tels que la « crise du capitalisme monopoliste d'État », le tour de France, le présent de l'indicatif, trois ratons laveurs et (disons) le nouveau roman, il me paraît utile d'envisager la croyance en la possibilité d'établir une telle relation (dont la physique contemporaine discute encore – en ce qui la concerne) comme prise elle-même dans et constituée par le système qu'elle prétend envisager. D'aucuns se satisfont très bien que le phénomène littérature, producteurs et produits, demeure « inexplicable », et leur croyance est peut-être aussi fondée que la croyance contraire. La littérature et l'écrivain se constituent en représentations imaginaires par le moyen d'énoncés hétérogènes qui ne relèvent ni des catégories du « vrai » ni de celles du « réel », mais de systèmes plus ou moins cohérents de croyances communes à la totalité ou à des parties du corps social. Je voudrais, par l'examen rapide du discours de la *NRF* et de la *NNRF*, en apporter un commencement de preuve.

Par deux fois, la *NRF* s'est tue, et l'occasion en fut par deux fois cette intrusion tout de même un peu excessive de l'histoire dans la vie quotidienne des hommes : la guerre. Dans la mesure où, dès sa fondation, la *NRF* s'est identifiée à la Littérature, il y a dans ce silence éloquent quelque chose comme un métadiscours. Dans l'article de juin 1919 [3] où il explique pourquoi la *NRF* « rompt aujourd'hui le long silence auquel la guerre [...] l'a forcée », Jacques Rivière rappelle la définition fondatrice du littéraire selon la *NRF :* il y a littérature lorsque l'on a écarté « les préoccupations d'ordre utilitaire, théorique ou moral, qui pourraient gêner ou déformer la végétation spontanée du génie et du talent ». Qu'une telle définition doive beaucoup à l'opposition symboliste des deux langages (pratique et poétique), et d'une manière plus générale à un mallarméisme vulgarisé confirmé par un romantisme contrôlé, c'est l'évidence.

Pour résumer d'un mot la conception Rivière-*NRF* de la *littérature,* il faut donc parler d'*utopie,* ne serait-ce qu'en raison de la référence constante à un ailleurs *au nom de quoi* l'on parle, à un espace idéal de pure liberté d'esprit (« nous voulons [...] créer en toute liberté d'esprit »), de désintéressement, d'originalité, etc. La littérature, selon Rivière, se définit donc par l'exclusion de ce qui n'est pas elle, c'est-à-dire par l'affirmation d'une immense tautologie, que Rivière n'hésite pas à formuler ainsi : « La littérature est la littérature, [...] l'art est l'art. »

Une partie importante de ses affirmations consiste donc à assurer le lecteur de la pérennité du fait littéraire en minimisant les quatre années de la Première Guerre mondiale : « La guerre est venue, la guerre a passé [...] l'on continuera de juger et de voir [...]. La guerre a pu changer bien des choses, mais pas celle-ci, que la littérature est la littérature [...], aujourd'hui comme hier, et malgré des millions de morts, il reste vrai qu'une œuvre est belle pour des raisons purement intrinsèques [...]. Aujourd'hui comme hier, et malgré des monceaux de ruines, il reste vrai que la création artistique est un acte original [...]. Aujourd'hui, par conséquent, comme hier, [...] il reste nécessaire de purifier [...] », etc.

Il est clair que les affirmations contenues dans cet article ne relèvent pas d'un jugement de vérité ni d'une éventuelle vérification expérimentale. Elles nous intéressent parce qu'elles impliquent une représentation de l'Histoire où la littérature apparaît comme un blanc magique, un espace miraculeusement préservé, un château fort assiégé (« le royaume de la littérature », dit Rivière) mais resté solide au milieu des désolations. Ici, plus que jamais, le mode d'être de la littérature est celui du retranchement et de l'effacement. Ce mode d'être est un système imaginaire.

Et d'abord en ceci qu'il ne s'embarrasse d'aucune contradiction : de même que dans le fantasme, je puis tout à la fois être mort et vivant, homme et femme, ici et ailleurs, de la même façon l'hétérogénéité constitutive du fait littéraire aux valeurs ou non-valeurs du siècle, de la morale, de la politique, etc. ne l'empêche pas d'exprimer, *par nature,* le génie français : « le plus étroit patriotisme » justifie le projet *NRF.* Et de ce que « nous sommes le peuple le plus vrai qu'il y ait sur la terre », on peut déduire que « notre littérature est la plus pure, la plus décantée de toute hypocrisie qu'aucune nation puisse produire ». Et réciproquement. Transparente par nature, la littérature française est LA littérature même puisque LA littérature est transparente par nature. Que cette « transparence » même soit opaque, qu'elle soit précisément une médiation, qu'elle exhibe l'idéologie qu'elle nie, c'est précisément ce que le lecteur est invité à ne pas penser. Abandonnant, pour les besoins de la cause, les concepts, autrefois admis comme fondements, de « volonté » et d'« intention », Rivière ressource et légitimise la nouvelle activité littéraire dans ceux de « naturel », d'« évidence » et d'« inspiration ».

Que la littérature soit, comme « royaume », un État dans l'État, n'implique pourtant pas qu'on se retire dans sa « tour d'ivoire ». Le refus de l'actualité n'empêche pas qu'on y soit « rivé », le refus des problématiques politiques n'interdit pas de songer à « contribuer personnellement à la solution des grands problèmes posés par la guerre ». D'où le mythe de conciliation : tenir, « conjointes mais séparées, des opinions littéraires et des croyances politiques parfaitement définies ». Opinions littéraires et croyances politiques ou croyances littéraires et opinions politiques? Tout dépend du degré de confiance où le regard se porte.

Mon propos n'est pas de démonter ce Meccano en utilisant les clés du « réel » pour distinguer finalement ce qui serait à éliminer (l'imaginaire) de ce qu'il conviendrait de conserver (le « réel »). Ce scénario est réel en tant qu'imaginaire – et c'est à ce titre d'abord qu'il m'intéresse. Aussi bien toute l'histoire de la *NRF* après 1919 montre qu'il fut pour le moins difficile de se tenir sur cette étroite ligne de crête : de Gide à Drieu, en passant par Benda, Chamson et Malraux, des dizaines d'auteurs « maison » ont fait l'expérience de la caducité d'un scénario imaginaire qui n'existe que comme fantasme réitéré ou comme acte de foi. Et qui relève d'une mythographie, dans la mesure même où Rivière ne fait pas autre chose que le récit d'une mise au tombeau avec résurrection ou d'une descente aux enfers avec retour salvateur et guérison. De la guerre, qui l'a tuée, la littérature renaît. Dans le mythe constitutif de la littérature-*NRF,* l'avant est identique à l'après, et le seul mode temporel dans lequel puisse s'inscrire le littéraire, c'est l'Éternité.

Aussi bien, dès août 1920, dans un article intitulé ironiquement *Reconnaissance à Dada* [4], Jacques Rivière est-il contraint d'examiner en ethnologue un mythe concurrent du sien, qui n'est plus fondé sur l'utopie transcendante de la Littérature comme système et institution esthétique et éthique, mais, selon lui, sur la surestimation du sujet énonciateur (« identification de plus en plus étroite du sujet lui-même »). Subjectivité forcenée, expressionnisme, complaisance (« il suffit de faire toujours très exactement tout ce qui nous passe par la tête »), etc. Autrement dit, Dada, mais déjà, avant lui, Mallarmé, Rimbaud, Apollinaire, seraient coupables d'une erreur de légitimation : c'est le moi (intérieur) et non plus la Littérature (extérieur) qui désormais autorise. « L'être du sujet est la raison suffisante de tout ce qu'il exprime. » Conséquence de cette dangereuse inversion : « Le langage n'a plus aucune valeur fixée et définitive. » Rivière assiste avec désespoir à la mise en place du nouveau dogme, de la nouvelle utopie scripturaire : le signifiant. Les mots ne sont pas des signes, mais des êtres en soi : « Les Dadas ne considèrent plus les mots que comme des accidents : ils les laissent se produire [...] le langage pour les Dadas n'est plus un moyen : il est un être. » « Mysticisme », excès de confiance en la spontanéité hasardeuse des mots en liberté, etc. Deuxième conséquence : la littérature devient « un acte essentiellement privé » qui a perdu « tout caractère social », c'est-à-dire qu'elle ne sert plus à assurer par la communication et le libre-échange des informations la cohésion de lien social et la relation rationnelle avec l'objet, le modèle, « la réalité », comme elle était censée le faire à l'âge classique.

Sans doute la perspicacité de Rivière à l'égard de l'idéologie concurrente s'arrête-t-elle au bord de son propre territoire : celui de la clôture littéraire. Toutefois, en février 1929, dans un nouvel article intitulé : « La crise du concept de littérature [5] », revenant sur sa démonstration d'août 1920 (montrer que, tendant « à la pure incarnation de leur personnalité », à la création pour leur usage personnel d'une sorte de “ corps glorieux ”, les écrivains et poètes de la nouvelle génération devaient fatalement être conduits « hors de la littérature »), il donne l'exemple d'une parfaite critique mythique du mythe. A l'utopie du hors-littérature, de la fin de la littérature, il oppose assez consciemment sa propre utopie (« je veux avoir ma nébuleuse, moi aussi ») qui est celle de la littérature comme système codé de relations entre individus et société, entre mots et choses. Quant à la représentation néo-romantique de l'écrivain, à « ce ballottement perpétuel entre vivre et mourir qui les anime, ce dilemme du génie et du suicide où ils se débattent », il l'explique – comme le feront plus tard R. Caillois ou R. Queneau –, par le fait qu'on a « indûment laissé se mêler le sacré à la fonction littéraire », par la contamination de « l'idée de littérature » avec « l'idée de religion », par le fait que « si le problème de la possibilité et des limites de la littérature revêt aujourd'hui un caractère si tragique, c'est [...] parce qu'il a pris la place et la forme du problème religieux ». Sacralisation romantique du poète héros ou martyr, sacralisation symboliste du signifiant et de la forme comme porteuse de savoir et discours vrai, sacralisation surréaliste de l'inconscient (« ne pas confondre les suggestions de notre inconscient avec une révélation extérieure ») et subordination de « l'opération littéraire à des fins transcendantes », à quoi il oppose d'autres représentations (la littérature comme activité de domination et effort éthique et esthétique, l'*écrivain* comme contrôle et salut de l'*homme,* l'activité littéraire valant pour elle-même à condition qu'elle soit légitimée par le souci de communication, etc.), dont le caractère tout aussi religieux ou mythique ne peut manquer d'apparaître à qui applique au discours de Rivière le scepticisme et le réalisme dont il se pare et se vante.

Il n'est d'ailleurs jusqu'à la « crise » même de la littérature qui ne soit, si l'on peut dire, éternelle : oxymoron mythique qui répond d'avance à toutes les questions. Oxymoron parfaitement géré depuis lors à chaque moment « critique ». C'est dans des termes identiques à ceux de J. Rivière que, plus de trente ans après, Marcel Arland (qui avait lui-même été accusé de vouloir faire entrer la littérature en crise) réaffirme que le support de la littérature à l'Histoire n'existe que d'être un rapport d'exclusion [6]. Il y a une spécificité du « plan littéraire », du « champ de la littérature » qui l'oppose au « dehors », aux « vicissitudes de l'époque et de l'histoire ». Aux valeurs du monde, Arland oppose celle de « l'intériorité » : « Il n'est d'œuvre valable que celle qui nous apprend quelque secret. » Par l'accomplissement d'un système circulaire désormais parfaitement au point l'écrivain confère à la littérature ces valeurs mêmes qu'elle a commencé par lui conférer : *pureté, authenticité, probité, qualité, modestie, indépendance,* etc., s'inscrivent dans un processus de légitimation réciproque, de l'écrivain à la littérature, de la littérature à l'écrivain.

Le caractère utopique du système littéraire est lui aussi réaffirmé, avec d'autant plus de force que la *Revue* elle-même, comme lieu réel de la manifestation utopique, devient le symbole d'un consensus : « Il lui sera peu à peu donné d'accueillir dans ses pages les écrivains les plus différents de goûts, d'opinions et mêmes de partis. » La transcendance de la littérarité fondée par l'éthique doit donc permettre de « réunir [...] des écrivains dont l'antagonisme politique se refuse à fléchir sur le plan littéraire ».

Comme dans le texte de Rivière (1919), le consensus éthico-esthétique est confirmé par les données du nationalisme, qu'il veut à son tour épauler. *Français* étant synonyme d'*universel,* concept dont *littérature* est par définition l'équivalent, littérarité, nationalisme et universalité ont exactement le même sens. Sans doute, s'il s'agissait d'autre chose que de l'énoncé d'un mythe et de la production d'une croyance, serait-on tenté de s'interroger sur la nature transhistorique de ce national-universalisme. Mais puisque la fonction du mythe est, ici, de remplacer l'histoire, ou plus exactement d'y trouver sa place sur le mode de l'effacement symbolique, il convient de le prendre pour ce qu'il est.

Dans le même numéro initial-initiatique, mais dans une perspective apparemment plus sociologique, Marcel Arland précise sa définition du *littéraire a contrario* : moins grande sera la relation avec le politique, le public, l'économique, le discours critique, plus il y aura littérature. La littérature c'est aussi tout ce qui n'est pas « exercice, jeu, parodie, métier, moyen d'action ». Ni homme de lettres, ni trublion dadaïste, ni idéologue partisan : écrivain. Il ne lui reste plus qu'à définir la littérature par son attachement à des valeurs éthiques, religieuses et héroïques : « noblesse », « dévouement », « foi commune et commune volonté », « salut », qui renvoient à une représentation de l'écrivain déjà élaborée, toute prête, mais revivifiée par les nécessités du temps : le clerc, le moine; « j'imagine volontiers la littérature comme un ordre ».

Parallèlement à ce mythe de l'utopie littéraire, on voit se mettre en place un mythe encore timide mais qui ne tardera pas à doubler le précédent. Si les valeurs de la *NRF* restent suffisamment dotées d'extériorité pour pouvoir aborder les concepts politiques de nation, de peuple ou de société, ou moraux de bien et d'honnêteté, l'organisation que prépare Maurice Blanchot est plus radicale dans son parti pris d'intransitivité et de clôture [7]. A la Littérature, système, ensemble d'œuvres, institution et pratique esthético-morale, Blanchot substitue la notion d'*œuvre* définie comme l'abolition de tout ce qui n'est pas elle. L'*œuvre* se constitue en effet d'un perpétuel et infini congédiement : congédiement de « celui qui l'a écrite », congédiement du livre dans sa matérialité transmissible, congédiement de toute fin à finalité extérieure à elle et même de toute *fin* ou achèvement interne (l'œuvre est par nature inachevée, « bien fermé d'un travail sans fin »), congédiement de tout pouvoir, de toute volonté de communication (« l'écrivain appartient à un langage que personne ne parle, qui ne s'adresse à personne, qui n'a pas de centre, qui ne révèle rien »), congédiement enfin de toute représentation éventuelle : écrire, c'est se laisser abolir par l'œuvre comme exercice du vide, de toute figuration constituée par le regard de dehors sur le dedans : l'écrivain n'est plus visible, repérable, figure glorieuse ou martyrisée, mais, disparu, ne se laisse plus éprouver que comme « présence neutre, impersonnelle, le On indéterminé, l'immense Quelqu'un sans figure ».

On voit que l'*Œuvre* expulse ainsi par nature les valeurs même qui étaient censées constituer et organiser le lieu *Littérature.* L'espace littéraire comme lieu de réalisation du vide s'oppose à l'espace de la littérature comme lieu de réunion de parties pleines. L'espace littéraire est un no man's land, où nul ne figure, ni écrivain ni lecteur, où rien ne se représente ni ne s'inscrit, ni maîtrise, ni savoir, ni parole, ni voix, ni histoire, ni temps, et où le langage lui-même ne figure que comme absence, non seulement de la chose (« l'absence de tout bouquet ») mais de lui-même.

La question qui se pose à celui qui veut tenter d'appréhender un tel discours, hors de la fascination de nature proprement stylistique et évidemment *littéraire* à laquelle il semble l'entraîner, c'est précisément la question que ce discours entend abolir. Comment accéder à l'intelligence de ce qui se construit comme fascination, à l'analyse de ce qui voudrait d'abord me séduire? Question essentielle à qui se trouve dans le piège : comment en sortir?

Or cette question est précisément celle qui rend nécessaires l'invention d'une perspective, la définition d'un point de vue qui lui soient extérieures. Sauf à redoubler purement et simplement le discours du mythe en se diluant en lui, on est bien contraint de l'aborder en position d'extériorité (ce qui ne veut pas nécessairement dire avec hauteur) et dans une perspective qui soit celle qu'il voudrait exclure, c'est-à-dire de préintroduire ouvertement tout ce qu'il voudrait avoir congédié.

Au demeurant, le discours lui-même semble y avoir songé, lorsque, sortant de sa propre tautologie, il jette un regard quasi sociologique sur son passé mort. Opposant l'écrivain absent et l'œuvre comme abolition à « l'écrivain qu'on appelle classique », Blanchot le définit comme celui qui « sacrifie en lui la parole qui lui est propre, mais pour donner voix à l'universel ». La littérature, car elle existe encore, continue ainsi de se proposer comme une relation rationalisée au groupe social qui le conforte et dont elle émane, proposant à l'écrivain de transcender sa solitude en « généralité impersonnelle » dans un rapport privilégié à *la vérité* et à *la raison.* La littérature exprime et redouble alors « l'équilibre d'une société aristocratique ordonnée, c'est-à-dire le contentement noble d'une partie de la société qui concentre en elle le tout ». Si ce rapport-là disparaît, ce n'est pas – selon Blanchot – qu'un autre rapport, fondé et légitimé ailleurs, vienne prendre la place du précédent : il n'y a plus de rapport du tout. Le regard sociologique s'arrête aux portes mêmes qu'il ouvre et qu'il ferme. L'écrivain, la société, la littérature : autant de termes qui s'abolissent dans *l'œuvre* comme absence et définie comme ce en quoi « la dissimulation apparaît ».

Le mythe sera encore réitéré en 1970 [8] : « une littérature est toujours menacée » (Arland). Non plus cette fois par la guerre, ni par la politique, mais par les sciences humaines qui auraient installé « une confuse terreur » dans « nos Lettres ».

Dernière célébration en 1976 [9] : toujours menacée, la littérature continue, « la Revue continue ». Georges Lambrichs affirme son ambition de « revenir à cette position de départ » (celle de Rivière) : écart, consensus et continuité. Programme repris en 1977 [10] dans *le Monde,* sous le titre : « La *NRF* de Jean Paulhan à Georges Lambrichs . » « La *NRF* a toujours eu un parti pris esthétique et moral », « le rôle d'une revue littéraire est de rassembler le plus grand nombre d'écrivains venus d'horizons divers », qui se seront distingués par « la permanence de leurs recherches ».

Il est inutile, je pense, d'insister : pendant plus de cinquante ans le discours-*NRF* présente tous les caractères d'un discours initiatique, pédagogique, tendant à faire supposer l'inscription d'une transcendance dans l'histoire et à construire la représentation d'un lieu sans lieu, neutre, ouvert, libre, producteur d'une distinction stylistique considérée comme la seule légitimation concevable.

Une étude plus systématique de cette construction d'une image devrait s'attacher à confronter les différents types d'énoncés constituant, à l'intérieur de la *Revue,* l'objet « littérature » : fictions, chroniques, « air du mois », notes, et, à l'intérieur de ces notes, les distinctions fort soutenues : littérature, histoire, poésie, science, philosophie, arts, etc. Il conviendrait d'interroger dans le détail le système des relations littérature/littérature, science/littérature, littérature/histoire, littérature/politique, ce qui conduirait à reconnaître des procédures extrêmement fines de délimitation, d'exclusion et de désarticulation. La retraite stratégique qui tend à constituer « la littérature » – quelles que soient ses variantes : la République des lettres, une littérature, notre littérature, nos lettres, la littérature actuelle, le public littéraire, etc. – comme objet inconstituable, n'est pas le moindre charme de cette magie qui « articule » la littérature sur sa propre désarticulation à tout ce qui pourrait l'empêcher de s'articuler à elle-même. Si le mythe procède de la prise de conscience de certaines oppositions et tend à leur médiation progressive, s'il a pour fonction de fournir les moyens d'apparence logique pour résoudre des contradictions qui l'obsèdent, la littérature, celle-là, relève d'une mythographie dont tout sociologisme est en effet nécessairement exclu.

Notes

1. Pierre Guyotat, *Littérature interdite*, Paris, Gallimard, 1972, p. 31-60.
2. *Ibid*, p. 75.
3. Repris dans *Nouvelles Études*, Paris, Gallimard, 1947, p. 284-293.
4. *Ibid.*, p. 294-310.
5. *Ibid.*, p. 311 et s.
6. *NNRF*, 1er janvier 1953.
7. *Ibid.*, « La solitude essentielle ».
8. *NNRF*, 1er octobre 1970.
9. *Ibid.*, « Sans coupure ».
10. *Le Monde*, 2 septembre 1977.

IV

Gide et Lime : le prolo et son maître, histoire d'un malentendu

Dans les années 32, la littérarité (« honneur des hommes, SAINT LANGAGE », comme disait avec un brin d'ironie Valéry) rencontre l'histoire. L'excès même des guillemets implicitement disposés dispense d'en ajouter de plus voyants. Depuis longtemps, sur différentes scènes scripto-mythiques, la déconstruction des formes *changeait,* comme l'on sait, le cours des choses. Pour des raisons qui relèvent sans doute d'abord d'une crise de la croyance et d'une sorte de carcinome de la certitude – et où Wittgenstein, Austin et quelques anthropologues pourraient être d'un meilleur secours que les philosophies de l'histoire –, il se trouve quelqu'un à la *NRF* pour estimer « qu'il serait grand temps qu'elle reflète les préoccupations du moment, que la qualité ne suffit plus, que cette qualité devrait s'allier, et même se laisser submerger par ces préoccupations [1] ». Ce quelqu'un s'appelle André Gide. N'était-ce pas dans cette même *NRF* que Jacques Rivière, en juin 1919, certifiait à l'inverse que le temps était venu de « nous arracher à l'esclavage intellectuel où les événements tendraient à nous réduire », de refuser la contamination « des opinions littéraires et des croyances politiques » afin de « rester à la fois des écrivains sans politique et des citoyens sans littérature [2] » ? Opinion cent fois réaffirmée depuis rue Sébastien-Bottin, l'opinion inverse étant abandonnée à d'autres impasses. Il importe moins de se demander de quel côté penche empiriquement la balance de l'histoire ou s'incline le fléau de la littérarité que de constater ceci : Gide tout à coup *corrige* Rivière – avant de se corriger et d'être corrigé lui-même. L'histoire des énoncés, qui reste à faire, impose la prise en considération de tels jeux de langage qui, avec la rapidité déviante de l'atome lucrécien, produisent de curieux clinamens idéologiques. Sans doute « la certitude est *comme* un ton de voix selon lequel on constate un état de faits, mais on ne conclut pas de ce ton de voix que cet état est fondé [3] ». La saine méfiance du philosophe à l'égard du *ton de voix,* si elle était suivie, aurait des conséquences terribles. Reste que le problème de la certitude est un problème éminemment littéraire puisque, de tous les énoncés humains, les énoncés littéraires sont les plus habiles à la feindre sous forme d'effets de certitude et à rendre cette mimique euphoriquement, quelquefois, aussi, lamentablement efficace. Quelques mois après le propos rapporté par la Petite Dame, la *NRF* publiait des « Pages de journal » où l'auteur de *Paludes* déclarait : « S'il fallait ma vie pour assurer le succès de l'URSS, je la donnerais aussitôt, comme ont fait, comme feront tant d'autres, et me confondant avec eux [4]. »

Donner sa vie pour le succès de l'URSS ne nous intéresse ici que comme proposition d'*écrivain*. Dans toute autre bouche ou sous toute autre plume le même énoncé aurait de tout autres sens. Mais il faut bien que celui-ci, dont l'excès de contenu tendrait presque à signaler l'inanité, soit apte à produire au moins un simulacre de sens pour que l'auteur de *Paludes,* par ailleurs homme de bon sens, estime de quelque intérêt d'envisager verbalement pareille hypothèse, au demeurant parfaitement invérifiable en ce qui le concerne. On voit bien qu'un tel énoncé, par sa grandiloquence même, se rattache à une grandiloquence encore supérieure, plus facile à décrire qu'à expliquer, qui est l'ensemble des représentations constituées au cours du XIXe siècle ayant abouti à une panoplie de jeux de langages où *l'écrivain,* très au fait de la distance qui sépare les mots des choses, vient projeter ses fantasmes.

Le caractère christique d'un pareil discours (dont, encore une fois, la preuve n'a jamais été exigée) n'a pas à être démontré ni même dénoncé. En se substituant symboliquement à la victime potentielle – l'URSS – des menées obscures ou éclatantes du fascisme, le héros des lettres fonde tout aussi symboliquement son union avec elle. Un siècle de cléricature et deux de revendication du pouvoir spirituel autorisent n'importe qui à échanger sa condition de bouc émissaire impossible contre celle de rédempteur de bonne volonté. D'autant plus innocemment qu'il est innocent : voici des mains à peine sales, le coupable sartrien n'étant pas encore théorisé. A moins que cette dédicace d'un sang innocent, cette générosité offerte à l'histoire, ne devancent en quelque sorte l'appel : ne s'agit-il pas de rédimer sans attendre le sang du peuple impur versé injustement pour moi, bourgeois? Voilà en tout cas un acte de langage qui présente pas mal d'avantages puisque, assurant le scribe dans un mythe de rédemption, il le justifie du même coup en le portant au cœur, et même à la tête, d'un processus dont il s'attribue la gratifiante responsabilité. Ce n'est pas la perte de l'unanimité fondatrice qui, par ce performatif, transforme le scribe en victime émissaire et rituelle, c'est plutôt le désir séculaire d'en être encore une fois l'initiateur. Sans doute ne lui a-t-on rien demandé, mais dans ce résumé rapide de l'histoire du monde, il trouve tout à la fois sa place et son compte, avant d'y dénoncer son égarement et son mécompte. Mais gardons la fraîcheur de l'étonnement : il existe des *tribus,* comme dit Wittgenstein, et des moments, où des énoncés comme celui de Gide en 1932 font sens : les conditions de cette *prise* du sens (comme on le dit d'un ciment) pourraient faire l'objet d'une recherche pluridisciplinaire dont on n'a encore que des bribes.

Sur la « conversion » (*dixit* Malraux) gidienne, et sur l'opportunité de cette promiscuité protestataire du prolétaire et du littérateur, le *Journal* est finalement assez peu prolixe. N'y sont mentionnés ni les nombreux meetings et réunions auxquels Gide participe entre 32 et 37, ni même, à l'exception d'une brève et dérisoire anecdote, le Congrès international des écrivains pour la défense de la culture (Mutualité, juin 35), organisé à l'instigation de l'URSS et que Gide présida. S'y construit pourtant une figure relativement subtile, où rien n'est laissé au hasard, d'homme de lettres de bonne volonté que travaille une sympathique culpabilité (« En face de certains riches, comment ne pas se sentir une âme de communiste [5]? »). Le projet de publication des *Œuvres complètes* (qui, d'après la Petite Dame, fait l'objet de maints débats) est lui aussi passé sous silence et comme offusqué par « l'extraordinaire effort de la Russie », les merveilles du plan quinquennal, « la morale nouvelle » : « Tout cela me distrait énormément de la littérature [6]. » Ce qui n'est pas si sûr : n'est-on pas au contraire dans la plus conforme, la plus traditionnelle, la plus efficace des littératures?

La Petite Dame rapporte pourtant, de la même époque, des affirmations plus tranchées qu'on dirait échappées par avance aux *Mandarins* et aux débats Dubreuilh-Henri : « Je pense tout le temps que des événements si importants se préparent qu'on a presque honte de s'occuper de littérature [7]. » Voici donc le contact inopiné de l'histoire (on emploie ce mot par commodité) produisant sur la littérature deux effets finalement assez différents : elle la gêne et l'empêche, elle la dévalorise et exhibe sa futilité [8]. Mais en voici un troisième : « Je voudrais crier très haut ma sympathie pour la Russie; et que mon cri soit entendu, ait de l'importance [9]. » Ainsi la littérature est-elle remise en selle : pour que le cri soit entendu, de quel art et de quel artiste n'aura-t-il pas besoin? Ce lecteur assidu de Hugo trouve immédiatement le ton qu'il faut : la place publique et ses transparences, pour le porte-parole héritier du prophétisme, n'est-elle pas le lieu idéal où redonner signification et efficace au métier des lettres, en même temps qu'à Gide, qui se plaint d'être en panne (au point de ne plus pouvoir écrire que le *Journal*), une occasion d'excercer d'une même plume la littérarité et sa « sympathie »? Mais ne court-on pas alors le risque de perdre là en légitimité ce qu'on en recueille par ailleurs? Fondée sur l'individu Gide et ses complexités, l'autorité du *Journal* ne serait-elle pas affaiblie s'il fallait désormais passer par *un journal* – en l'occurrence *l'Humanité* – pour y recevoir le sacre de l'histoire [10]?

Très discret sur les événements (voyages, congrès, discours) qui marqueront le combat christique de l'écrivain, le *Journal* dit pourtant l'essentiel sur ce qui nous occupe, à savoir le sort de la littérarité. D'évidence, il est triste. Sollicité par l'Association des écrivains et artistes révolutionnaires qui souhaite son adhésion, l'auteur de *Paludes* se refuse à « écrire désormais d'après les *principes* d'une *charte* (je reprends les expressions de votre circulaire », risquant de perdre ainsi à la fois crédibilité et créativité [11]. L'année 32 se termine déjà par ce constat sans réplique : « Que l'art et la littérature n'aient que faire des questions sociales, et ne puissent, s'ils s'y aventurent, que se fourvoyer, j'en demeure à peu près convaincu. Et c'est bien aussi pourquoi je me tais depuis que ces questions ont pris le pas dans mon esprit [...]. Je préfère ne plus rien écrire, plutôt que de plier mon art à des fins utilitaires [12]. » Cette trahison des clercs, que Benda lui-même allait pratiquer incidemment en tant qu'*intellectuel,* était donc pour l'*écrivain,* garant des valeurs spirituelles de la littérarité et de la différence, une tentation provisoirement écartée.

Dans la perspective du projet gidien, il importe que cette « conversion », fût-elle sans danger pour la littérature, n'ait finalement pas plus d'importance ni de densité que le « déboire » qui la conclut [13]. Le *Journal* n'est pas une suite de professions de foi, ni le rapport au jour le jour d'événements, de réflexions ou de paroles, mais la mise en « espace autobiographique [14] » des différents *essais* dont la variation compose une figure ambiguë et polymorphe. En tant que forme absolue de self-variance, une littérarité supérieure et quasi transcendante, forme des formes du sujet, domine l'histoire gidienne et, à travers elle, symboliquement, l'histoire elle-même. Le *Journal* est donc un objet de lecture qui n'a de sens que dans la perspective du narrataire disposant, quant à lui, de la totalité des écrits gidiens, de leurs constrastes et de leurs articulations. L'unité du lecteur est supposée rassembler la multiplicité du narrateur et transformer en euphorie dans l'imaginaire la *fatigue* gidienne résultant du culte christique de cette littérarité, stratégie de l'indécision [15].

Un gros ennui survient pourtant à l'œuvre, qui est de n'être jamais lue dans cette perspective même, divine et totalitaire, qu'elle suscite.

Aussi finement structurées, articulées et fantasmatiques qu'elles soient, les différentes facettes de l'œuvre gidienne échappent à tout contrat de lecture dès lors qu'on change de théâtre. Hors de l'espace autobiographique délicatement régi et nuancé par ses pactes (référentiel, fantasmatique, romanesque), voici tout à coup le nom propre et la figure livrés à l'autre, monstre aveugle et vorace. Il y a l'énorme : « Vaillant voudrait publier *les Caves* en feuilleton dans *l'Humanité,* j'ai tâché de l'en dissuader [16]. » Déjà Aragon avait trempé dans une adaptation des *Caves* au cinéma soviétique : « Il raconte donc le désir des Soviets d'utiliser *les Caves* comme film de propagande, et qu'en fait la préparation du scénario serait fort engagée, et aussi que la première chose qu'on va exiger de lui est non seulement sa permission, mais son adhésion à certains changements [17]. » Adhésion? Comment Gide adhérerait-il, lui dont la littérarité est à ce point antiadhésive? Le même problème se pose, en plus grave, lorsque de l'écriture on extirpe un message (excluant le message de l'écriture) qu'on entend faire répéter en discours, ou une figure que l'on veut exhiber en signe : le rôle que l'on veut me faire jouer, mes paroles me trahiront, etc. [18]. *Les Cahiers de la Petite Dame* qui réfléchissent à la fois l'intimité du texte et les effets du texte déformé par d'autres symboliques, gérés par d'autres imaginaires, circulant dans l'espace biographique gidien entre Cuverville et la Mutualité, la rue Vaneau et la politique de l'Union soviétique, de Bypeed à André Gide, signalent à merveille cette zone infernale où les stratégies scripturaires les plus accomplies s'effritent et/ou se pétrifient. Sans doute la littérarité n'est-elle pas innocente : elle-même a ses tentacules idéologiques, et des articulations bien réelles la rattachent à des discours anciens. Mais il y a une sorte de stupeur (qui est celle aussi de Mme Théo) à constater que l'ambigu espace autobiographique, investi soudain par une infinité d'espaces hétérogènes, bascule dans le biographique, l'idéologique, le figuratif, et se laisse déporter vers la rumeur publique comme un bateau sans amarres. Lire le texte du point de vue du texte n'est jamais suffisant : il faudrait aussi le lire du point de vue de sa méconnaissance, qui commence avec lui. Il faudrait aussi parcourir toute la trame, au moins aussi ambiguë, qui fait passer de l'extrême intimité (du plan quinquennal dans ses rapports à une intimité à celle-ci dans ses rapports à « j'écris *Paludes* ») à cette scène d'une inquiétante et admirable étrangeté que rapporte et reconstruit la Petite Dame :

> Mais nous arrivons : la porte principale est fermée, la place déserte, on entre par une rue latérale déjà pleine d'agents.

> Deux messieurs, deux peintres je crois, étaient postés à l'entrée pour attendre et introduire Gide. On nous fait fendre la foule, à plusieurs reprises on le reconnaît, long murmure. Par les travées de côté, nous gagnons les coulisses du théâtre. D'une porte entrouverte on aperçoit la salle immense qui est comble jusqu'au haut, une mer de têtes, atmosphère rousse ennuagée de fumée, impression de cirque. Autour de nous, Vaillant, Cachin, les ouvriers qui vont prendre la parole, les organisateurs, quelques dames. On me demande où je veux m'asseoir. Gide sera installé au bureau, je ne quitterai pas Cassou, au fond de la scène, à un endroit discret d'où l'on voit bien la salle. C'est Bypeed qu'on pousse d'abord sur le plateau. Une formidable et longue clameur le salue, c'est très troublant, on comprend que sa silhouette est déjà connue d'une partie du public.[...] De ma place, je vois Bypeed de profil, tandis qu'on l'acclame; il est visiblement ému, confus, intimidé. Environ quatre mille personnes, me dit Vaillant, public composé en majeure partie d'ouvriers d'usine, de petits employés, d'étudiants [19].

Ce récit me fascine à cause de ses renversements subtils de désignations (« attendre et introduire Gide », « c'est Bypeed qu'on pousse d'abord »), de ses déplacements des points de vue (lui, nous, on, moi, eux) à la fois additionnés et incompatibles, ce qui montre bien de quoi il s'agit : rencontre de symboliques et d'imaginaires qui, sur le mode réel, vont s'acoquiner, s'interpénétrer, se gérer, se contrôler mutuellement en toute connaissance et méconnaissance de leurs causes. Ce texte me fascine non seulement pour ses métaphores (mer, cirque), mais parce qu'il est lui-même le récit d'une métaphore : rencontre plus ou moins fortuite, sur une *scène* où se fabrique du consensus et de la révolution, d'un Bypeed, qui conclut chacune de ses journées par une petite crapette, et de quatre mille travailleurs et étudiants. (D'où la question : quelles conditions doivent être remplies pour qu'une pareille rencontre soit concevable?) Rencontre d'une intimité ouverte et d'une extériorité qui est elle-même, de son point de vue, une intimité nourrie d'un autre imaginaire et d'autres symboliques. Comment passer de cet hétérogène à cet homogène? Qu'est-ce qui fonde cette rencontre métaphorique? Rien sans doute qu'elle-même : une métaphore est-elle jamais fondée? S'il est également possible de lui trouver du sens ou de ne lui en trouver aucun, n'est-ce pas que la contingence métaphorique n'acquiert un semblant de nécessité qu'à travers la croyance? Si bien que voici André Gide, vu de la salle : signe, symbole, icône? Pris dans quelle méconnaissance? Dans quelle illusion? A quel état mental du sujet, des sujets, des groupes, cette métaphore renvoie-t-elle? Quel état mental produit-elle? Une métaphore sociale de ce type n'a-t-elle pas précisément pour fonction de rameuter l'imaginaire autour de quelques signaux frémissants? Et dans quel réseau serré de métonymisme idéologique le sujet André Gide n'accepte-t-il pas, pour son plus grand bien, de se laisser aller : moi = écrivain = l'homme = l'Humanité = le travailleur = les hommes = l'Union soviétique, etc.? Le système de délégation de pouvoir et de représentativité propre à l'humanisme littéraire (un homme qui écrit = tous les hommes) n'est-il pas non seulement ce qui trame ce spectacle mais ce qui se donne tout bonnement ici en spectacle? Si André Gide, on le verra, n'avait pas en commun avec ces quatre mille spectateurs-acteurs un scénario mythique légitimant (je suis vous, vous êtes moi, nous répondons vous et moi de l'Humanité) garantissant la signification de cette rencontre fortuite, si la soirée décrite par la Petite Dame (qui, quant à elle, ne sait pas *où se mettre*) ne reposait pas tout entière sur l'exhibition, immédiate et transparente, du passage un/tous, tous/un, ne s'inscrivait pas dans le processus de fabrication de la grande équivalence de l'universel et du singulier, de la partie et du tout, du local et du global, bref, si Gide et ses autres n'étaient pas investis par les mêmes représentations culturelles, l'unique et ses quatre mille, représentants lui et eux de l'ensemble de l'humanité, n'auraient pu que considérer avec stupeur l'ampleur du fossé qui les séparait.

Que, par ailleurs, Gide « ému » ne souffle pas un mot dans le *Journal* de cet important meeting, qu'il n'y évoque le mémorable Congrès des écrivains pour la culture (21-25 juin 1935), dont il est le président d'honneur, que par le biais d'une médiocre anecdote, ces « oublis » ne sauraient être considérés comme de simples pannes de son. Comment ne pas lire cette absence comme la trace d'un regard jeté à la dérobée dans les coulisses de l'histoire : André Gide y aurait-il rencontré Bypeed? Il est tout aussi clair que la scène métaphorique et son scénario baignent, à l'instant du *Journal,* dans une lumière moins crue. On dirait que, rentrée chez elle, la littérarité reprend ses droits, son intimité et son art. Quelques jours à peine après le meeting de Gide et des quatre mille, le singulier se replie sur une universalité plus scripturaire, son quant-à-soi : « Je n'entends rien à la politique. Si elle m'intéresse, c'est à la manière d'un roman de Balzac [...]. Tout comme celle au catholicisme, la conversion au communisme implique une abdication du libre examen, une soumission à un dogme, la reconnaissance d'une orthodoxie. Or toutes les orthodoxies sont suspectes [20]. » Qu'en penseraient les quatre mille? Au lendemain du Congrès des écrivains pour la culture, unique commentaire : « [...]Jugée d'après cet angle, la littérature n'a plus qu'un intérêt documentaire. " Que ceux-là seuls écrivent, écrit Poulaille, qui ont quelque chose à dire. " *Id est :* quelque chose à raconter. Ceux qui ont vu quelque chose [21]. »

Nous y voilà : décidément, à Bullier, à la Mutualité, du point de vue des participants qui l'ignoraient, du point de vue de Gide qui le taisait, il y avait un hic; ni Aragon, ni Poulaille, la littérature est ailleurs, sa scène est en coulisses. « La question commence précisément là où la laisse Poulaille [22]. » Là aussi où la laisse Aragon. La situation internationale, communisme, fascisme, hitlérisme, prolétariat, révolution, lutte des classes, etc. : *Jugée d'après cet angle, la littérature...* Il y a donc un angle, des angles, des points de vue, des coulisses, et il y a donc un problème anguleux de la littérature, un problème de définition qui résiste au scénario mythique et au consensus métaphorique. Pendant trois ans au moins, de 1933 à 1935, la littérarité est donc en crise, mais cette crise elle-même atteste de sa vigueur et confirme sa pérennité. Elle demeure comme un secret bien gardé, une palpitation exquise des valeurs, moins humaines qu'humanistes, d'un humanisme restreint, qui, malgré les pulsions militantes de l'écrivain, le soustraient à temps à « la formidable et longue clameur des foules ». Pas assez toutefois pour que cette littérarité reconduite en son intimité ne profite pas de sa dissimulation même : comme le dit fort bien Martin du Gard (avril 1936), « les malentendus sur votre œuvre l'enrichissent de tous les points de vue qu'elle permet [23] ».

Malentendus : je n'ai évoqué ces quelques difficultés de l'inconfort gidien, pris entre la légitimation interne de la littérarité et la légitimation externe de l'idéologie prophétique, que pour basculer sans crier gare de l'autre côté de la rampe, dans cet espace où, si l'on veut, on ne discute pas des mérites comparés de *César Birotteau* et des *Illusions perdues* [24] ni ne s'étonne d'avoir été « déçu par la relecture de *Beaucoup de bruit pour rien* [25] », pour pénétrer dans le logement où l'écrivain prolétarien, chaque soir « après l'boulot », mû par des fantasmes et héros de scénarios à la fois semblables et différents, envisage de reprendre une partie de son bien à l'écrivain « bourgeois », dont la figure le fascine mais qu'il croit devoir récuser dans le détail pour parvenir lui-même à l'existence, contruisant à travers d'autres mythes une autre littérarité.

Ce qui fait problème, ce n'est donc pas seulement le « donner sa vie » de Gide confronté à l'économie de sa pratique scripturaire, c'est exactement ceci : qu'est-ce qui a rendu à la fois possibles et impossibles la rencontre et le dialogue que je dirai exemplaires entre l'écrivain André Gide, futur prix Nobel de littérature, et l'écrivain prolétaire qui se présente à lui en octobre 1935, quelques mois après le Congrès des écrivains pour la culture, un manuscrit à la main?

Maurice Kirsch, alors militant pré-dissident au PCF, avait pris la parole, après Forster, Musil, Brecht et Julien Benda, à la séance d'ouverture du Congrès de juin 35. Alors qu'il vient d'achever le manuscrit de son premier roman, consacré à son enfance lorraine, ajusteur-outilleur aux Compteurs de Montrouge (d'où son pseudonyme : Lime), Kirsch est plus près des thèses adoptées au Congrès des écrivains prolétariens de Kharkov (novembre 1930) et de la section française de l'Union internationale des écrivains révolutionnaires (mars 1932) que de Poulaille et de l'École prolétarienne (juin 1932). En 1935, alors que le PCF a fait de l'Association des écrivains et artistes révolutionnaires (décembre 1932) l'outil de sa recherche d'un plus vaste consensus, Lime fait encore figure de vieux *rabcor* [26] : « Mon activité littéraire même, je ne la concevais que comme une façon de militer. Et puisque le Parti luttait pour tout ce qui était grand et beau, je pouvais concevoir le rôle d'écrivain communiste comme l'apostolat de la vérité absolue [27]. »

Bernard Groethuysen, communiste et lecteur chez Gallimard, prend connaissance du manuscrit de *Pays conquis* et le transmet à Gide. Celui-ci l'égare, le retrouve, accorde finalement à Lime un rendez-vous rue Vaneau (octobre 1935). Sur les rencontres entre Gide et Lime, on a la chance de disposer de trois témoignages : le *Journal, les Cahiers de la Petite Dame,* l'ouvrage de Lime : *Gide, tel que je l'ai connu* (1952). Le temps écoulé et sa propre évolution politique [28] ont sans doute infléchi la mémoire de Lime. Du point de vue de l'écrivain-militant, Gide est exemplairement celui qui a « quitté le clan des exploiteurs pour devenir notre camarade de lutte [29] ». Ce récit de la première rencontre du grand écrivain, topos obligé, s'énonce pourtant *a posteriori* sous le signe de la déception : « J'avais cru que le grand écrivain bourgeois, qui venait de se rallier courageusement à notre cause, avait une tête romantique; au lieu de cela je lui trouvai l'allure d'un pasteur protestant, d'un pisse-froid comme nous disions [30]. » Voici donc la figure de Gide prise entre un fantasme culturel (« tête romantique ») et un imaginaire social construit de tous côtés et difficilement nuancé par Gide lui-même (« camarade de lutte »). Le récit de la première rencontre avec l'écrivain-prolétaire rédigé par Gide à l'usage des lecteurs du

Journal est fort différent. Alors que Lime signalait chez l'auteur de *Paludes* une distance et une préciosité qui le mettaient « sur la défensive », Gide, à l'inverse, rapporte cette rencontre sous le signe de l'immédiateté et de la transparence, comme réalisation parfaite du consensus au-delà des classes :

> C'est un garçon tout jeune encore, solide, au visage ouvert et riant, au regard droit. Je me sens aussitôt à l'aise avec lui et lui sais gré de ne me traiter point en bourgeois, mais en camarade. J'éprouvais avec Jef Last déjà cette sorte de sympathie subite et violente qui bondit par-dessus les barrières factices et à laquelle les odieuses différences sociales semblent ne donner que plus d'élan [...]. Ici la communion s'établit soudain au plus profond et au plus sincère de l'être [31].

Voilà qui préfigure le ton des premières pages de *Retour de l'URSS* : illusion lyrique de l'identité et du spéculaire dans l'immédiat. Ici la transparence, là l'opaque. Gide se fait légitimer par Lime-travailleur, tandis que Lime-militant est légitimé par Gide qui veut bien parcourir l'histoire dans le même sens que lui. Témoignage enfin de la Petite Dame : aucun commentaire sur la première rencontre avec Lime (qu'on peut situer le 4 octobre). Lime apparaît ensuite à la date du 20 octobre : il a déjeuné avec Gide et la discussion a porté sur la littérature [32], du 3 décembre : lettres élogieuses de Camille Mayer et de Lime à propos des *Nouvelles Nourritures,* si empreintes « d'une si vraie reconnaissance pour le grand camarade, comme ils appellent Gide, que nous en avons tous les trois les larmes aux yeux. Et ces lettres, en leur tact nuancé, en leur attitude à la fois tendre et fière, sont si spécifiquement françaises que c'est en même temps que nous en faisons la remarque [33] », du 14 décembre enfin (sortie au cinéma avec Lime : deux films russes) : « C'est vrai que ce Kirsch est sympathique, tout en lui l'est : le son de sa voix, son rire, ses remarques, et que tout de suite on a avec lui les rapports les plus simples et les plus cordiaux [34]. » Gide, qui manifeste depuis 1933 la même réticence à un éventuel voyage en URSS (« Je serais obligé de prendre la parole et je me connais, je me laisserai entraîner à dépasser ma pensée [35] »), et qui redoute un commencement d'« embourgeoisement » de l'URSS [36], a dédicacé à Lime les *Nouvelles Nourritures* « en camarade et en ami [37] ».

L'essentiel des rencontres Gide-Lime est donc consacré à la littérature. Gide perçoit Lime moins comme un écrivain-militant que comme un écrivain prolétarien, selon la définition qu'en donne Poulaille (issu du prolétariat, racontant la vie du prolétariat), par opposition à lui-même, écrivain-rentier : « son travail à l'usine ne le laisse libre que le samedi après-midi, ou le dimanche [38] ». Ami de Charles-Louis Philippe et de Dabit, Gide a rencontré Marguerite Audoux dont il estime l'œuvre, et Jef Last est de ses intimes. Dans le courant de l'année 1932, il a relu Zola, le père tutélaire des écrivains prolétariens, tombé alors en discrédit, et songe en 1934 à écrire un article pour protester « contre la méconnaissance actuelle de sa valeur » et « préciser que [son] admiration pour Zola [...] n'est nullement inspirée par [ses] *opinions* actuelles [39] ». En revanche, le jour même de sa rencontre avec Lime, il découvre Vallès dont il admire *l'Insurgé*, tandis que *le Bachelier* lui paraît avoir un « côté chiqué [40] ».

Ses entretiens avec Lime semblent tout naturellement conduire Gide à un embryon de réflexion sur ce que la Petite Dame désigne du terme inadéquat de « littérature populiste [41] ». Gide a envoyé à Lime, « qui voudrait se cultiver, des livres qui le formeraient dans son métier d'écrivain [42] » : *Jude l'Obscur* de Thomas Hardy, *Feuilles d'herbe* de Whitman et *la Comédie de Charleroi* de Drieu. Le 20 octobre, en présence de Pierre Herbart, Gide et Lime déjeunent au restaurant. L'accord littéraire se fait tant bien que mal sur Zola, Vallès et London; en revanche Lime récuse Balzac (« indigeste »), Malraux (« pourquoi ce langage tarabiscoté quand on prétend écrire pour le peuple? »), Dostoïevski (« il faudrait brûler tous ses livres comme malsains ») [43]. De retour rue Vaneau, Gide et Herbart dressent la liste des auteurs à faire connaître à « cet ouvrier sympathique [44] » : les classiques, bien sûr, Molière (« je ne le vois pas lisant Racine »). Voltaire, Mérimée. Quand il reçoit les *Nouvelles Nourritures*, malgré toute sa révérence, Lime note à regret que « les rayons de la foi communiste n'[ont] pas métamorphosé la chrysalide bourgeoise en papillon communiste [45] ».

Le malentendu est donc total, infini le non-dit de la rencontre. Supposant connues les positions de Gide, je voudrais exhiber l'un et l'autre tels qu'ils ont bien fini par se donner à lire, par-delà les opportunités tactiques et les fantasmes idéologiques, dans *Après l'boulot, Cahier mensuel de littérature ouvrière*, que Maurice Lime fait paraître – avec l'argent procuré par la vente des lettres de Gide – de juin 1953 à décembre 1956, en tout onze numéros. Il suffira de rappeler que, quelques mois plus tôt, le 1er janvier 1953, la *NRF* reparaît, chapeautée d'un manifeste sans ambiguïté où sont prestement réaffirmés les droits imprescriptibles de la littérarité. Rappelant la spécificité du *plan littéraire* et du *champ de la littérature*, opposant les affres du dehors, les vicissitudes de l'époque et de l'histoire, aux bonheurs de l'*intériorité,* le manifeste définit l'écrivain dans sa pure relation à l'*œuvre* et aux valeurs morales et esthétiques qui sont précisément expérimentées dans l'exercice même de la littérature : pureté, authenticité, probité, qualité, modestie, indépendance. Le consensus, toujours recherché, ne s'obtiendra plus que d'un accord « sur le plan littéraire » et d'un engagement fondé sur le dévouement à l'œuvre, définie par Blanchot, dans le même numéro, comme « l'intimité de quelqu'un qui écrit et de quelqu'un qui lit », et à sa « solitude essentielle [46] ».

Si *Après l'boulot* pose lui aussi les principes d'une éthique scripturaire, à aucun moment les notions de pureté, de probité ou d'authenticité ne tireront leur efficience d'une morale de l'écriture : l'acte probatoire sera, dans tous les cas, de nature biographique. Pour Lime et ses amis, c'est l'écrivain qui authentifie, non l'exercice littéraire et ses ascèses. Voilà pourquoi le problème de la *définition* de l'écrivain en tant que prolétaire constitue l'essentiel de la réflexion d'*Après l'boulot.*

Définir l'écrivain « du peuple » revient à exhiber ses légitimations : universelles et/ou restreintes. Du *Nouvel Age littéraire* (1930) d'Henry Poulaille aux *Écrivains du peuple* (1947) de Michel Ragon, et quelles que soient les nuances souvent importantes, domine une représentation globale en grande partie héritée de Michelet : insérant l'écrivain du peuple dans un scénario mythique, elle lui assure rétrospectivement une existence potentielle en le constituant comme figure attendue mais toujours présente, à réaliser mais éternelle, d'une histoire-sens qui lui procurera tout à la fois un destinateur, un objet et un destinataire. Michelet ayant instauré la grande relation métonymique Peuple = Origine = Nature = Histoire = Nation = Humanité, un Marcel Martinet [47] était autorisé à définir la fonction culturelle particulière d'une « élite du prolétariat révolutionnaire » à partir d'un scénario composé de quatre mouvements successifs : 1) *la culture humaine,* qu'il convient de « restaurer »; 2) *la culture bourgeoise,* « instrument de domination aux mains des maîtres [...] vidée désormais de pulpe savoureuse, de contenu réel »; 3) *la culture prolétarienne,* définie comme idéalement et potentiellement équivalente à : 4) *la culture,* résultat de « l'émancipation réelle de tous les hommes [...] d'où ne sera bannie aucune classe de l'humanité ». Cette conception universaliste de la culture suffirait à justifier l'existence et l'action de l'écrivain prolétaire, comme si, après tout, prolétaire il ne l'était que par accident de l'histoire, accident qu'il lui conviendrait d'effacer, par la culture justement, pour rejoindre finalement son universalité originelle. Annonçant le scénario tautologique de Martinet, Henry Poulaille avait lui aussi tenté de résoudre par un syllogisme fantasmatique les oppositions, apparemment insurmontables, entre les différentes formes d'écriture et de consommation du texte littéraire qu'il avait constatées : « Il n'y a pas d'art particulier au peuple, il y a l'Art. Plus l'écrivain, l'artiste, possède le don de création, d'animation de vie, plus il est homme. Donc il œuvre tout aussi bien pour le peuple que pour les intellectuels [48]. » Rien encore que n'aient pu contresigner un Jacques Rivière, un André Gide ou un Marcel Arland. L'idéologie humaniste et romantique de l'identité de un et de tous, de l'universel et du singulier, travaille la quasi-totalité du discours sur la littérature tant à la *NRF,* qu'à *Europe,* tant à *Maintenant* (1945) qu'aux *Cahiers du peuple* (1946). Le manifeste du numéro 1 des *Cahiers du peuple* [49] n'affirmait-il pas qu'il convenait d'exprimer « les valeurs dont le peuple est dépositaire [...], ces valeurs que les castes dirigeantes négligent de plus en plus : le sens de l'humain, le respect de la vérité, l'instinct de solidarité »? « Nous pensons, ajoutait-il, qu'au-dessus de la littérature, *et la justifiant,* il y a la vie et la condition humaine [50]. » Fondée par la totalité, remontant de la pureté originelle, la littérature ne peut donc que les exprimer en transparence, ce qui semblerait régler définitivement le problème de la spécificité éventuelle de l'écrivain prolétarien : en tant que représentant privilégié, naturel, du tout humain, il n'aurait pas plus de spécificité que l'écrivain « bourgeois », ou plus exactement sa spécificité résiderait dans sa nature d'absolue métonymie. Tout étant dans tout, l'écrivain prolétaire est nécessairement le tout de l'homme. Reste à savoir si cette revendication de l'universel et du global ne risque pas d'entrer en conflit avec la nécessité où se trouve l'écrivain prolétaire d'affirmer en même temps sa différence, d'exhiber les signes d'une spécificité encore plus spécifique qui lui soit propre. On verra que là est bien toute la question.

Sous le titre *Le débat est ouvert* (n° 5), Lime semble vouloir apporter quelques correctifs à cette vision œcuménique. A l'exaltation de la « Littérature *une et indivisible* », il oppose encore la réalité de son exercice par « ceux dont la condition est d'avoir peu de loisirs, pas de “ relation ” et guère plus d'argent pour faire éditer leurs œuvres, comme le firent tant de célébrités bourgeoises ». Tout en redisant son accord avec ceux qui entendent illustrer « avec un langage peuple [...] la vraie valeur humaine, celle qui les englobe toutes, celle qu'il faudra défendre contre tous les salauds, la véritable fraternité [qui] soudera un jour l'humanité entière en un seul peuple avec une morale digne de ses progrès techniques », il estime que le temps de cet unanimisme n'est pas encore venu. « Ce dont nous sommes certains aussi, c'est qu'aujourd'hui le même livre ne peut plaire, ne peut être compris profondément, ne peut pas défendre les sentiments et du gars qui trime pour sa croûte dans une entreprise nationalisée et du bourgeois ou autre technocrate qui dans sa folie de puissance exige encore et toujours plus de rendement. Non, la littérature ne peut être Une, aussi longtemps que dans le même pays de véritables " peuples sociaux " s'opposent, se combattent, se haïssent. » Quatre ans plus tôt, dans le numéro initial de *Bulletin de Faubourgs* [51], Lime avait déjà affirmé l'existence de « deux littératures » dont « chacune est banale et myope à sa façon » puisque « l'une et l'autre ne reflètent qu'une fraction de la société actuelle ». La littérature « une et indivisible » n'étant que la figuration utopique d'une société une, « chacune des deux littératures s'approchera d'autant plus de l'art véritable qu'elle se dépassera davantage pour préfigurer ce qu'elles deviendront après s'être fondues dans une société sans classes ». Une en tant qu'humaine, la littérature reste donc duelle en tant que sociale.

Dans le numéro liminaire d'*Après l'boulot,* abandonnant lui aussi son optimisme unitaire, Poulaille semble se résigner à ces « quelques heures d'après le boulot comme oasis », à ces « minutes de plénitude précieuses, où l'on est face avec soi-même ». Au demeurant, ce *Cahier mensuel de littérature ouvrière* entendait mettre en garde ses lecteurs « contre la littérature des oisifs et des bavards, contre les faux artistes » (nº 1) dont les numéros suivants préciseront le portrait. Moins strict que Michel Ragon qui distinguait les écrivains-ouvriers, témoins de leur classe, de tous les autres « littérateurs », Édouard Peisson se contenterait d'une distinction entre les *hommes de lettres* qui se réservent « le droit d'écrire de tout, de juger de tout, de trancher de tout » et « les écrivains d'instinct, de nature », les *autodidactes* (nº 2). Aux « mandarins qui écrivent pour les salons », à ces « quelques centaines de bavards et de bluffeurs », on opposera ces purs témoins qui n'auront « qu'un devoir : être un bon artisan, comme ce charpentier, ce métallo, ce tailleur d'habits, cet ébéniste » (nº 4). Sans doute la métaphore de l'écrivain comme *fabricant* de « bel et bon ouvrage [52] », ou comme *artisan,* est-elle constante chez les écrivains « bourgeois » ou « petits-bourgeois » depuis le XIXe siècle. Sans doute entre-t-elle souvent en conflit, à l'intérieur du discours de la littérature prolétarienne même, avec la spontanéité et la naïveté revendiquées par l'écrivain du peuple. Ressentie comme plénitude compensant le manque de savoir (savoir faire, savoir écrire), la voix populaire, cette « expression spontanée de l'homme simple, de l'homme pur, de l'homme de cœur, de l'homme sensible, de l'homme du

Peuple[53] », peut difficilement assumer jusqu'au bout sa dénégation des codes littéraires, des techniques et des médiations culturelles. Refusant que la littérature soit ni une profession ni un passe-temps[54], l'écrivain prolétarien est constamment renvoyé à une écriture qui ne saurait être légitimée que par la relation à et d'un vécu lui-même authentifié par l'origine (perspective au demeurant parfaitement culturelle et dominante, qui repose elle-même sur la conviction de la transparence et de l'équivalence de l'homme et de l'œuvre). Le vécu, dont il convient seulement de *témoigner*, est donc ramené au « quelque chose à dire ». Or, ce « quelque chose » ne peut être, pour l'écrivain prolétarien, que lui-même : le voici, malgré sa vocation universaliste, voué plus qu'un autre à un pacte autobiographique qui renverra circulairement l'écriture à l'origine sociale fondatrice. Ainsi la contradiction qu'il dénonce chez l'écrivain « bourgeois » entre le dire et le faire ne peut être résolue par lui que sur le mode du témoignage probatoire comblant le plus strictement possible tout interstice, tout *jeu* entre la vie et l'écriture.

Après l'boulot, suivant une tradition de plus d'un siècle, définit comme seuls « vrais écrivains ouvriers » (n° 1) ceux qui, venus du peuple, écrivent d'abord pour le peuple des choses du peuple[55]. Le nom du véritable écrivain du peuple sera donc inséparable de son épithète de nature : « la petite ouvrière » Marguerite Audoux, Constant Malva le mineur, Georges Navel l'apiculteur, Cacérès le charpentier-menuisier, Léon Bourgeois le manœuvre, Lime « le métallo », etc. « Qu'est-ce qu'un écrivain ouvrier qui ne serait plus ouvrier? » demande Lucien Gachon (n° 3). Il s'agit d'abord de fonder le critère littéraire de l'*authenticité* sur une compétence vérifiable, objective. Mais cette légitimation elle-même peut faire problème selon que l'on est plus ou moins pointilleux sur la définition : l'universitaire Guéhenno, l'avocat Plisnier ou l'officier de marine Peisson « ne sont pas des écrivains-ouvriers au sens strict du mot[56] ». Est-ce une raison pour les tenir à l'écart ou ne les admettre qu'avec réserves? demande Édouard Peisson : « Poulaille jugeait qu'un officier de la marine marchande [...] qui parlait de son expérience de la vie avait sa place dans le groupe » (n° 3). A côté de la tendance libérale, représentée ici par Peisson et Poulaille, la chronique de « critique littéraire » tenue par René Bonnet sous le titre : *le Charpentier vous présente le livre d'un copain* se conforme à la stricte énonciation du pacte biographique. Ses analyses sont construites sur le schéma : 1) l'homme : lieu de naissance, profession des parents, profession de l'auteur, portrait physique-moral; 2) l'œuvre : l'œuvre de Constant Malva est « spécifiquement ouvrière » non seulement parce que

Malva fut mineur jusqu'en 1939, mais aussi parce que « l'action de ses livres se déroule à quelques variantes près dans le paysage minier. Ses personnages ce sont ses parents, ses camarades de travail, ses amis » (nº 2). Des figures en apparence déviantes, comme celles de Lucien Gachon ou de Poulaille, sont tout de même légitimées par l'origine : « Fils d'un cantonnier et d'une paysanne du Livradois qui le poussent aux études », Lucien Gachon, devenu docteur ès lettres et docteur en géographie, est pourtant « demeuré près des travailleurs de la terre dont il est issu » (nº 3). De même, le succès parisien d'Henry Poulaille ne doit pas faire oublier que « ce fils d'un charpentier et d'une canneuse de chaises, demeuré orphelin à 13 ans, [a] été ouvrier jusqu'à près de 30 ans » (nº 4). C'est en revanche l'exemple même de Michel Ragon qui servira à Lime de contre-épreuve. Ce « fils d'un sous-off' de carrière et d'une fille de la campagne, destiné à devenir gratte-papier », tour à tour garçon de course, emballeur, chef de bureau « précoce » dans une sous-préfecture, ne saurait représenter la littérature ouvrière puisqu'il « n'a jamais été en contact réel avec le vrai prolétariat, celui des grandes usines avec ses organisations actives et ses militants évolués, et n'a jamais vécu dans un vrai métier, avec ses coutumes et sa morale particulière » (nº 6). Représentant de « la bohème parasitaire », Ragon « n'est pas un auteur ouvrier [...]. Il est de l'autre côté, du côté des amuseurs et de la valetaille diplômée ». Il manque à Ragon ce qui ne fait défaut ni à Malva, ni à Gachon, ni à Poulaille, ni à Lime : l'exemplarité.

Légitimée par l'origine et l'expérience assurant l'appartenance et l'exemplarité, l'écriture n'est donc authentique qu'en tant que continuation du biographique : gommée au maximum comme graphie, méconnue comme constructrice de figures et provocatrice d'effets, elle n'a de sens qu'en tant qu'expression directe du vécu. « La littérature prolétarienne, écrivait déjà Poulaille, ne ramène-t-elle pas, sans avoir l'air de rien, l'écriture à son véritable plan : l'expression [57] ? » L'art de Picasso est, selon Lime, et malgré *l'Humanité,* tout aussi incapable « d'exprimer la bourgeoisie [que] d'exprimer le prolétariat. [...] Il n'a su exprimer que son incapacité d'exprimer quoi que ce soit » (nº 1). Littérature de l'immédiat, la littérature prolétarienne est fondée sur l'*observation,* la *fidélité* au réel, la *véracité,* la *sincérité,* mais aussi le *tempérament.* René Bonnet cite (nº 7) Édouard Peisson : « L'admirable c'est que Guillaumin ait découvert par intuition que la seule littérature qui compte se situe au-delà de tout artifice littéraire. » Donc, une littérature sans littérature. Rendant compte sous le titre *Zéro pour l'écriture* du recueil d'articles de Roland Barthes récemment publié (« l'histoire de la *façon d'écrire* par un gars qui n'y pige pas grand-chose »), Lime fustige « ces intellectuels isolés du peuple [qui] vivent dans l'écriture et par l'écriture [et] se soûlent de mots tout comme les féticheurs primitifs » en visant la « ruine totale du langage » (n° 6). Le progressisme barthésien lui-même est récusé au nom de l'*expressivité* (« pour nous, écrire c'est monter à la tribune parce qu'on a quelque chose à dire ») et de la *naturalité* du langage populaire : « Le langage est chose vivante. C'est essentiellement le peuple qui le crée. » L'« incorporation » de l'argot dans la littérature prolétarienne n'a pas d'autre justification que sa valeur de témoignage : « Le peuple parle ainsi. » Naturel par définition, le langage du peuple ne peut être que l'expression d'un « équilibre sain de ses instincts » (n° 2). En contraste avec les valeurs négatives de la bourgeoisie : le compliqué et le malsain, la littérature du peuple – « littérature saine pour gens sains » (n° 4) – renvoie à leur néant tous les mythes de la gratuité de l'art, du génie méconnu et de l'anormalité de l'artiste : la seule déviance revendiquée est celle de la pureté originelle d'avant la chute.

Gide, à qui Lime a envoyé le manuscrit de son roman *Pays conquis,* déclare sans plus de détails l'avoir lu très attentivement et en penser du bien [58]. Transmis par Groethuysen à Gide, après un bref passage sur le bureau de Malraux, le manuscrit s'échoue, comme on s'y attendait, chez Paulhan. Lime raconte l'entretien qu'il eut avec ce dernier, entretien au cours duquel se posent pour la première fois des questions d'ordre strictement littéraire, du point de vue d'un *byzantin* insensible, en la circonstance, à l'expressivité et jugeant le témoignage insuffisant à légitimer une entreprise littéraire. Paulhan, rapporte Lime, « me reçoit avec un air fermé, hostile même. – J'ai lu vos petits récits, me dit-il. Alors vous voulez faire de l'impressionnisme en littérature? [...] Vous voulez procéder par petites touches comme en peinture? [...] Pour que Gaston Gallimard puisse publier votre livre, il faut donner à tous vos récits un centre, le même centre. C'est difficile, mais non impossible [59] ». Lime voit dans cette esthétique du « centre unique » une méconnaissance regrettable des principes de la dialectique marxiste, « des forces qui agissaient et réagissaient les unes sur les autres ».

S'il y a tout lieu de penser que le refus de Paulhan de publier *Pays conquis* n'était pas dû à des motifs strictement littéraires, il est pourtant intéressant, voire amusant, de constater que, par-delà l'antagonisme du prolétaire et du ponte, Lime esquisse le récit d'un affrontement de deux littérarités : l'une fondée sur la transcendance d'un point de vue abstrait, esthétique et unifiant, l'autre, légitimée par la vie et l'histoire, d'essence essentiellement conflictuelle. Sans le dire clairement, Lime semble bien accepter et défendre ici l'idée qu'une *forme* – la structure romanesque de *Pays conquis* – puisse signifier quelque chose comme une représentation du monde, le choix historique d'un sujet. Des « forces » dialectiques justifiaient cette *forme* qui les exprimait, forme que, selon Lime, par méconnaissance de l'« articulation » forme-sens-histoire, Paulhan récusait.

Le chapitre XIV de *Gide tel que je l'ai connu,* intitulé *Comment écrire,* poursuit, sur le mode du dialogue entre « camarades », cette problématique de la littérarité et de l'expressivité. Accepté par Vaillant et publié rapidement par les Éditions sociales internationales, *Pays conquis* laissa à Gide, de son propre aveu, une « impression excellente, meilleure encore qu'à la première lecture [60] ». Revenant sur l'esthétique du « quelque chose à dire », Gide signale à Lime un article de *Correspondance* du 10 janvier 1936 où il nuance sa pensée : ce n'est pas tant le rapport plus ou moins étroit au vécu qui garantit la qualité littéraire que le *recul :*

> *Pays conquis* ne parle que de souvenirs d'enfance, puis d'états que l'auteur a tout de même quittés. J'estime que, sans quelque recul, ses récits n'eussent pas atteint le ton si juste de leur belle objectivité. Tandis qu'il m'est donné de lire des manuscrits, dont l'auteur, hélas! tout engoncé dans la misère, ne parvient pas à bien peindre cette misère, ni même à la bien voir, précisément parce que forcé de la vivre par trop [61]...

Il est clair que *recul* n'a d'autre sens ici que *littérarité :* tout le dogme esthétique Gide-*NRF*-antinature, refus de faire servir l'art à l'édification, directement du moins, individualisme, élitisme, complexité, surprise, formalisme, etc. – se cache dans ce *recul* qui gratifie Lime d'un *satisfecit* dont celui-ci, qui estime alors que « la littérature prolétarienne était obligatoirement révolutionnaire [62] » et s'en tient allègrement aux théories du reflet, n'était peut-être pas en mesure d'apprécier le sel ni la perfidie. Ce recul – cette distance, cet intervalle, cette absence où se constitue la littérature, et dont Blanchot va développer la problématique et la pratique –, Lime (1952) la glose encore en termes de loisirs ou de corrections stylistiques. Pour simplifier, on dira que, camouflé sous le charme idéologique, le fossé est aussi large entre Gide et Lime en 1936 qu'aujourd'hui entre Alain Robbe-Grillet et Hortense Dufour. L'idéologie humaniste-humanitaire occultant la question de la littérature comme « pratique spécifique », des pratiques scripturaires antinomiques fleurissent à l'ombre des meetings. A l'accueil favorable réservé par Gide à *Pays conquis* font écho aussi bien Pierre Abraham dans *Vendredi* que Georges Sadoul dans *l'Humanité.* Celui-ci, après avoir rendu un hommage technologique à « ce livre bien bâti, bien ajusté », n'hésite pas à faire de Maurice Lime l'emblème de « l'homme des temps nouveaux, [de] l'homme de ces temps où toute distinction du travail manuel et du travail intellectuel est abolie, de ces temps où la main qui tient la lime est la même que la main qui tiendra la plume, de ces temps dans lesquels entrent déjà les Stakhanov, les hommes de Dombass et les hommes de Magnitostroi [63] ». Prêtant malgré lui son concours tout à la fois à la constitution du héros mythique du stalinisme triomphant et au bien-être intellectuel du héros des lettres de la démocratie occidentale cherchant à concilier (une fois encore, une fois déjà) littérarité et sens de l'histoire, Maurice Lime n'est peut-être sauvé de son double héroïsme que par ce commentaire tout aussi fantasmatique des *Dossiers de l'action populaire :* « Avec une adresse extrême, chaque fibre chrétienne du cœur est touchée juste au point précis qu'il faut pour la frapper de mort [64]. »

L'histoire des investissements du sujet dans les imaginaires sociaux, dont les rapports Gide et Lime ne constituent qu'un bref alinéa, a ceci de particulier qu'on ne sait guère de quelles disciplines elle pourrait bien relever. Ma propre hésitation et l'état de stupeur dans lequel tous ces énoncés me maintiennent m'inciteraient une fois encore à choisir d'intégrer cette petite affaire comme un chapitre d'une vaste histoire des religions, plus exactement des croyances. Reste qu'en brisant d'un seul coup l'arête discursive sur laquelle je me suis tant bien que mal tenu, je pourrais bien sombrer à mon tour dans les abysses d'une subjectivité et d'une inter-subjectivité où les schémas analytiques pourraient sans doute alors être de quelque secours. Participant, par sympathie, par mégarde, à cette subjectivité et à ces fantasmes, c'est la voie droite tout entière que l'on perdrait avec l'entrée dans la forêt obscure. Deux éléments au moins restent quasi certains : le jeu de légitimation circulaire auquel se livrent Gide et Lime dans une complexité dont ils ne mesurent pas toujours ni les conséquences ni les déterminations; la constitution de ces deux discours en deux sous-ensembles d'un ensemble englobant de forme Gide EST Lime, lesquels constituent à leur intersection un ensemble de forme Gide ET Lime. Cette étonnante rencontre étant tout de même prévisible puisqu'elle s'énonce comme la réalisation imaginaire des schémas idéologiques du sacerdoce de l'écrivain fondé sur le pouvoir des mots et la relation à des transcendances (Vérité, Histoire, Nature) tels que P. Bénichou en a esquissé l'inventaire dans *le Sacre de l'écrivain* et *le Temps des prophètes.*

« Donner sa vie pour l'Union soviétique », « traduire la protestation de l'instinct contre les tabous excessifs et antinaturels de la société, [...] participer à la guérison de l'Humanité [65] », de tels énoncés n'impliquent-ils pas la considération de ce « fond d'assomption d'arrière-plan [66] » composé de représentations conniventes d'intérêts, divergents et complémentaires, sans lesquelles ils resteraient lettres mortes? Au premier plan de ce « fond d'assomption » se trouve le statut imaginaire (à distinguer de la fonction ou du statut social) qui détermine le statut illocutoire de l'énonciation. Les légitimations spéculaires fonctionnent ici, pendant quelques années, de façon aussi parfaite que possible dans la mesure même où l'on ne sort jamais de la fiction pour entrer dans l'expérimentation. Il semble que tout se réfère à une certaine idée de la culture en tant que *Bildung* comme « formation intellectuelle, esthétique et morale de l'homme [exprimant] un idéal de totalité humaine, conditionnée par la transformation des États et des rapports de souveraineté en fonction de l'exigence de liberté et surtout par un processus d'éducation au sens large du terme, qui rythme l'évolution de l'homme pour le former, non pas en tant qu'être isolé, mais en tant que sujet conscient, relié au monde par un triple rapport qui l'unit respectivement à la nature – à l'autre, à la société, à l'humanité tout entière – et aux dieux ou au divin [67] ».

Cette *Bildung* commune n'a pas disparu avec l'échec d'une rencontre qui n'en finit pas de se reconstituer dans l'imaginaire. La naturalité et la spontanéité de la voix prolétarienne, son inscription probatoire dans le biographique, sa double articulation à l'humanité tout entière et au groupe social, sa technicité artisanale, serviront de modèles et de schèmes légitimants aux discours désormais classiques de Caliban comme à ceux des plus récentes avant-gardes. Je n'en citerai par exemple que certains des énoncés d'un Sollers ou d'un Guyotat où est censée se « répercute[r] *textuellement* la rumeur matérielle de la masse [68] ». Expression du souffle et des pulsions « articulées » par l'intermédiaire de « l'engagement physique » aux « luttes auxquelles le sujet a adhéré [69] », la littérature continuera de faire le plein de ses légitimations : ce n'est pas Gide, ce n'est pas

Lime qui le disent désormais, c'est Pierre Guyotat : « Je maintiens que la littérature que je signe est résolument *prolétarienne* [70]. »

Notes

1. *Les Cahiers de la Petite Dame*, t. II, 1929-1937, *Cahiers André Gide*, vol. 5, Paris, Gallimard, 1975, mars 1932, p. 229 (ouvrage noté ensuite *CPD*).
2. *Nouvelles Études*, Paris, Gallimard, 1947, p. 284-293.
3. Wittgenstein, *De la certitude*, Gallimard, coll. « Idées », p. 37.
4. *Journal*, I, Gallimard, « La Pléiade », 23 avril 1932, p. 1126.
5. *Ibid.*, 5 janvier 1928, p. 870.
6. *Ibid.*, juillet 1931, p. 1066.
7. *CPD*, juin 1931, p. 146.
8. *Ibid.*, octobre 1931, p. 166.
9. *Journal*, 27 juillet 1931, p. 1066.
10. *CPD*, août 1932, p. 246.
11. *Journal*, 13 décembre 1932, p. 1147.
12. *Ibid.*, 29 décembre 1932, p. 1149.
13. *Ibid.*, été 1937, p. 1290.
14. Voir Philippe Lejeune, *Le Pacte autobiographique*, Paris, Éditions du Seuil, 1979.
15. *Ibid.*, p. 167.
16. *CPD*, 30 mai 1933, p. 311.
17. *Ibid.*, p. 316.
18. Voir *CPD*, p. 440, 453, 465, 475, etc.
19. Meeting des Amis de l'URSS, centre Bullier, 30 mai 1933, *CPD*, p. 311.
20. *Journal*, juin 1933, p. 1175.
21. *Ibid.*, 31 mai 1935, p. 1229.
22. *Ibid.*
23. *CPD*, p. 517.
24. *Ibid.*, p. 479.
25. *Ibid.*, p. 517.
26. « Correspondants d'usine, de village et de régiment, qui constitueront le réservoir inépuisable devant fournir les cadres sans cesse renouvelés d'écrivains prolétariens » (Ragon, *Histoire de la littérature prolétarienne en France*, Albin Michel, 1974, p. 183).
27. Maurice Lime, *Gide tel que je l'ai connu*, Paris, Julliard, 1952, p. 12 (abrégé ensuite en *GTQ*).
28. Voir *Les Risques de la sincérité, ou la petite histoire rejoint la grande*, Paris, La Pensée universelle, 1975, où Lime retrace son itinéraire, du PCF au PPF.

29. *GTQ*, p. 19.
30. *Ibid.*, p. 18.
31. *Journal*, I, p. 1238.
32. *CPD*, II, p. 483.
33. *Ibid.*, p. 497.
34. *Ibid.*, p. 499-500.
35. *Ibid.*, p. 475.
36. *Ibid.*, p. 476.
37. *GTQ*, p. 44.
38. *Journal*, p. 1238.
39. *Ibid.*, p. 1220.
40. *CPD*, p. 478.
41. *Ibid.*, p. 483.
42. *Ibid.*, p. 483.
43. *GTQ*, p. 22-23.
44. *CPD*, p. 483.
45. *GTQ*, p. 45.
46. *NRF*, 1er janvier 1953, p. 77.
47. *Culture prolétarienne*, 1935 (réédition Maspero, 1976), p. 26-32.
48. *Nouvel Age littéraire*, librairie Valois, 1930, p. 143 (abrégé ensuite en *NAL*).
49. Novembre 1946, p. 2-5.
50. C'est moi qui souligne.
51. *Cahiers trimestriels de culture et d'expression populaire, organe de la Société des écrivains et artistes du peuple.*
52. *NAL*, p. 111.
53. *Peuple et Poésie*, 1948, nº 15.
54. Cf. Poulaille, Martinet et *Musée du soir*, 1954, nº 1.
55. Cf. la préface de George Sand à *Conteurs ouvriers, dédiés aux enfants des classes laborieuses, par Gilland, ouvrier serrurier*, 1849.
56. Ragon, *Histoire de la littérature prolétarienne en France*, *op. cit.*, p. 147.
57. *NAL*, p. 436.
58. *Journal*, I, p. 1238.
59. *GTQ*, p. 78.
60. *Ibid.*, p. 81.
61. *Ibid.*, p. 91-92.
62. *Ibid.*, p. 93.
63. *L'Humanité*, février 1936.
64. Numéro du 25 janvier 1936.
65. *Après l'boulot*, nº 10.
66. John R. Searle, *Sens et Expression*, Éditions de Minuit, 1982, p. 182.
67. Victor Hell, *L'Idée de culture*, Paris, PUF, 1982, p. 65.
68. Pierre Guyotat, *Littérature interdite*, Paris, Gallimard, 1972, p. 92.
69. *Ibid.*, p. 73.
70. *Ibid.*, p. 85.

Retour de l'URSS d'André Gide : du performatif à l'ambigu

Retour de l'URSS est un opuscule fort énigmatique. Sans doute l'ambiguïté gidienne (« A la fois maintenir une part de ma grande admiration pour l'URSS et dire ce que je pense n'est pas facile [1] ») y est une fois de plus à l'épreuve, l'écho des trompettes staliniennes s'accommodant mal du pipeau ironique. Le *Journal* nous incite peut-être à ergoter sur les mots, pour tenter, sémantiquement, une incursion dans l'énigme. Puisque l'écrivain ramène tout au langage (la littérarité jugeant l'histoire, mais aussi l'histoire s'enflant en littérarité, exhibant ses signifiants et son *réalisme :* le mot chien *aboie,* le nom de Staline *dit* la vérité, l'URSS *c'est* l'homme même, etc.), puisque écrivain il y a et puisque *Retour* n'est finalement qu'un livre, pourquoi ne pas tout simplement commencer par le mot à mot ?

Le *Journal,* dès avant le départ, signale que l'écrivain se met d'avance en garde contre certains défauts du langage. Citant un prospectus publicitaire d'origine soviétique [2], ne relève-t-il pas d'emblée de ces incongruités ou exagérations qui ne résisteraient guère à l'épreuve de la vérification – si précisément cette exagération n'était pas là pour offusquer l'évidence, interdire autoritairement l'épreuve ?

> ...un *immense* réservoir se constitue... Les rivières de montagnes *grandes et petites,* les sources, l'eau de la fonte des neiges, les eaux souterraines et *jusqu'aux pluies* elles-mêmes (comme si cela était particulier à l'URSS !), *tous ces torrents, ces filets, ces gouttes et ces gouttelettes* (!) seront précautionneusement recueillis (allons donc !...) dans un lac de douze kilomètres [3]...

Le fameux « pouvoir » du verbe semble ici parfaitement déjoué par quelqu'un qui, pressentant la force sous le sens, commencerait à se demander si de tels énoncés ne relèveraient pas de cette *pragmatique* moins attentive au langage qu'à l'usage qu'on en fait. En la circonstance, l'excès même de la grandiloquence dénoncerait la force trop voyante, et donc l'affaiblirait. Langage en conséquence sans effets (du moins sur Gide) : seule la dernière mention (lac de douze kilomètres) aurait passé avec succès l'épreuve des conditions de vérité, « tout le reste n'est que bluff et ne peut qu'irriter le lecteur [4] ».

L'énigme, pourtant, reste totale : pour autant qu'il soit bien disposé, le lecteur, qu'un tel langage dispose mieux encore, ne s'irrite de rien : les mots font des miracles, ils en sont. A mettre l'énonciation au compte d'une bouche anonyme qui est en même temps une oreille, d'où consensus (« excusable seulement si l'on songe à la jeunesse du peuple russe, à la nouveauté de son effort : son épanouissement est celui d'un enfant [5] »), l'écrivain ne distingue peut-être pas encore la particularité de la voix stalinienne qui, avec le concours de Stakhanov, déplaçait les montagnes et recueillait la moindre goutte d'eau. Voix dont il apprendra bientôt à reconnaître la mise en scène comme évidence (exhibition d'une immédiateté qui fait le vide) dans un bureau d'usine, devant ce grand tableau représentant « au centre, Staline en train de parler; répartis à sa droite et à sa gauche, les membres du gouvernement applaudissaient [6] ». *Retour de l'URSS*, en son commencement du moins (« ce commencement si élogieux » qui « prend un air de traîtrise », reconnaît-il le 24 septembre 1936 [7]), n'est d'ailleurs pas écrit d'une autre encre : l'immensité, le nombre, l'immédiateté de la sympathie y redoublent dans la grandiloquence, la voix despotique, avant que ne se mette en place le système plus subtil du pour et du contre.

Rien d'étonnant pourtant si, tout au long de l'année 36, Gide se pose des problèmes d'énonciation, constatant qu'en tant que sujet il se perd, à l'instant même où il croit se constituer, dans le discours *autre* qui méduse et investit la parole qu'il imagine sienne. Qu'il y ait du langage au-dehors, et qui, devançant l'appel du sujet, le reconnaît comme sien pour mieux le prendre au piège d'une identité bientôt méconnaissable, voilà du moins ce que la pratique du discours stalinien lui fait, dirait-on, découvrir. *Les Cahiers de la Petite Dame*, au cours des premiers mois de 1936, nous montrent un Gide affronté au retour spéculaire d'un idéal du moi malheureusement trafiqué à Moscou :

> Oui, c'est décidé, il ira en Russie, mais sans grand entrain, me semble-t-il. Il a reçu Malraux, Ehrenbourg. Il entrevoit à travers ce qu'ils racontent qu'on lui fera dire ce qu'il n'aura pas dit,

que déjà, dans ses livres et ses messages, on escamote la position particulière qu'il prend soin de garder [8].

Le pinaillage lexical fonctionne alors comme symptôme et tactique d'autodéfense : quelque chose devrait se dire, mais le système de censure déjà traditionnel – ceux qui *aboient* contre l'URSS sont nos ennemis, donc ne nous mêlons pas à eux – refoule très loin *le mot juste.* De retour d'URSS, Schiffrin et Guilloux évoquent leur « déception [9] ». Sans doute n'est-ce pas le mot, et l'écrivain qu'excède l'euphémisme en perd tout à coup ses moyens les plus sûrs : «J'ergote; le mot " déception " me paraît inexact; mais je ne sais trop que proposer à la place. » Cinq jours plus tard, le mot *désemparés* fait surface, souligné cette fois d'un « oui, c'est le mot [10] » qui signale les progrès dans la guérison. Quelques mois encore (à quelques pages de *Journal*) et Gide s'en prend à l'expression, en effet absurde de *depuis toujours* [11] : encore une manifestation de la grandiloquence romantique, très utile d'ailleurs à qui veut se faire légitimer de loin (de « depuis toujours » précisément) par le sens de l'histoire. En veine d'ergotage salutaire, citant une phrase de Claudel rapportée par Massis (« le mal, ça ne compose pas [12] »), Gide renonce à y trouver une quelconque signification : « Peut-être bien que cela ne veut rien dire : mais cela joue la profondeur et l'on reste, devant cette profération, tout pantois. » Poursuivant son errance pleine de stupeur dans les « jeux de langage », il rencontre peu après le slogan, qu'il définit comme un « *cri de guerre* susceptible de rallier les gens d'un parti ». Décidément, la rencontre d'André Gide et de l'URSS stalinienne est aussi, voire avant tout, une affaire de langage.

Mais d'où vient ce malaise? Peut-être bien de la difficulté qu'éprouve soudain l'écrivain, pourtant orfèvre, à distinguer des énoncés constatifs et des énoncés performatifs, ainsi qu'on les a désignés plus tard. Il n'est d'ailleurs que trop évident que la distinction entre énoncés constatifs, censés décrire un état de choses, vrais ou faux selon que cette description est ou non conforme à la réalité (ou à « la réalité »), et les énoncés performatifs tels qu'en les énonçant le locuteur « accomplit un acte et, ce faisant, transforme la réalité plutôt qu'il ne la décrit [13] », n'a de sens, voire d'intérêt, qu'à condition de reconnaître le *double jeu* qui s'y constitue. Pour prendre un exemple à la fois simple et exorbitant, lorsque Joseph Staline déclare que « l'homme est le capital le plus précieux », il abolit en fait, dans le fait élocutoire, l'opposition performatif-constatif : tout est là. La « réalité » dont il se réclame et qu'il vise se fond dans cette réalité encore plus réelle de l'acte de parole accompli dans l'énonciation mais se dissimulant comme tel. Dire que « l'homme est le capital le plus précieux », c'est explicitement *décrire*, mais c'est implicitement *réaliser*. Il importe seulement qu'à l'instant même où ce « capital » est par ailleurs délibérément dilapidé, le récepteur du message, fût-il au nombre des victimes, soit intimement convaincu que, de la place où il est, place confortée par l'énonciation qui est confortée par elle, le locuteur ne peut parler qu'avec pertinence.

Ce bref et apparent excursus me ramène au texte de *Retour de l'URSS*. Pour hyperhumaniste qu'elle se donne, la phrase stalinienne investit et infecte les premières pages du livre, mais – astuce gidienne – de sorte que la suite nous incite à penser qu'il ne s'agissait, peut-être, que d'une parodie.

Le discours gidien s'élabore ici, pour commencer, sous la fascination de l'*immédiat*, de la *proximité*, du *brusque*, du *transparent* et de l'*évident*. Voilà ce que ça donne en « digest » :

> En *contact direct* avec un peuple de travailleurs [...], j'ai senti parmi ces camarades nouveaux une fraternité *subite* s'établir [...], des larmes *me sont venues* aux yeux [...]; j'étais arrivé *brusquement*, un soir, sans être annoncé; mais *aussitôt* j'avais senti près d'eux la confiance. Et cette visite *inopinée* [...] il va sans dire que tout est *naturel;* [...] il nous est arrivé maintes fois d'entrer *à l'improviste* dans les écoles de villages [...], rien *n'y était préparé* pour la montre [...] les enfants [...] leur regard est *clair* [...]. Tout cela [...] *sans contrainte* aucune d'ailleurs et *tout naturellement* [...]. Aussi bien nulle part autant qu'en URSS le *contact avec tous* et n'importe qui ne s'établit plus *aisément, immédiat,* profond, chaleureux. Il se tisse *aussitôt* – parfois *un regard* y suffit – les liens de *sympathie* violente [...] [14].

Autant lire, donc, ce *Retour* comme fiction. Les premières pages de *Retour* nous renseignent plutôt sur une structure secondaire de l'imaginaire qui impose au voyage *écrit* ses chemins, ses perspectives et ses points de vue, que sur une « réalité » dont précisément ce système codé offusque la vision : on dirait que l'idéologie romantique de l'immédiat est justement ce qui interdit à l'immédiat d'intervenir. Une fois de plus l'immédiat est médiat et la transparence écran.

Voici d'ailleurs que cette représentation fantasmatique de l'immédiat et du spontané est tout aussi immédiatement confortée par la représentation euphorisante d'un espace qui a la forme d'une totalité organique. S'y inscrivent d'emblée les figures de la *masse*, de l'*ordre* et de l'*immense :*

> Dans cette *foule* de jeunes gens, hommes et femmes [...] tout se passe avec un *ordre parfait.* D'*immenses rondes se* forment où *chacun* pourrait prendre part [...]. Dans cet espace *enclos et pourtant d'accès libre* [...] l'on s'y entraîne. Un *grand espace* est réservé aux terrains de *volley ball* [...]. Toute cette *foule immense* [...] sans contrainte [...]. Dans cet *immense parc* [...] un petit théâtre en plein air [...], *pas une place vide* [...]. Et je ne parle pas du *grand théâtre* de verdure [...]. Le parc de culture de Moscou est *le plus vaste* [...]. J'ai assisté aux fêtes de la jeunesse de Moscou sur la place Rouge [...]. *Tout* était splendide [...]. J'avais vu la place Rouge quelques jours auparavant, lors des funérailles de Gorki [...] un « tout-venant » douloureux, comprenant femmes, enfants surtout, vieillards parfois, *presque tous* mal vêtus [...]. Mais *un très grand nombre* de pauvres gens que je voyais passer offraient à mes regards quelque chose de plus admirable encore que la beauté; et *combien d'entre eux* j'eusse voulu presser sur mon cœur [...] [15].

Pareille utopie organiciste du clos et de l'ouvert, résidu d'un épique à la mode romantique, c'est quasiment du Hegel trafiqué par Lukács, beau travail dans le genre « bouclier d'Achille ». « Le héros d'épopée n'est jamais un individu [...]. Et la communauté est une totalité concrète, organique, et, par là, riche en elle-même de sens [16]. » Sur la place Rouge gidienne, on dirait que, comme « chez Giotto et Dante [...] le monde redevient une circonférence accomplie, une totalité saisissable d'un seul regard ». Ne dirait-on pas que l'homme du romanesque et du biographique, entré en concurrence avec la totalité, se défend plutôt mal contre « l'autarcie de la subjectivité [17] » et la défaite inévitable que va lui faire subir l'image idéale qu'il adore sans pouvoir la souffrir? Ne croirait-on pas que sa mauvaise conscience, devenue pour un temps euphorique, lui inspire de tenter une dernière fois d'échapper à sa problématique (hétérogénéité et contingence) par la fusion imaginaire avec le « continu organique et homogène [18] »? Voilà du moins ce qu'on aurait pu souffler à l'oreille d'André Gide recueillant pieusement sur la place Rouge des ersatz d'épopée, ou bien – mais comment en décider? – narrant rétrospectivement une expérience aberrante du sujet occidental en proie à « l'aspiration irréalisable et sentimentale aussi bien vers l'unité immédiate de la vie que vers l'ordonnance universellement englobante du système [19] ».

Après l'*immédiat,* après la *totalité,* une troisième et dernière construction imaginaire vient conforter la citadelle, déjà traditionnelle elle aussi : la métonymie de *l'un* et de *tous.* Cette métonymie se présente sous trois formes : une forme informative, une forme euphorique, une forme déçue.

La forme informative, le degré le plus neutre de l'énoncé, pourrait être : « Chaque fois que l'on converse avec un Russe, c'est comme si on conversait avec *tous* [20]. » L'image la plus naturelle, plus exactement : la plus « poétique », de cette équivalence de la partie et du tout, c'est la forêt : un arbre = des arbres = la forêt [21]. Elle commence à devenir un peu plus ambiguë dans : « Chacun ressemble à tous [...]. Une extraordinaire uniformité règne dans les mises [...]. L'individu se fond ici dans la masse [22]. » L'euphorie est encore perceptible dans : « Nous visitons aux environs de Soukhoum un kolkhoze modèle [...]. *Tout* y respire la félicité [...]. Chaque habitation, etc. [23]. » Elle est totale dans les pages du début où s'énonce la double fusion de chaque citoyen avec tous, du visiteur privilégié avec la totalité de ses hôtes, fusion qui préexistait d'ailleurs au voyage, structure d'attente, dans le schéma romantico-humaniste un homme = les hommes = l'Humanité (« Dans cette foule, je me plonge; je prends un bain d'humanité [24]. »). Le métonymisme romantique du singulier universel, plus tard éluardisé en horizon d'un seul à l'horizon de tous, c'est évidemment toute une poétique, une sémiotique à consensus interplanétaire, le mot d'ordre absolu, la spécularité mondiale ayant atteint son degré optimal de rentabilité. Tout étant dans tout, le local étant pris dans les filets du global, il n'y a pas à s'étonner qu'on retrouve dans le signifiant ultime, l'Homme, cela même qu'on avait mis dans le signifiant initial initiatique : ego.

Ce système de relais d'où procède tout syncrétisme, il est clair qu'André Gide ne l'a pas inventé. Il l'a trouvé tout fait dans sa besace prophétique. L'URSS gidienne est un poème structuraliste formé par un imaginaire formel où les équivalences et les inclusions se taillent la part du lion. Liquidité : « Dans cette foule, je me plonge; je prends un bain d'humanité [25]. » Jusqu'au moment où, troisième avatar, la métonymie apparaît sous sa forme déchue. L'excès même de globalité, faisant retour sur le particulier, l'a semble-t-il *liquidé.* A la différence de Leningrad où « tout n'est qu'ordre et beauté », Moscou, cité de la métonymie hagarde, délivre le secret du global : il est totalitaire. La *ressemblance,* l'*uniformité* renversent la métaphore aquatique en son contraire : « l'individu se fond dans la masse », la fusion se fait confusion, le processus d'englobement se charge d'*inertie* [26], la conversion dynamique de un en tous s'effondre en identité statique : « Chaque fois que l'on converse avec un Russe, c'est comme si l'on conversait avec tous [27]. » A l'euphorie métonymique succède donc la lassitude du grand réducteur. Si ce n'est plus un homme qui vaut tous les autres, c'est qu'un seul, le despote, prévaut sur tous les autres : Staline, *au centre, en train de parler, toujours et partout il est là* [28]. Mais que dit cette bulle gigantesque de Staline? Elle dit : adorez en moi l'origine de toute métonymie. Cela, le lettré français le connaît d'avance par cœur, ce qui explique sans doute qu'il y soit à ce point sensible : ne reconnaît-il pas là la forme maîtrisée de son imaginaire?

Dès lors il est possible de lire *Retour* non plus comme une fiction de la tautologie mais comme l'écriture d'une ironie reconquise. Retrouvant les droits de la subjectivité sans répondant ni correspondances, le sujet perce à jour le caractère fantasmatique du scénario totalisant et de la parole mystifiante où il se plut, un temps, à abolir sa souveraineté. L'ironie de *Retour* ne s'installe pas dans les contrastes douloureux de l'individu problématique, elle marque les traces – « le tact artistement ironique de la composition [29] » – d'un autre retour, celui par lequel on revient de l'organique et de l'universel vers le discret et le méticuleux. A cet égard *Retour* est aussi une « autobiographie dans la forme », mais une forme non dissoute ni défaite. Le choix n'est plus à faire entre la disjonction et l'organique, l'hétérogène et l'homogène, la signification et le non-sens, mais entre le performatif et l'ambigu, l'implicite simple et l'implicite complexe, c'est-à-dire, finalement, entre deux formes complémentaires et antagonistes de la littérarité.

Notes

1. *Les Cahiers de la Petite Dame,* II, 1929-1937, Paris, Gallimard, 1975, *Cahiers André Gide,* vol. 5, p. 558.
2. *URSS en construction,* n° 11, dans *Journal,* Paris, Gallimard, « La Pléiade », p. 1250.
3. *Ibid.,* p. 1250-1251.
4. *Ibid.,* p. 1251.
5. *Ibid.*
6. *Retour de l'URSS,* Paris, Gallimard, coll. « Idées », p. 57.
7. *Les Cahiers de la Petite Dame, op. cit.,* p. 559.
8. *Ibid.,* p. 539.
9. *Journal,* p. 1252.
10. *Ibid.,* p. 1257.

11. *Ibid.*, p. 1263.
12. *Ibid.*, p. 1264.
13. François Recanati, *Les Énoncés performatifs*, Paris, Éditions de Minuit, 1981, p. 82.
14. *Retour de l'URSS, op. cit.*, p. 21-24. Souligné par moi.
15. *Ibid.*, p. 23-27.
16. G. Lukács, *Théorie du roman*, Paris, Denoël-Gonthier, 1963, p. 60-61.
17. *Ibid.*, p. 111.
18. *Ibid.*, p. 71.
19. *Ibid.*, p. 72.
20. *Retour de l'URSS, op. cit.*, p. 42.
21. *Ibid.*, p. 30.
22. *Ibid.*, p. 33.
23. *Ibid.*, p. 39.
24. *Ibid.*, p. 33.
25. *Ibid.*
26. *Ibid.*, p. 39.
27. *Ibid.*, p. 42.
28. *Ibid.*, p. 57.
29. Lukács, *op. cit.*, p. 72.

V

Statue et statut du poète dans *le Poète assassiné* d'Apollinaire

Le Poète assassiné s'ouvre sur la constatation, ou par la mise en place d'un rapport d'identité entre l'être et le nom. La mort *(assassiné)*, mort toute chargée de connotations christiques, le nom *(renommée)* et la gloire *(universelle)* [1] sont immédiatement associés dans un système d'équivalence et de causalité réciproques. La présence, en petits caractères italiques, du dédicataire *René Dalize*, à l'écart de ces grands mots, ne signale-t-elle pas celle du quidam [2] sans renom et sans nom participant de la série des anonymes, série d'où le « don du poème » tenterait pourtant de l'extirper magiquement?

Il faut donc lire que le poète *parce qu*'il a été assassiné est renommé, c'est-à-dire que la gloire, cette puissance anonyme sans lieu ni origine, qui délivre le nom de toute contrainte biographique, héréditaire, sociale, l'a fait accéder au « rayonnement de la présence ». Comme dit Maurice Blanchot, qui nous servira ici, incidemment, de Virgile pour la lecture du mythe qui le préfigure, « la gloire est la manifestation de l'être qui s'avance dans sa magnificence d'être, libéré de ce qui le dissimule, établi dans la vérité de sa présence souveraine [3] ».

Voici bien ce qui arrive à *Croniamantal* dès l'incipit de son histoire, qui en est aussi la clausule : au moment où commence le récit, le mythe [4], *Croniamantal* est mort depuis si longtemps que le récit des événements de sa vie, contemporains de la biographie d'Apollinaire lui-même, peut sembler sans commune mesure avec cet événement unique et absolu qui le sacre et le fonde tout entier : cette mort.

Nous considérerons donc *le Poète assassiné* comme un récit pris en sandwich dans un mythe. Récit d'une vie excessivement arbitraire, hésitante, sans destin, mythe d'une mort qui, en raturant cet arbitraire, fait accéder le héros à sa vraie vie. Entre le chapitre 1, *Renommée*, et le chapitre 18, *Apothéose* (auquel nous joindrons en partie le précédent : *Assassinat*, qui est là pour préciser de quelle mort il s'agit – et l'on verra qu'elle est doublement mythique, et par la référence à Orphée, et par le rappel implicite d'un discours social sur le poète – en référence à la série des « poètes assassinés », Chénier, Malfilâtre, Chatterton, Hégésippe Moreau, etc.), entre les deux termes du mythe, les deux moments de cette « thanatographie », une existence en somme anecdotique. Mais à l'initiale, qui recueille les bénéfices de la fin, un *Croniamantal* délivré du romanesque, ramené à son *ipséité* [5], ou, pour reprendre le terme même utilisé par Apollinaire dans *le Larron,* à son *aséité* [6]. A *Croniamantal* la mort a accordé une sorte de plus-value nominale, immédiatement versée au compte de son être natal, une présence-absence qui le détache de tout et lui fait transcender toute origine et toute biographie. Entre le *Croniamantal mort* de 18 et *la gloire de Croniamantal est aujourd'hui universelle* de 1, une circulation quasi fiduciaire de la mort, de la naissance et du nom.

Avant de nous attacher davantage à cette problématique du Nom mythique, nous voudrions brièvement en justifier la pertinence. Il nous semble en effet que le texte du *Poète assassiné* invite avec une sorte d'excès, non pas tant à chercher le nom sous le nom, le sens sous les noms, qu'à le lire comme une réflexion sur le nom, comme une histoire de Noms.

Une lecture rapide permet d'isoler une chaîne de procès qui peuvent être rassemblés sous la catégorie *Nomination.* Parallèlement, le produit de cette nomination, le nom, est lui-même énoncé comme tel, c'est-à-dire *exhibé,* dans des tournures telles que *le nom de Monaco* (p. 21).

1. *Nommer* et ses doubles : nommer (p. 7, 36, 41); se nommer (p. 36, 51); prononcer (p. 7, 13, 14, 19); appeler (p. 7, 8, 13, 21, 28, 29); s'appeler (p. 43, 45); surnommer (p. 7); désigner (p. 7); baptiser (p. 25).

2. Le *nom* et ses exhibitions : *le nom sonore* (p. 7); *un grand nom (pas le sien naturellement)* (p. 13); *le nom de Monaco* (p. 21); *un grand nom* (p. 17); *le nom (seigneurial)* (p. 37); *le vieux nom* (des Ygrées) (p. 37); *le nom d'Adam* (p. 39); *noms connus* (p. 57); *sans nom* (p. 84); *leur nom* (p. 94); *le nom même du poète* (p. 100).

On peut estimer que cette sur-désignation, cette ostentation du nom et de la nomination ne sont pas fortuites et sont même proposées en programme de lecture pour l'ensemble du texte, comme indices du mythe dont il s'agit.

Cette ostentation atteint même une densité frénétique aux pages 55 à 60, lors de la visite de *Croniamantal* aux *Théâtres.* A l'activité de définition de *concepts* (« je vais vous enseigner le sens de quelques mots du vocabulaire théâtral », p. 55), succède une énumération de titres qui se caractérisent d'une part par leur arbitraire nullité, d'autre part par un jeu d'homophonies qui vient redoubler celui des villes qui se disputent la naissance de *Croniamantal* (p. 28), de sorte qu'à la définition du sens succède sa jouissance, à sa limitation sa détérioration. Suit finalement une longue litanie de signatures pseudonymiques et grotesques qui à la fois désignent et ne désignent pas, nommant moins l'individu qu'elles ne se nomment elles-mêmes, abolissant la référentialité alors même qu'elles prétendent la produire, comme pour provoquer une exaspération de la question du Nom.

On dirait donc que *le Poète assassiné* exerce d'un bout à l'autre sur le lecteur une contrainte excessive et exubérante que l'on pourrait appeler *contrainte sémiotique.* Cette contrainte s'exerce sur un champ plus vaste, que le texte a pris soin d'énoncer également, qui inclut des systèmes sémiotiques très différents, mais dont l'ensemble constitue « l'empire des signes » du *Poète assassiné.* C'est ainsi qu'outre le nom proprement dit, on peut relever les systèmes sémiotiques suivants : blason (p. 17), médaille (p. 19); mode : toilette (p. 17, 75-77); habit (p. 80, 83, 85, 90, 104); gestes rituels : bénédiction (p. 20), palmes (p. 33); objets naturels ritualisés : oiseaux, astres (p. 37), pierres précieuses (p. 72), odeurs (p. 86), paysages (p. 32 et *passim*); bruits : son des cloches (p. 33); corps : visage (p. 34, 103), bras (p. 42), voix (p. 63); codes : pancartes (p. 46, 48), poteaux routiers (p. 83); arts : architecture, statuaire (p. 21, 47), peinture (p. 47, 48), fresques (p. 94); langues (p. 37, 39, 40 et *passim*), poème (p. 49), théâtre (p. 53), dictionnaire (p. 55, 96), rimes (p. 80-81); statue (p. 111-113), épitaphe (p. 111).

Tout se passe comme si *le Poète assassiné* ne cessait de mettre en scène l'ensemble des questions qui le fondent : comment nommer? que nommer? qu'est-ce que nommer? Nommer, est-ce identifier ou bien dire ce qui se dérobe? Que lire? lire le sens? lire le non-sens? lire la présence ou l'absence du sens? de l'être? La signification est-elle unique, transparente, ou au contraire opaque, plurielle? N'y a-t-il pas un au-delà de la signification et du nom? Nommer, est-ce combler un vide ou le faire surgir? Toutes ces questions, c'est du moins notre hypothèse, étant elles-mêmes rassemblées et comme hypostasiées dans la question initiale du *nom sonore de Croniamantal.*

Immédiatement, donc, un nom que le lecteur perçoit comme objet sonore non identifiable, nom *propre* certes, mais qui se fait vaguement écho de choses et d'autres – ce croc, cette âme, cet amant, ce mental

– un nom est livré à ce que nous appellerons le miroir grossissant de la Gloire.

La confrontation initiale de deux noms apparemment tout aussi *propres, René Dalize/Croniamantal,* suggère peut-être qu'il ne s'agit pas tout à fait de la même espèce de noms. Si le premier semble *désigner* [7], le second, on le pressent, on le croit, *signifie.* Dalize ne recevra son éventuelle renommée que du geste de son dédicateur; *Croniamantal,* lui, n'a cure de la recevoir : son nom est vibratoirement équivalent à son renom. *René* n'est peut-être pas si re-né que cela : nommé, mais non véritablement re-nommé.

Croniamantal, en revanche, ce nom paraît n'avoir pour tout référent que lui-même : sa qualité de signifiant pour lui suffit. Disons qu'en lui, dans cet ego-nom, il y a absorption du référent dans le signifiant, ou encore que, pour une fois – mais cette fois n'est pas n'importe quelle fois puisqu'elle est précisément la fois du poète, la fois que n'est pas coutume – le signifiant est son propre référent. Voilà sans doute la qualité particulière de ce nom propre : il désigne quelqu'un qui est déjà tout entier inclus en lui, de sorte que nommer c'est réaliser l'être dans la voix. Aussi bien celui qui parle de cette gloire a grand soin d'insister sur le caractère uniquement verbal de ce héros, puisqu'il n'est question dans tout le chapitre 1 que de son nom, de la forme, de la matière, de la signification éventuelle de ce nom.

Le poète est ici celui qui est nommé d'un renom qui le constitue dans sa différence, laquelle résulte de la collusion dans un même signe de la vie et de la mort. *Croniamantal* est un nom qui *n'appartient* à aucun saint du paradis (p. 28). Le nom du poète est utopie, lieu où s'abolit une parenté d'occasion et un système biographique auxquels on ne fera référence que pour les abolir eux aussi. Le nom sous lequel l'enfant est déclaré : *Gaëtan-François-Étienne-Jack Amélie Alonso des Ygrées* (p. 28) n'est en réalité qu'un faux nom. A fausse parenté, faux nom. La parenté, fût-elle relation à un nom noble, est déniée par le sobriquet, car la noblesse *des Ygrées* ne saurait être que grammaticale ou référentielle. Véritable noble est celui qui réside tout entier dans son nom, qui est la métaphore conjointe, éternelle, de lui-même, de ses biens, de ses mythes (Roi Soleil, Aiglon, etc.). Ce qui pourrait constituer l'ébauche d'une figure romanesque du type « Lucien de Rubempré » est raturé par l'invention (*l'appelant d'un nom qu'il inventa aussitôt,* p. 28) d'un signifiant jailli par nomination ou écriture automatique de l'inconscient du nommeur. La nomination sociale, référentielle, utile, disparaît devant la violence du mythe, et avec elle l'individu au profit de la métaphore.

Croniamantal est strictement une métaphore. Son nom, c'est-à-dire son être, est déplacé par un coup de force dans un espace indéfini, infini, comme s'il était nommé ailleurs, par un ailleurs dont nous ne savons rien. Plutôt que nommé on devrait donc le dire *voqué,* invoqué, soudé à sa *vocation* qui n'est rien d'autre que ce qui est inscrit de toute éternité dans ce vocable, et sa vie ne sera que la réalisation, le mot à mot de ce nom en quoi s'abolit l'opposition de la vie et de la mort, abolition qui constitue le mythe lui-même et qui sera énoncée plus tard sous un autre *nom :* Orphée.

Il semblerait possible de considérer l'opposition *des Ygrées / Croniamantal,* et tout aussi bien l'opposition *François Coppée / Croniamantal,* comme une récurrence du vieux débat d'Hermogène et Cratyle. Comme dit Socrate au début du dialogue, « l'étude des noms n'est pas une petite affaire ». *Gaëtan [...] des Ygrées* serait au regard d'Hermogène un *vrai nom,* un *nom juste,* dans la mesure où il n'est guère plus qu'une étiquette attribuée par convention pour désigner l'individu. Mais en même temps cette nomination est une violence, comme l'indique Hermogène lorsque du caractère arbitraire de la nomination il apporte la preuve suivante : « Nous changeons bien le nom de nos serviteurs, sans que le nom substitué soit moins exact que le précédent [8]. » La question n'est pas seulement de savoir si le nouveau nom est plus ou moins *exact* que l'ancien, mais : qu'est-ce qui se passe dans cet acte de renomination, pourquoi cet effacement d'un registre et cette inscription sur le registre du nouveau maître? Dans le nom de *Gaëtan... des Ygrées* se reconnaît celui d'un faux père, d'un *père putatif* (p. 28), mais signe tout de même d'une appartenance à un ordre social élaboré autour de et par toute famille. Si le signifiant *des Ygrées* s'intègre parfaitement au catalogue qui identifie dénommable et numérable, avec toutefois le petit excès, la différence de la particule (conciliation romanesque du semblable et du différent, de la norme et de l'exception : romanesque, donc menacée), on voit qu'il n'en va pas de même pour le signifiant *Croniamantal,* qui n'appartient à aucune liste. Le premier est nommé par le groupe pour être désigné comme lui appartenant, le second est nommé par la Gloire, c'est-à-dire cette bouche d'ombre qui a pour fonction de délivrer l'être et le nom, le nom-être, de toute inscription sur la liste ou la série pour en faire une pure parole.

Mais est-ce à dire que si *Croniamantal* échappe à Hermogène c'est pour se mettre franchement du côté de Cratyle, selon qui le nom et l'être entretiendraient un rapport nécessaire, motivé, signifiant? Il serait en effet tentant de suivre Cratyle jusqu'au bout et de faire de *Croniamantal* un *éponyme,* un nom-sens. On chercherait alors dans le nom de *Croniamantal* les mots cachés qui lui donnent sens, on procéderait alors à une lecture étymologique, voire anagrammatique du nom [9] qui relèverait d'un cratylisme euphorique euphorisant. A condition sans doute d'être convaincu par cette imposition du sens, fût-il pluriel, par cette farcissure, ce remplissage infini, qui devrait d'ailleurs ne pas s'arrêter en si bonne voie puisque, comme y invite Socrate [10], après le symbolisme pléthorique du mot-valise, il faudrait encore passer au symbolisme des sons, à cette « mimésis phonique » dont parle G. Genette [11] ou « imitation de l'essence de chaque objet au moyen des lettres et des syllabes [12] », à laquelle ont adhéré la plupart des poètes de la « modernité ».

Mais, à retrouver toujours le sens, même parcellisé, sous le nom, ne retrouve-t-on pas toujours à la fin Hermogène, et avec lui l'imposition du discours de gestion, l'intégration dans une autre liste, celle qui constitue la série toujours en marche des significations? A remplir *Croniamantal* de cet *ailleurs* symbolique pluriel ne redécouvre-t-on pas tout simplement la tradition du contenu? Et le contenu n'est-il pas justement ce qui contient, ce qui maintient, par cratylisme interposé, sous la loi du sens, celle-là même à quoi on prétend échapper? La lecture cratylienne du nom de *Croniamantal* n'est-elle pas, tout autant que le serait la lecture hermogénique, lecture d'une identité, d'un sujet, soumission à une loi qui pour être plurielle n'en est pas moins loi?

Il serait peut-être temps de reprendre en compte le travail de la mort dans le nom, l'apparent mouvement biographique qui, dans le récit, conduit de la naissance de *Croniamantal* à sa mort, à savoir ce « Vide qui avait la forme de *Croniamantal* », ce trou qui « était plein de son fantôme (p. 113). Mouvement apparent et apparente biographie parce que *Croniamantal* n'était peut-être pas autrement que mort dès le début, ni autrement que vide. Si « le vide avait la forme de *Croniamantal* » (p. 113) c'est que (p. 7) *Croniamantal* avait la forme du vide : cette « statue en rien », « comme la poésie et comme la gloire » (p. 112) qu'on lui érige, redouble le rien de son nom même, qui, dans l'ultime chanson de Tristouse Ballerinette, semble inscrit phoniquement mais hors-sens dans une manière d'hypogramme saussurien [13], réellement et définitivement exterminé, sans valeur et annulé.

Hypogramme, disons-nous, car si ce n'est pas *Croniamantal* qui contient du sens, c'est le texte qui contient *Croniamantal.* Les douze lettres et les cinq syllabes du *nom sonore* ne sont-elles pas partout dispersées, dissimulées, exhibées? « L'hypogramme, note J. Baudrillard, étant un nom de dieu ou de héros, n'est pas un " signifié " quelconque, et même pas un signifié du tout... Le nom du dieu y apparaît dans l'éclipse même de sa destruction, sur le mode sacrificiel, exterminé au sens littéral du terme [14]. » *Croniamantal* ne serait plus alors une identité codée, un sujet caché, mais un nom lui-même sacrifié, « le langage lui-même qui prend la parole pour (se) perdre [15] ». On comprendrait alors ce qu'est la fonction de la Gloire, le mythe de la machine-Gloire : un discours répétitif et destructeur, une mise en miettes, une illimitation et finalement une annulation. A force d'être répété par le texte-Gloire, le nom de *Croniamantal* atteint son vide, devient véritablement l'image de la *statue en vide,* se décompose sur le modèle de la mort du héros-Orphée, pour aboutir, par excès de mort, à l'immortalité du rien.

Si l'on accepte cette mort du sens qui institue le héros-poète en initiateur de la « modernité » et qui fait de *Croniamantal* l'équivalent de *Cueillons la marjolaine la nuit,* il faut lire le *Poète assassiné* comme une tautologie. Né du vide (« d'un pet », p. 8), il y retourne. Feignant dans le chapitre initial de poser le problème du sens, Apollinaire n'invite pas à le dénicher, à le reconstruire par accumulation, mais au contraire à constater son impossibilité en même temps que l'extraordinaire noblesse, l'aristocratie du nom sans qualité, sans condition, hors-sens. Fils d'un musicien ambulant (ni message, ni lieu) et d'une jeune femme qui redouble cette musique d'un concert d'onomatopées asociales et asémantiques, *Croniamantal* n'est noble que de ne pouvoir être assujetti à aucun sens, qu'il soit conventionnel ou « naturel », à aucun des deux sexes, à aucun père légal, à aucun corps. L'équivocité généralisée qui caractérise le texte du *Poète assassiné* [16], cette poétique de l'hésitation qui a pour signifié le fantastique ailleurs délibérément à l'œuvre (dans l'*Hérésiarque et Cie* par exemple), indique non pas le lieu d'un sens multiple mais le non-lieu, l'utopie de la « disparition élocutoire ».

On comprend peut-être mieux dès lors le système redondant du texte, sa double pléthore nominative et désignative. Cette insistance sans parcimonie ne cesse de montrer du doigt le nom de *Croniamantal,* de le gloser. Le discours sur la mode de Tristouse Ballerinette [17] n'est pas un discours du sens mais un discours du vide. La mode est ici littéralement insensée : elle se construit, ou plutôt se défait, par l'ostentation du *creux :* coquilles Saint-Jacques, coques de moule, coquilles de noix, pots, verrerie, baudruche gonflée, chapeau ballon, de l'*aérien :* oiseaux, plumes, ou du *miroitant :* verrerie, petits miroirs collés sur le tissu. Voici une mode qui parle d'un dehors sans dedans, une mode à l'image du nom, qui « ennoblit tout : elle fait pour les matières ce que les romantiques firent pour les mots » (p. 77). Elle *ennoblit* dans la mesure exacte où elle ne dit rien.

Au milieu de ce discours (p. 77), l'attention du lecteur est attirée par un « pour qui sont ces serpents qui sifflent sur ta tête », qu'on repousse d'habitude du côté de l'expressivité, du signifié. Il semble au contraire que cette série allitérante soit plutôt l'extermination du sens que son accumulation. De même que la mode – celle-ci, cette antimode, cette mode sans modalité – annule le sens, de même la répétition des sons volatilise le sens, assure son évidement et, partant, dit la vérité même du signifiant *Croniamantal :* sa mort. La mode et le nom ne sont plus ici la gestion du sens mais son délaissement. Façon de retrouver un véritable arbitraire, un arbitraire sans arbitre, celui de cette « ancienne cuisinière qui faisait des vers [...], une poésie pleine de profondeur où tous les mots avaient un sens nouveau. C'est ainsi qu'archipel n'était employé par elle que dans le sens de papier buvard » (p. 82). Papier buvard, papier bavard, papier qui absorbe les mots et les efface.

Au chapitre 18, *Assassinat,* précédant l'*Apothéose* du héros, le poète est mis en pièces par les femmes. Le démembrement final du corps d'Orphée-*Croniamantal* ne renvoie pas seulement aux fantasmes d'un auteur : il est la réalisation de l'extermination et de la diffraction du nom. Cet épisode lui-même est précédé par une descente aux enfers facile à repérer puisqu'elle commence au moment précis où *Croniamantal* commence « à devenir célèbre », quand « la foule applaudissait son nom » (p. 84).

La veille de Noël (à l'aube d'une autre naissance), *Croniamantal* prend un train qui *s'engouffre, descend* un escalier, cherche sa voie, traverse des villes, s'égare, rencontre des doubles qui le contestent (le prophète juif, les moines) : voyage de disparition, approche de la mort (p. 84 à 90).

Avec l'intervention de Tograth, le problème de la Gloire se précise. Assimilant la gloire au *laurier,* Tograth rappelle toute une idéologie archaïque, démodée, qui est celle de la Pléiade et à laquelle Apollinaire lui-même fut fortement attaché [18]. De plus, par ses appels au meurtre répétés, Tograth va au-devant des fantasmes du poète romantique et tend à les réaliser fictivement : emprisonnement et condamnation à mort des poètes (p. 100-102). Mesures prises « contre le nom même du poète » (p. 100). Beaucoup plus qu'à la poésie, Tograth s'en prend à la gloire qu'il entend récupérer pour lui : mais il est clair que cette gloire est une gloire toute humaine, socialisée, plutôt une célébrité. Or c'est en voulant récupérer pour lui une pseudo-gloire que Tograth va conférer à *Croniamantal* la vraie gloire qui lui manquait encore (il n'était encore que *célèbre,* p. 84) : la gloire du signifiant-nom.

La transformation de *Croniamantal* en Orphée peut être décomposée en trois mouvements principaux :

1. Croniamantal-Ulysse : avant d'être Orphée, le poète tel Ulysse a entendu le chant des Sirènes ; « une voix de femme chantait au loin » (p. 62). Cette voix, il en perçoit immédiatement le caractère dangereux : « les voix des femmes sont toujours ironiques [...]. N'écoute pas la voix des femmes » (p. 63-64). S'approchant de Tristouse (« n'ait aucune crainte, fillette aux bras nus », p. 65), Ulysse sent sur son corps la menace de la mort : « Je mords tes cheveux qui se lovent comme les vers sur le corps de la mort » (p. 65).

2. En intimant à *Croniamantal* l'ordre de la fuir, Tristouse change Ulysse en Orphée, le contraint à faire l'expérience du manque et de l'absence, lui suggère peut-être de revenir en arrière au cas où ce manque et cette absence lui deviendraient intolérables : « Et *Croniamantal* s'en alla sans détourner la tête » (p. 67). La rencontre de la femme est ainsi processus de dépossession, voire de castration : « Voyageur sans bâton, pèlerin sans bourdon et poète sans écritoire, je suis moins puissant que tout autre homme, je n'ai plus rien et je ne sais rien » (p. 67). Voilà bien *Croniamantal* transformé en homme sans qualités, débarrassé des catégories euphorisantes du sujet : avoir, savoir, pouvoir, sexe. Vidé de tout ce qu'il restait de lui-même, *Croniamantal* pourra bientôt passer à l'être suprême de l'absence et du nom : « Je suis *Croniamantal...* »

3. Tristouse/Sirène/Eurydice est donc celle qui a conféré à *Croniamantal* son statut d'homme-langage. Elle l'a énoncé en signifiant dont elle s'est elle-même constituée en signifié : la séparation forcée, mythique, entre *Croniamantal* et Tristouse est la coupure du signifiant et du signifié qui, d'une certaine façon, instaure la « modernité » et son mythe [19].

Le héros-poète peut alors apparaître comme l'image, la figure-nom, de l'écrivain après cette coupure fondatrice. Entre les schémas anciens qui, de la Renaissance au Romantisme, voulaient instituer l'artiste comme sujet central, dominant, origine fondée d'un discours fondateur du monde dans sa vérité communicable, condamné à ce que Mallarmé appelle cet « état de la parole, brut et immédiat » qui « a trait à la réalité des choses : narrer, enseigner, même décrire [20] », et la figure moderne de celui qui, n'étant plus voué à la présence ni à la maîtrise, écrit hors communication, hors sujet, « hors-site et hors-date [21] », ramené à une origine sans lieu, à « la profondeur vide du désœuvrement [22] », impersonnel puisque « la parole poétique n'est plus parole d'une personne : en elle, personne ne parle [23] », Orphée-*Croniamantal* est peut-être devenu le héros « étranger à toute rive [24] », aussi mythique que l'était celui de la maîtrise et de la puissance, celui en qui le rien a remplacé le plein, et qui a changé le public, la lecture sociale, par cette « rumeur publique » qui serait « l'absence et le vide de toute parole ferme et décidée », dans le mouvement même qui lui faisait abandonner le sujet transcendantal pour ce que nous appellerons une transcendance en creux.

Écrivain sans littérature, *Croniamantal* rassemble finalement sa dépossession et réalise sa disparition glorieuse lorsque, sommé par la foule de répondre à la question *Qui es-tu?*, il déclare :

JE SUIS CRONIAMANTAL, LE PLUS GRAND DES POÈTES VIVANTS (p. 109). Cet énoncé performatif est tout à la fois baptismal et mortuaire. Se désignant et se nommant devant l'Autre, le héros-poète produit dans l'énonciation de son nom sonore et vide sa propre gloire, en tant que ce nom devient l'attribut d'un sujet qui s'abolit en lui. Le prédicat « le plus grand des poètes vivants » est sans référence et ne saurait être lu comme un constat : il s'agit seulement de redoubler dans la tautologie le sacre du nom. En énonçant son nom, le héros-poète se *neutralise :* il se sacre en IL. Sur le modèle de l'ange « performant » la disparition du Christ qui ne devient absent du tombeau qu'au moment où il le déclare tel (« il n'est pas ici [25] »), *Croniamantal* affirme sa propre négation par et dans la négativité de la langue, se transformant ainsi en « message linguistique présent ici et maintenant » : s'abolissant comme corps, comme unité-identité, le héros se fait message, « signe à croire, qui ne désigne pas l'absence du référent, mais signifie, dans l'absence de référent, la présence de la parole [26] ». Le poète-Christ devient ainsi son propre ange et son propre évangéliste : il *se* donne la mort avant d'être tué (la mort « réelle » de *Croniamantal* ne fera que redoubler sur le mode de la représentation ce qui est déjà inscrit dans le message), il signe sa mort de son nom, dans l'énonciation éclatante de ce signe sans détermination.

Figure tautologique, *Croniamantal* effectue donc dans un seul geste de langage producteur de creux (« *Croniamantal* au fond du puits/Est-ce lui », p. 113) le quadruple effacement de l'ego, du lieu, de l'histoire et de l'autre. Rien de bien nouveau en somme puisque, avec ce nom d'inanité sonore, « avec ce seul objet dont le Néant s'honore », le Maître était « allé puiser des pleurs au Styx [27] ». Les tombeaux mallarméens, eux-mêmes performatifs, ne réalisaient rien d'autre que cette mort qui déjà « triomphait » dans la « voix étrange [28] ». Du nom au nom, du nom-mort au nom-gloire : la disparition-épiphanie ne tient qu'au mot (lieu de la présence-absence), si bien que

Pour revivre il suffit qu'à tes lèvres j'emprunte
Le souffle de mon nom murmuré tout un soir [29].

Le Poète assassiné met ainsi en scène une nouvelle figuration-légitimation du poète fondée sur l'opposition du « double état de la parole, brut et immédiat ici, là essentiel [30] ». Tograth *vs* Croniamantal, communication *vs* écriture, État *vs* dissidence, pouvoir *vs* non-pouvoir, etc. Le héros-poète est alors le langage lui-même en tant que l'un et l'autre transposent « un fait de nature en sa presque disparition vibratoire [31] ». *Croniamantal* est la fleur. *Je suis Croniamantal, le plus grand des poètes vivants* est illocutoirement équivalent à : « Je dis : une fleur! et, hors de l'oubli où ma voix relègue aucun contour [...], musicalement se lève, idée même et suave, l'absence de tous bouquets [32]. » Le mythe apollinarien prend le train de la « modernité » qui, de Mallarmé à Blanchot, tente de fonder un nouveau statut, une nouvelle sacralité du poète : la théorie du signe-absence demande une lecture anthropologique [33], voire politique. Le poète n'y est pas défait, ni ses rôles et ses figures mis en question : il récupère au contraire sa divinité non du donateur de gloire traditionnel, qui dans le mythe d'Apollinaire est absent ou incompétent ou hostile, mais du signe lui-même, sacré en tant que relation privilégiée, aristocratique, à l'Absence : le divin de la langue fonde le devin (« J'ai souvent vu Dieu face à face », p. 103). Le héros-poète d'Apollinaire propose un dépassement des anciennes figures médiatrices du poète : le héraut, le prophète, le saint, le martyr, etc. *Assassiné,* comme Gilbert, Malfilâtre, Escousse, H. Moreau, etc., et en cela héros de la première moitié du XIXe siècle, le *Croniamantal* bousingot, frère de Borel-Champavert, n'atteint à la survie du mythe, à la gloire, qu'en assumant et dépassant la conception traditionnelle du poète « maudit » à l'instant où il s'autosacralise dans le message dont l'énonciation lui permet de s'identifier au signe-absence. En doublant la mise, en ajoutant à la dépossession des choses, des biens, de soi, leur redoublement dans la dépossession qui vient du langage, se faisant signe lui-même, il récupère sa place dans la double négativité sociale et verbale, dont il devient ainsi la victime investie, le bouc émissaire énonciateur, compétitif et compétent [34].

Notes

1. *Le Poète assassiné*, Paris, Gallimard, 1970, p. 7.

2. René Dalize, pseudonyme de René Dupuy, participe toutefois de la société mythique de *Croniamantal* en tant que surnommé, et par là authentifie la problématique du conte. Mais c'est un *Croniamantal* qui n'aurait pas réussi.

3. Maurice Blanchot, *Le Livre à venir*, Paris, Gallimard, coll. « Idées », p. 359.

4. J'entends *mythe* au sens valéryen de : « toute existence qui ne peut se passer du langage et s'évanouit avec un mot ou nom » (*Carnets* I, « La Pléiade », 1973, p. 454).

5. Sur l'ipséité, voir Sartre, *L'Être et le Néant*, Paris, Gallimard, 1948, p. 148.

6. État de celui qui ne tire son origine que de lui-même. Voir D. Oster, *Apollinaire*, Paris, Seghers, 1975, p. 19.

7. Surnom qui a toutes les apparences du nom.

8. *Cratyle*, Paris, Les Belles Lettres, 1961, p. 51.

9. André Rouveyre proposa *Croc-n'y-a-mental;* Michel Décaudin : une contraction de *Cro-Magnon* et de *Néanderthal*. J'avais moi-même suggéré *Cronos Amant Mental* (*op. cit.*, p. 9), alors que je n'avais pas eu connaissance des subtiles hypothèses de Philippe Renaud qui « se refuse à considérer *le nom sonore de Croniamantal* comme un agrégat alphabétique et phonique avec lequel on pourrait jouer capricieusement » (« La leçon des formes et des mots », dans *Regards sur Apollinaire conteur*, Paris, Lettres modernes-Minard, 1975, p. 124).

10. *Cratyle, op. cit.*

11. *Mimologiques*, Paris, Éditions du Seuil, 1976, p. 28.

12. *Cratyle, op. cit.*, p. 30.

13. « Il s'agit dans l'hypogramme de souligner un nom, un mot, en s'évertuant à en répéter les syllabes, et en lui donnant ainsi une seconde façon d'être, factice, ajoutée pour ainsi dire à l'original du mot » (cité par J. Starobinski, « Les anagrammes de Ferdinand Saussure », Paris, Mercure de France, 2, 1964, 246).

14. *L'Échange symbolique et la Mort*, Paris, Gallimard, 1977, p. 304.

15. *Ibid.*, p. 305.

16. Voir Philippe Renaud, art. cit., et D. Oster, *op. cit.*

17. Chapitre 13, p. 75-77.

18. Cf. *Le Poète assassiné, op. cit.*, p. 40 : « Ronsard et sa pléiade », et aussi *L'Esprit nouveau et les Poètes, passim.*

19. *Croniamantal* commet alors le péché absolu : à peine sacré roi du signifiant, signifiant-roi, il part à la recherche de son signifié-Eurydice, ce qui tendrait à prouver qu'on ne se débarrasse pas si facilement du signifié...

20. *Œuvres complètes* « La Pléiade », 1965, p. 857.

21. Daniel Wilhelm, *Maurice Blanchot : la voix narrative*, Paris, UGE, coll. « 10/18 », p. 66.

22. Blanchot, *L'Espace littéraire*, Paris, Gallimard, coll. « Idées », p. 47.
23. *Ibid.*, p. 38.
24. *Le Livre à venir, op. cit.*, p. 366.
25. *Évangile selon Matthieu*, 28, I-8. Voir aussi Louis Marin, « Les Femmes au tombeau », *Langages* 22.
26. Louis Marin, *ibid.*, p. 47.
27. Mallarmé, *Poésies, Plusieurs Sonnets*, Paris, Gallimard, 1972, p. 91.
28. *Ibid.*, p. 94.
29. *Ibid.*, p. 93.
30. Mallarmé, *Œuvres complètes, op. cit.*, p. 857.
31. *Ibid.*
32. *Ibid.*
33. Voir H. Meschonnic, *Le Signe et le Poème*, Paris, Gallimard, 1975, p. 25.
34. Pour Apollinaire, ce mythe de l'absence glorieuse peut être une alternative à l'obsession contraire de la présence du sujet dans sa plénitude, celle qui s'exprime dans le *J'émerveille*, dans l'exhibitionnisme des poèmes de guerre ou encore dans l'orphisme. On trouvera la confirmation de ce système christique du corps absent et du nom eucharistique dans *Le Cas du brigadier masqué c'est-à-dire le poète ressuscité* (*ibid.*, p. 227 et s.), ou dans *Arthur Roi passé roi futur* (*ibid.*, p. 215 et s.)

D'un statut d'évangéliste

La question que je voudrais poser ici est la suivante : de quelles façons une pratique littéraire peut-elle se légitimer, se garantir et s'authentifier si, en tant que telle, elle prétend récuser la totalité des déterminations, des autorisations et des médiations qui assurent l'inscription du discours et de celui qui le produit dans le « système de relations symboliques qui constitue le champ intellectuel [1] »? Je ne fonderai en la circonstance cette interrogation que sur l'hypothèse déjà présentée que toute pratique littéraire, en même temps qu'elle reçoit du dehors, du discours social (par exemple celui qui constitue la *littérature* comme objet valorisé, source ou projet de vérité, écart, produit ou producteur de savoir ou de pouvoir, etc.) un faisceau de légitimations, les lui restitue dans sa textualité même, authentifiant ainsi rétrospectivement ce qui l'authentifie elle-même. Cet échange de bons procédés me fait supposer que tout discours entrant dans la catégorie *littérature* produit une représentation de celui qui y a inscrit les marques de sa différence : l'écrivain. J'irai même jusqu'à dire que tout discours de cette sorte a pour visée première de figurer la présence péremptoire (fût-elle, comme on va voir, figurée comme « absente ») de celui qui l'authentifie, et de la faire passer au-dehors. Rousseau, le Rousseau d'après 1762, pourrait sembler à cet égard le modèle fondateur de ces écrivains qui, ayant récusé les traditionnels donateurs d'autorité, se trouvent amenés à fonder leur pratique sur une nouvelle idéologie littéraire qui s'affirme comme non littéraire, et à se constituer en écrivain de type nouveau : en non-écrivain [2].

Afin de préciser chemin faisant cette problématique, j'ai choisi de prendre pour objet un discours littéraire qui a la particularité de renoncer expressément à toute légitimation et qui entend abolir toute représentation sociale, toute fonction, tout rôle, tout statut de l'écrivain, et jusqu'à son nom, dans une écriture sans origine et sans but, sans idéologie ni socialité. On tentera donc ici de faire une incursion dans le champ particulièrement bien défendu d'un des discours les plus performatifs de ce temps, un des plus despotiques aussi, au point qu'il phagocyte ses glosateurs, discours qui, en tout cas, porte un nom, celui de Maurice Blanchot.

Un discours qui *porte* un nom? Blanchot nous précède et distingue [3] entre deux discours, et deux postures du nom : le livre, l'œuvre. Le livre qui « est le tout » accepte le nom, le tolère avec indifférence. Le nom de Hegel est ainsi « celui d'une particularité momentanée », d'un « rapport historique [4] ». Dans le livre, « Hegel ne meurt pas [...], Hegel n'est jamais tout à fait son nom [5] ». A l'inverse, Mallarmé « sait l'anonymat de l'Œuvre comme son trait et l'indication de son lieu » : Mallarmé et l'œuvre sont sans rapport (l'un ne saurait supporter l'autre, *porter* le nom de l'autre) parce que cette absence de rapport, cet espace, est ce qui constitue l'œuvre. « L'Œuvre n'est pas libérée du nom parce qu'elle pourrait se produire sans quelqu'un qui la produise, mais parce que l'anonyme l'affirme toujours déjà hors de ce qui pourrait la nommer [6]. » Il y a là déjà comme l'institution d'une tautologie (l'œuvre est anonyme parce qu'il est dans sa nature d'abolir le nom) sur laquelle il nous faudra revenir en l'accrochant à son mythe fondateur : le mythe mallarméen de la fleur [7]. Et une question d'emblée : cet innommable auteur, destitué de sa signature par l'œuvre même, n'est-il pas tout de même représentation idéologique de l'écrivain, figure, résolution imaginaire par un sujet concret « de son rapport tout aussi imaginaire au réel [8] »?

La question du nom est en effet, quant à la représentation de l'écrivain, la question critique par excellence puisque par sa position même il met en communication-conflit un dedans et un dehors, un texte et ses hors-textes, la notoriété et l'effacement, du connu et de l'innommable. Le nom signifie dans le discours social (« signifier, pour le nom propre, veut dire insérer le porteur dans ces hiérarchies et l'inscrire à la place qui lui revient », « le nom propre ne se rencontre qu'en relation avec d'autres noms propres [9] »), tandis qu'introduit dans le système du texte, il s'abolirait (« transformer l'œuvre en chose, muette donc et qui se tait en parlant parce qu'elle se passe de signature, cela ne se peut qu'à inscrire la signature *dans le texte* [10] »). Que faire du nom? L'idéal est de supprimer le conflit soit par son institutionnalisation (cf. plus loin la distinction désormais statutaire écrivain/auteur), soit par l'effacement d'un des termes : ce qu'on analyse ici. « Le nom propre ne désigne pas du tout une personne ou un sujet. Il désigne un effet en zigzag, quelque chose qui passe ou qui se passe entre deux comme sous une différence de potentiel : " effet Compton ", " effet Kelvin " [11]. » On serait donc tenté de parler d'*effet-Blanchot* pour désigner « ce qui se passe » entre le dedans et le dehors, entre le livre et l'œuvre (l'effet d'annulation), si le nom ne fonctionnait pas par ailleurs comme mythe ou comme « système sémiologique majoré [12] » dans les énoncés de l'hagiographie quotidienne de l'écrivain dont nous citons ici quelques exemples à titre de mise en garde, pour dire : voilà ce qui tout de même arrive...

– « Lamartine! ah! le doux nom! et quel coup d'archet sur nos souvenirs. » (Georges Rodenbach, *l'Élite,* 1899.)

– « Se lever aujourd'hui en l'honneur de Dante, c'est s'exprimer anonymement au nom d'une immense famille : celle pour qui le nom, le mot Dante, puissant vocable, tient la plus haute résonance au fond de l'antre poétique [...] Il y a, dans l'histoire d'un grand nom, quelque chose qui s'accroît au-delà de l'humain : Nomen, numen... imminence sacrée – frémissement d'âme dans le bronze et comme un son d'éternité... » (Saint-John Perse, *Discours pour l'inauguration du Congrès international réuni à Florence à l'occasion du 7e Centenaire de Dante, op. cit.,* « La Pléiade », p. 450-459.)

– « Isidore Ducasse. Ces quelques syllabes suffisent à me réconcilier pendant une heure avec moi-même [...]. Un nom qu'il faut prononcer parce que l'on est trop faible et qu'il faut une aide extérieure [...]. Avec le triomphe des vainqueurs on accepte cette présence, ce triomphe d'un nom, de syllabes, qui claquent comme un coup de feu. » (Philippe Soupault, *Lautréamont,* Poètes d'aujourd'hui, 1946, p. 10-34.)

– « Hortense Dufour, un nom à retenir. » (Jacqueline Piatier, *Le Monde,* cité dans une publicité, septembre 1978.)

Noms-mythes, ici, car nommer l'écrivain n'est pas seulement le désigner, mais le dire. Dans le discours de l'idéologie, tout se passe comme si « le signifiant *fondait* le signifié [13] », offrant le nom de l'écrivain comme présence fantasmatique et fondement de tous les signifiés culturels et idéologiques possibles, comme si le nom possédait la force illocutoire de réaliser la présence dans l'énoncé, autonyme à métalangage intégré...

Contre cette stratégie du discours social, cette autre qui prétend la contester, et qui porte le nom de Blanchot. Le nom du père, propre, c'est-à-dire sale : inscription de la propriété, proximité, présence, et en même temps de l'aliénation, celle du « sujet assujetti [14] », « abréviation qu'on peut dire canonique, formule qui règle, et, si l'on veut, bénit, dans la première personne, la prétention du Même à la primauté [15] », unité de fonction ou de fiction. Donc, parce qu'il semble se poser là comme le fondement même de toute idéologie de la représentation, « écrivons pour perdre notre nom [16] ». Comment faire? Et d'ailleurs il n'est pas tout à fait perdu puisqu'il est là, porté par le discours qui quelque part résiste à s'en décrocher : « Un réseau [...] de textes incontournables : ils se nomment Mallarmé, Proust, Joyce, Kafka, Bataille, Borges, Blanchot, Laporte, Derrida [17]. » Ici, la liste, l'idéologie de la liste s'énonce une fois de plus comme le discours même de quelque chose qui n'est pas « le dernier écrivain » ni « la fin de la littérature », mais encore la Littérature même comme institution, nomenclature d'indices, de positions, etc. Un dehors ou hors-texte que l'écrire n'aurait pas tout entier aboli. Au demeurant, ce Blanchot devenu « sans nom [18] », que nous ne devrions plus désigner que comme « Blanchot » ou comme « effet-Blanchot », ne reconnaît-il pas que si « nous en avons fini avec les grands noms » (c'est-à-dire avec l'idéologie littéraire), encore « n'est-ce pas sûr [19] ». Tel qui écrit son nom dans le texte de sorte qu'il « l'érige en chose ou objet pierreux », perdant « du même coup l'identité, le titre de propriété du texte [20] », célébré tout de même comme nom, voire propriétaire ou prioritaire, tel quel. Comment donc échapper à cet « espace qui attire les noms », à « une autorité que nous aurions ou à une influence que nous exercerions », alors même qu'on n'est pas dupe de « la prétendue responsabilité impersonnelle des groupes où toujours s'affirme, soit secrètement, soit directement, les droits de quelques-uns à diriger *en augmentant leur nom* celui du groupe [21] »? Comment « défaire la signature », faire de ce nom « un mot parmi les mots, et non point le lieu, la valeur [22] », de sorte que soit réalisée l'affirmation du *ne... pas* : « Le récit qui n'est pas de n'être pas [...] Sojcher n'est pas mon nom n'est pas moi [23] »? Possibilité de dénier agressivement, ironiquement peut-être, l'évidence : « Non, vous ne me lirez jamais sous ma signature, mais sous celles d'autres que *moi.* M. B. août 77 [24]. » Ou bien cet énoncé performatif réitéré dans le discours-Blanchot : « Ce n'est pas mon histoire pas moi je n'existe pas [25] », ce qui ne saurait passer pour une métaphorique déconstruction du sujet par quelque travail d'écriture, mais peut se satisfaire de l'assomption d'un procédé morphologique de négation qui figure avant tout « comme jeu formel de signifiants, déploiement en quelque sorte des virtualités de la langue, ambiguïtés réalisées qui ne véhiculent à la limite d'autre message que celui que l'allocutaire, quant à lui, voudra bien assumer [26] ». Car toujours le nom résiste. Résistance inscrite sur la jaquette où se succèdent l'énoncé du discours : « JE n'est pas encore né. Il n'y a pas d'image », et celui de la biographie : « Jacques Sojcher est né le 8 septembre 1939 en Belgique [27] » – deux formulations juxtaposées mais non confrontées, que le texte renvoie dos à dos mais que la *lecture* du texte devrait pouvoir rassembler quelque part, à moins qu'on s'en soulage par la fiction d'un « bon lecteur » qui ne lirait que le premier énoncé, et d'un « mauvais lecteur » : celui qui exigerait de lire plusieurs textes à la fois.

La seule façon de tirer le nom du bourbier de la référentialité c'est, semble-t-il, de donner l'expérience de la nomination du nom propre comme l'expérience salvatrice de l'absence dans le langage : *Octavio Paz,* désignation, représentation, savoir, énoncé synthétique de valeurs et qualités, intégration différentielle dans la liste des autres noms (le Bottin, la Littérature, les Contemporains), image de la présence (« on prononce un nom et, mentalement, une certaine relation s'organise aussitôt [28] »), est lu et prononcé *OC-TA-VI-O-PAZ,* jusqu'à ce que le nom s'absente du nom, aboli bibelot. « Buée de buée : on a cru tenir devant soi la chose même, et voici qu'on a seulement fait apparaître son masque – le masque de la réalité unique signalée pourtant par le nom propre. Il n'y a personne [29]. » Autrement dit, pour que le nom propre s'efface, il faut et il suffit qu'il n'ait d'autre statut que celui du mot [30].

Le retour du refoulé

Menacé par un dehors qui est aussi un texte qui s'écrit, car, redisons-le, le « mauvais » lecteur ne lit pas *un* texte mais *plusieurs à la fois,* le nom cherche donc à se sauver de toute référentialité à un savoir-pouvoir par l'énonciation de son vide, du *son vide* qui l'absente et le destitue. Mais est-il encore fidèle à ce projet salvateur lorsqu'il se jette ou est jeté dans l'orgie cratylienne?

– « Dans blanc chaud, on lit de toute évidence, Blanchot » (K. White, *Po&sie,* 4, p. 90 [31]).

– « Une tache blanche
Et c'est le Blanchot
[...]
Blanchot tache blanche
une Blanchot blanche... [32] »

– « Edmond Jabès
James de Bond
Demandes Job

Jambes d'ondes
je : bond d'âmes [33] »
– « Le graal n'est en Gracq que pour nous [...] [34] »

Difficile de sortir du sens et de la plénitude, fût-elle polysémique. Difficile de sortir de la présence réinstallée. Tentation d'y inscrire de la motivation et d'y représenter l'être. Le nom de l'auteur se défend bien : il s'impose comme métalangage de lui-même. Mot clé, discours totalisant à lui tout seul, il irradie de sa présence incontournable. « A la limite, je n'aurais pas dû écrire le nom de Maurice Blanchot [35]. » Sans visage, sans biographie trop connue, mais pas sans nom. A écrit ses livres « comme s'ils étaient anonymes ». Mais « d'où vient ce nom : Blanchot [36] ? ». Puisqu'il ne peut venir ou revenir de la société du discours, de la Littérature, de la lecture *publique,* on le fera venir de lui-même, et tant pis si pour un temps on le replace sous l'aile de la présence, de la loi, de la signification : « Nom d'Occident, nom de lumière unie et pâle, celle qui, justement, baigne une écriture où tout est également éclairé, comme dans les rêves. Il y a de l'ironie dans Blanchot. Et du poli, du lisse, du discret, une intransigeante douceur [37]. » Voilà, semble-t-il, une autre manière de poser « un rapport d'équivalence entre le signe et la somme : c'est un artifice de calcul qui fait qu'à prix égal la marchandise condensée est préférable à la marchandise volumineuse [38] ». Figure de la tautologie dans la tautologie comme figure.

Comment esquiver l'affrontement de la figure (revenue), du nom propre (étalé) et du projet d'effacement? « C'est en détruisant les noms, et les remettant en question qu'on arrive à atteindre l'imprononçable du nom de Dieu. S'il est devenu imprononçable, c'est parce que Dieu est devenu invisible, s'est effacé et en s'effaçant a effacé son nom [...] En exil, écrivant *le Livre des questions,* je partais du nom pour arriver à quelque chose d'autre qui n'est plus le nom [39]. » Entre le trop de présence (ce sujet assujetti à la loi de l'autre) et le trop d'absence (ce texte sans sujet), le fifty-fifty de l'anagramme où le nom récupère ses limites, se remotive quelque peu et autorise le retour de l'écrivain légitimé par son nom. Réduire *Edmond Jabès* à ses initiales (à ses origines?) : EJ. Inversion du JE. Le nom comme palindrome. « Si je tourne la tête, L'UN devient NUL et EJ devient JE [40]. » *Noël* ne s'efface-t-il pas lui-même en LÉON, comme JE en EJ, comme le glose à son tour un autre fabuliste [41] qui voudrait bien renvoyer Hermogène et Cratyle dos à dos? Noël : « Un nom qui symbolise l'incarnation de l'Esprit [...]. Un beau nom, qui débute comme un refus, vide comme un sol qui d'un mouvement continu deviendrait fa dièse et s'envole sur l'aile du temps – Fichtre comme vous y allez. » Et voilà pour Cratyle, qui nous refaisait un *Noël* motivé sur le modèle mode-aile de Grindel/grain d'aile/aile-élu-art... Pour cette fable salvatrice, le nom (Noël) et les pseudo-noms (Urbain d'Orlhac, Léon) s'épuisent en miroir, se dénoncent, et rectifient l'existant en nullité : le nom est déjà celui d'un mort : « Le temps a voilé le signe qui voilait la chose. » Le nom comme mythe du nul.

Voici donc le nom pris entre trois figurations possibles : présence, effacement et sens. Trois menaces. Le cratylisme n'énonce pas autre chose que des doublures, des acolytes du sujet *(James de Bond, Demandes Job) :* il farcit au lieu de vider, c'est le regard en coulisse du signifiant. Le lecteur peut-il faire autre chose que reconstruire ce qui a été déconstruit pour mieux être reconstruit? Est-on sorti de la représentation de l'auteur en tant qu'il est celui qui *est* son nom? L'anagramme est-il le tombeau du sens ou sa statue? N'a-t-on pas remplacé une légitimation par une autre?

Le tombeau vide

Cette transsubstantiation magique nous paraît déterminer le projet de figuration sans figure du texte-Blanchot. Si le nom résiste en tant que lieu conflictuel d'un dehors et d'un dedans, d'un plein et d'un vide, suffit-il de le mettre en texte pour que la déréalisation lui advienne et, surtout, pour que l'image de l'écrivain s'abolisse dans l'absence, se vide de tout contenu mythique dans le vide textuel? Autrement dit, le nom de l'auteur et l'auteur lui-même cessent-ils pour autant d'être lus-reconnus comme médiations et figures exemplaires? L'écrivain-« personne » est-il vraiment personne? A-t-il réussi à se débarrasser lui-même de toute figure médiatrice dont il s'autoriserait? N'y a-t-il pas toujours un *autre* devant lequel il *s'efface?* Un auteur sans autorité existe-t-il?

Si la question peut se poser c'est, bien sûr, en relation avec tous les processus d'auto-représentation mis en œuvre par l'écrivain qu'on pourrait désormais appeler « traditionnel ». On sait en effet que la figuration de l'écrivain s'est constituée à partir du XVIIIe siècle, et reproduite jusqu'aux années 1945-1950, à travers la médiation de héros types que l'écrivain s'appropriait pour préciser, légitimer et transmettre sa propre représentation : le clerc, le prêtre, le moine, le soldat, le prophète, le saint, le martyr, l'assassin, le bourreau, le condamné à mort, le combattant, le réfractaire, le révolutionnaire, le malade, le fou, le pater familias, le séducteur, le travailleur, l'ouvrier, le comédien, etc. Que la pratique littéraire soit amenée, au moment où elle tente de se constituer une autonomie, à chercher en dehors d'elle ses garants et ses totems, signale sans doute une crise des donateurs d'autorité sur laquelle nous aurons à revenir. Mais dans la mesure où il se constitue dans l'effacement de ces médiations traditionnelles, le discours-Blanchot renonce-t-il pour autant à toute médiation? Est-il définitivement débarrassé des missions et des messianismes qui autorisaient l'Homme de lettres philosophe dans sa relation à la Vérité ou le poète-prophète romantique dans sa relation à l'Écriture [42]? Nous voudrions suggérer qu'il n'en est rien et que le discours-Blanchot fonde dans sa pratique scripturaire même, par médiation interne, l'épiphanie de son propre modèle fondateur.

La métaphore récurrente du *tombeau vide* signale que le Christ est le véritable héros où s'origine et se médiatise dans l'écriture cette nouvelle figure de l'écrivain.

« Vous savez, il n'y a personne [43] » : parole réitérée redoublant la parole de l'Ange aux femmes venues constater la présence du cadavre au tombeau : « Il n'est pas ici, car il est ressuscité comme il l'avait dit [44]. » L'ange à l'œuvre dans le discours-Blanchot, celui qui délivre le message, est en même temps celui qui le réalise constamment, ou prétend le réaliser, dans la parole même. L'écrivain-Christ accomplit sa propre disparition, conjointement à celle de la chose, du monde, de l'autre, de la bibliothèque et de toutes les figures de la présence, dans l'acte élocutoire et lui seul. Comme l'a montré Louis Marin, la disparition du Christ est un énoncé. Elle se produit de « la substitution au référent à constater du discours, d'un message comme signe à croire [45] ». L'ange est ici le véritable *auteur* de la disparition du corps christique, mais alors que dans le discours évangélique ils sont deux, le discours-Blanchot comme énoncé performatif réalise l'unité de l'ange et du Christ, de celui qui dit et de celui qui s'efface. De même que, dans l'Évangile, « seul un discours spécifique [...] a le pouvoir d'aller au-delà du simple regard et de désigner comme “ vide ” la place du cadavre [46] », de même le discours-Blanchot, en s'imposant comme la double représentation interne du crucifié au tombeau et de celui qui fait sa disparition en la disant, s'approprie le nouveau pouvoir d'une parole qui récuse tout constat, toute « vue » ou perspective, qui a la capacité de faire le vide en tant que parole productrice de « ce lieu du discours où la référence du texte s'annihile dans son autre qui est le texte [47] », constituant *in fine* la représentation de l'écrivain en locuteur évangélique, metteur en scène de croyances et voué sous peine de non-reconnaissance à la récitation de l'événement qui le fonde. Appuyé sur le modèle fondateur de l'ange redoublé par celui de l'évangéliste, il pourra ainsi affirmer l'identité transhistorique du vivre et de l'écrire, puisque c'est la mort « qui s'institue dans une profération verbale où le verbe réitéré redit une absence, se donne comme substitut d'un corps disparu [48] ». C'est bien à la figure du Christ absent que renvoie, par exemple, cette épiphanie de l'anonyme : (ces paroles) « en moi, désirent s'inscrire comme pour me permettre de lire sur moi-même comme sur ma tombe le mot de la fin, et il est vrai que, pendant ces moments nocturnes, j'ai le sentiment de pouvoir ainsi me lire, lire dangereusement, bien au-delà de moi, jusqu'à ce point où je ne suis plus là, mais quelqu'un est là [49] ». Et, plus loin : « Paroles de la profondeur vide, qui vous a appelées? Pourquoi m'êtes-vous devenues manifestes [50]? »

L'écrivain-Christ accède ici à son statut d'*angélisme* grâce auquel il assure sa figuration en *Il*, c'est-à-dire : la transformation élocutoire du nom en pro-nom : « Si j'écris il, le dénonçant plutôt que l'indiquant, je sais au moins que [...] c'est moi qui, à partir de là, entre dans le rapport où " je " accepte de se figer dans une identité de diction ou de fonction, afin que puisse s'exercer le jeu d'écriture dont il soit alors le partenaire et (en même temps) le produit ou le don [...], déplacement qui manque d'emplacement et à tout emplacement [51]. » Cette stratégie du Il est une des évidences auto-glosées du discours-Blanchot. Tout récit s'inaugure de la mise en scène d'un couple je/il et s'achève de la dévoration du premier notée par « je ». « Dès qu'il me fut donné d'user de ce mot, j'exprimai ce que j'avais dû toujours penser de lui : Qu'il était le dernier homme [52]. » Le Il marque l'espacement entre le nom de l'auteur sur le titre et le « je » qui s'y substitue; il figure cet espacement comme objet de désir, mise en fascination, programmation de la lecture comme épreuve de cette distance. Il est remarquable que ce lieu du vide soit aussi le lieu d'une sorte de remplissage, le discours-Blanchot se constituant de la déclinaison des qualités du *Il*. Ainsi, dans le Dernier homme : « n'existant pas toujours, pas encore » (p. 8), « ne s'adressant à personne » (p. 9), « ne paraissant presque rien » (p. 9), « n'étant rien » (p. 32), « Mort, puis mourant » (p. 11), « être qui n'aurait pas besoin de justification » (p. 13), entretenant « un certain vide que l'on ne désirait pas combler » (p. 19), « entièrement oublié » (p. 24), « nous entourant du sentiment de son absence » (p. 49), invitant « à penser que sa vie avait été sans événements » (p. 30), « présence [...] comme sans nous, sans notre monde » (p. 53), « vous ne savez pas qui il est » (p. 96), etc. Le *Il* se trame ici à la manière du *id, hoc, illud* dans le discours de Port-Royal [53], où ses capacités grammaticales lui donnent accès à une sorte de méta-grammaticalité. Comme le neutre latin, *Il* ouvre sur une indétermination majeure comme signe d'une origine qui serait sans origine (sans sujet), car le pronom neutre « n'est pas un simple remplacement [...], il y a en plus le voilement du signifié suppléé, voilement [...] qui institue ainsi, par un simple jeu du signifiant, une fissure dans les équivalences représentatives [54] ». Si bien que l'autoportrait en *Il* de cet écrivain-Christ pourrait trouver sa mise en abyme dans le *hoc est corpus meum* où l'anonymat et l'impersonnel (*hoc* quittant son emploi de déictique : cette chose, ce pain, pour se recycler dans la production du neutre pur) viennent au corps du sujet par le discours et par lui seul [55]. Il conviendrait donc de prendre le discours du neutre comme une rhétorique de la neutralisation dont l'enjeu ne serait pas « la mort du sujet », mais, on y reviendra, le gain d'une autorité nouvelle pour l'écrivain. Étudier de quelle manière les « opérateurs d'écriture [56] » miment le non-pouvoir, le non-lieu, pour dessaisir l'écrivain de ses représentations traditionnelles dans « un babil qui défait le sens dans la rumeur [57] », simulant la réduction du sujet idéologique et persuadant qu'a été empêché « le repli du récit sur le Nom [58] ».

Le rapport de l'énonciation à la disparition (« écrire, mourir sont en rapport », *le Pas au-delà,* p. 143) suppose un lieu privilégié : la chambre, à la fois espace de l'écriture et de la clôture, espace mortuaire. Lieu aussi proche que possible du non-lieu, de l'atopie. Les dernières pages du *Très-Haut* mettent en scène le sacre du héros double, Christ-Évangéliste, dans sa chambre tombeau. La parole sacralisante de l'assassin (« A présent, je puis dire : il est venu, il a existé devant moi, il est là ») est transférée à la dernière ligne au héros assassiné à qui la mort confère à la fois la parole et le droit à la parole en tant que réalisation de la mort même :

> Lentement, l'arme se redressa [...]. Brusquement son visage se figea, et son bras se détendit avec une telle violence que je sautai contre la cloison en criant :
> – Maintenant, c'est maintenant que je parle [59].

Parole subite qui n'est rien d'autre que l'épiphanie de la tautologie. En devenant l'évangéliste de sa disparition, le scribe transforme son lieu de travail en mausolée, lequel n'est encore que ce qu'il a toujours été, l'écriture même et son format quadrangulaire :

> Elle regardait [...] dans la direction de la table sur laquelle il y avait des pages écrites, plus loin c'était le mur, plus loin

d'autres chambres, toutes semblables, plus ou moins grandes [...] [60].

Le traditionnel espace emblématique de l'écrivain : son bureau, l'espace mythique par excellence de sa représentation sociale (cf. l'iconographie de la collection « Poètes d'aujourd'hui », les numéros d'hommages de la *NRF*, etc.), se conserve et se déshistoricise en même temps, alors qu'il devient représentation de l'écriture-absence. Le voici ailleurs [61], lieu « aussi clos que possible » : fenêtre « qui ne donne sur rien », porte condamnée, « une grande pauvreté spatiale ». Retour du monastique, de l'idéologie du poète-moine et de l'écrivain-reclus propre à la *NRF* : « J'imagine volontiers la littérature comme un ordre », écrit Marcel Arland dans le n° 1 de la *NNRF*, en janvier 1953. Espace non seulement absent, mais anguleux, minéral : « un fragment de planète morte », pour cet écrivain que ne viendrait « justifier aucune foi : ni en la fonction cathartique de l'écriture, ni en sa mission sociale, ni dans le génie du scripteur [62] ». La bibliothèque elle-même est frappée de nullité : son ordonnance scrupuleuse la détache du monde et en fait l'image du cimetière. Jamais lus, ou lus une fois pour toutes, les livres sont renvoyés au désœuvrement : « Tout porte à croire que malgré son inutilité, ou peut-être dans son inutilité, cette bibliothèque joue un rôle important, voire indispensable [63]. » Le jeu métonymique (la chambre, la bibliothèque *pour* l'écrivain) se parachève dans la table d'écriture : « de cuisine », d'une « indéniable laideur », à quoi se reconnaît qu'elle est « lieu et instrument de l'activité la plus absurde et la plus vaine qui se puisse imaginer », avant de s'accomplir dans l'apparition du « scripteur » sans nom, car « à la table d'écriture ne peut être convié que l'anonyme [64] ». Le narrateur-scribe de *Celui qui ne m'accompagnait pas* identifie la salle, la table, le papier et l'espace vide entre eux à ce lieu « où je m'étais dit que devait se situer la fin [65] ». L'expérience ultime est là encore celle de la circulation métonymique du vide : « cette petite pièce [...] vide à un degré exaltant », vide exalté par les objets du scribe (divan, table, chaise), de sorte que la pièce est « aussi attirante que si tout le mouvement de l'espace s'y fût concentré pour en faire un commencement brûlant, le lieu d'une rencontre où il n'y avait personne et où je n'étais pas moi-même [...]. C'est là l'espace libre, me disais-je, le vaste pays : ici je travaille. L'idée que je vivais ici – que j'y travaillais – signifiait, il est vrai, que je n'y étais en ce moment que comme une image, le reflet d'un instant solitaire glissant à travers l'immobilité du temps [66] ». Circularité du vide dans l'espace scénique de l'écriture peuplé des seuls évangélistes occupés à « la narration impérieuse » de ce qui n'est plus descriptible (la plupart des récits de Blanchot se jouent de cette injonction : décrivez! – et de la réponse inévitable : je ne saurais décrire, parce que « je » ne saurais écrire... [67]), à savoir la disparition du Christ qu'ils sont [68] dans l'équivalence enfin formulée du tombeau, du corps et du signe [69].

Christ, l'écrivain l'est encore par sa soumission au modèle de la Passion. Il n'y a pas de catharsis ni de dépassement de la contingence dans l'écriture selon Blanchot. La loi du langage comme négativité est indépassable : toute affirmation, toute graphie est effacement et creusement puisque la possibilité de parler est liée à « une impossibilité qui en devient comme la condition [70] ». L'écrivain crucifié ne se sauve pas puisque le tombeau comme la croix lui sont nécessaires *en tant qu'écrivain :* il s'est donné l'absence comme forme et l'échec comme contenu. Le concept de *répétition* cher au discours-Blanchot pourrait bien indiquer une analogie entre d'une part la répétition de la mort du Christ et la scène du tombeau vide dans la dramaturgie sacrée, la répétition d'autre part en tant qu'effet-textuel, et enfin l'éternelle négativité redite du discours [71]. Par la parole de son malheur, égale au malheur de la parole, l'écrivain « souffre autant sinon plus de son nouveau malheur que de son malheur antérieur, souffre d'un malheur renouvelé dans l'ordre du non-être de la parole, du néant qui s'y manifeste [72] ». L'écriture fournit ainsi à l'écrivain « l'expression achevée, parce qu'inachevable, du malheur [...], la figure de l'absolu néant se ressaisissant lui-même dans la reduplication d'un malheur produit et non plus subi [73] ».

Le couple Christ-évangéliste trouve enfin son redoublement fondateur dans le couple Lazare-Christ, où c'est cette fois le Christ qui fait fonction d'évangéliste. En prononçant la parole *Lazare, veni foras,* l'écrivain-dieu assure une fois de plus sa capacité de réaliser performativement la mort du sujet. Lazare mort, cadavre réel, n'est encore qu'une biographie interrompue, une référence, une histoire. C'est la parole du Christ qui lui confère la mort véritable par le coup de grâce du verbe. « *Lazare, veni foras* a fait sortir l'obscure réalité cadavérique de son fond original, et, en échange, ne lui a donné que la vie de l'esprit [74]. » L'écrivain a donc le pouvoir de tuer le mort lui-même, non pour le « ressusciter » mais pour lui donner la réalité hors-temps et hors-espace de « l'absente de tout bouquet [75] ». Ce pouvoir exorbitant n'est pas loin, semble-t-il, de constituer le cliché par excellence de la divinisation de l'écrivain depuis que, de Chateaubriand en Flaubert, il se doit de jouer son rôle éminent (si cette absence nous dépasse, feignons d'en être l'organisateur) dans le « grand désert d'hommes ».

Or, ce mythe fondateur est aussi celui qui fonde spéculairement l'activité du lecteur. Celui-ci va finalement devenir le Christ-évangéliste du livre-Lazare. Lire, c'est parachever l'atopie à l'œuvre dans l'œuvre, réaliser, par l'acte en quelque sorte lui-même performatif de la lecture, le vide du tombeau, la métamorphose du livre (nommé) en l'œuvre (innommable) : lire *fait* le vide. « Faire tomber cette pierre (celle qui dissimule l'œuvre dans le livre) semble la mission de la lecture [...] [76]. » Le « miracle de la lecture » ne consiste donc pas à rappeler Lazare au monde, au sens ou à l'Histoire, mais au contraire à « animer » le « vide cadavérique [77] », à le constituer définitivement comme aboli alors même qu'on constituera l'écrivain en l'anonyme définitif que l'œuvre avait déjà quasi totalement effacé. On reconnaît ici l'acmé du discours tautologique et l'épanouissement de la nouvelle figure. Et l'on comprend que le rite constitutif de ce discours soit la récitation des textes évangéliques (Kafka, Mallarmé, Rilke, Blanchot lui-même, etc.), c'est-à-dire la liturgie par laquelle le prêtre reçoit les marques de sa distinction. Comme le sacrifiant abolit son nom et sa présence réelle dans le discours par lequel il produit et reproduit la disparition du corps du Christ, se donnant ainsi lui-même comme image médiatrice de l'absence, représentation de l'irreprésentable, l'écrivain assure sa différence et sa nouvelle maîtrise, sa « suprématie imaginaire sur les choses mais dans la constante dépendance de son travail d'anéantissement [78] », de la récitation autarcique du message devenu unique objet de référence. Prêtre, prophète ou radoteur, il s'annonce au lecteur-fidèle comme le champion moderne de la dénégation, et le recours ultime.

Un nouveau statut

C'est alors aussi qu'on peut assister au retour du nom comme figure décapée ou décapitée de l'écrivain, avec assurance d'un statut sans statut :

> Je me nomme, c'est comme si je prononçais mon chant funèbre : je me sépare de moi-même, je ne suis plus ma présence, ni ma réalité, mais une présence, objective, impersonnelle, celle de mon nom, qui me dépasse et dont l'immobilité pétrifiée fait exactement pour moi l'office d'*une pierre tombale pesant sur le vide* [79].

Le nom de l'écrivain, celui de Kafka par exemple, est restitué au-dehors comme forme pure du vide qui désormais le constitue :

« Kafka mort est intimement responsable de la survie dont Brod a été l'instigateur obstiné [80]. » La mort réelle, qui fait qu'un écrivain « reçoit de sa disparition une énergie nouvelle et l'éclat de la renommée », n'est plus alors que la caricature à la fois prospective et rétrospective de la mort à l'œuvre dans l'œuvre : « Mort l'auteur, l'œuvre paraît vivre de cette mort » : c'est l'épiphanie de « l'éternelle tombe vide [81] ». C'est pourquoi, lorsque Sartre dans son avant-propos au *Traître* d'André Gorz se réjouit que celui-ci, après avoir vaincu « la terreur d'être identifiée [82] », puisse récupérer son nom propre dans un « je suis Gorz » où s'énonce le sujet victorieux, Blanchot se refuse à se laisser persuader par cette « fin heureuse » à ses yeux trop « édifiante » [83]. La mort ni l'œuvre n'ont à sacrer l'ego (ce que pourtant elles se sont donné le pouvoir de faire en déléguant une part de leur dehors aux institutions), mais à assurer la coïncidence de l'écrivain et du non-être : la mort, note Blanchot à propos de Kafka, « se préparait à le changer tout entier en écrivain – Quelque chose qui n'existe pas [84] ».

Ce sacre du vide, ce sacre de l'écrivain en vide par le vide, Blanchot lui donne un nom bien connu dans les belles-lettres et leurs institutions les plus mondaines : *la gloire.* Mais de quelle gloire s'agit-il si les belles-lettres sont récusées, la bibliothèque abolie et si l'écrivain n'existe pour personne?

La question de la gloire pose le problème des donateurs de gloire : la gloire est toujours énoncée par des discours produits dans une « société de discours » par des sujets *autorisés* (le plus souvent l'écrivain lui-même est le premier et le plus efficace de ces *auteurs* de gloire). La gloire est la donation de l'autorité par l'autorité, l'effacement, soit contemporain, soit rétrospectif, de l'*arbitraire du signataire,* sa justification et celle de son discours.

Ce logos de la gloire, c'est-à-dire le passage du nom au mythe, est analysé par Blanchot dans *l'Entretien infini :* « Seul compte, seul importe le héros dans la plénitude du nom [...]. Il n'y a de héros que dans et par la parole [...]. Le héros, l'homme actif par excellence, ne doit son être qu'au langage. » La parole célébratrice, répétitrice, ré-citante, est ce qui « lui accorde ce pouvoir de redondance qui vient du nom et se déploie dans la renommée, cette rumeur de gloire qui accompagnent le nom [85] ». C'est en quelque sorte la gloire classique, anthropologique, celle dont l'écrivain a finalement dépossédé le héros pour s'en faire le propre bénéficiaire dans le siècle et les siècles : « L'immortalité, l'artiste y prétend à son tour, non plus indirectement, mais directement [...], dans la manifestation d'une quasi-présence qui, dans l'histoire même, croit représenter des possibilités plus qu'historiques [86]. » Les donateurs de gloire qui traditionnellement renvoyaient à l'homme de lettres la gloire dont il s'était fait lui-même le donateur – le monarque, le protecteur, la classe dominante : gloire qui garde « le caractère quasi féodal des relations d'homme à homme [87] » – s'effacent alors même que l'écrivain entre dans une relation à la fois plus directe et plus indécise avec cette nouvelle instance de légitimation qui commence seulement à se procurer les institutions de l'adoubement (académies, presse, expositions) et ses pratiques (éloges, célébrations, correspondances, interviews, etc.) [88] : le public des lecteurs [89]. « A ce moment, écrit Blanchot, l'on voit les candidats héros hésiter entre écrire et dominer [...]. Mais comme deux sûretés valent mieux qu'une, ils se font leur propre héraut, se pourvoient d'une légende et veulent faire de chacune de leur parole un exploit [90]. »

Mais là aussi « la littérature s'est retirée [91] ». Retirée parce que les nouveaux donateurs de gloire (l'institution littéraire, le journalisme, l'école, etc) sont ceux-là mêmes qui détiennent le pouvoir du langage de communication dont l'écrivain a décidé de s'absenter (absentéisme qui le constitue tel) : ils sont du mauvais côté du langage, du côté de l'instrument, et il ne peut donc que les disqualifier (fût-ce théoriquement) en tant que légitimeurs. L'écrivain ne peut dès lors pas plus s'autoriser lui-même selon le pacte autographique courant (je suis la garantie de ma vérité, de mon savoir, de mon texte, il n'est pas arbitraire puisque c'est moi qui le vis-écris), ce qui serait se livrer pieds et poings liés à l'idéologie du sujet, de la paternité, de la représentation (je représente mon texte, j'en suis aussi le VRP) qui précisément le condamne (ou qu'il condamne en se condamnant à être condamné par elle : il ne trouve plus en lui le principe d'autorité qu'il conteste hors de lui), qu'il ne peut s'autoriser d'une légitimité qui lui serait tout extérieure, d'un rapport immédiat à la Vérité ou du sacrifice qu'il ferait en lui de « la parole qui lui est propre » pour « donner voix à l'universel [92] ». Comme dit Blanchot, « le livre [...] n'a pas sa garantie dans le monde [93] ». Mais alors, où?

Il n'est peut-être pas inutile de rappeler que les textes-Blanchot insérés sans date, rature glorifiante, ni lieu d'origine, dans *l'Espace littéraire* (1935) et *le Livre à venir* (1959), ont été publiés à partir de janvier 1953 dans la *NNRF*, date et lieu qui marquent le départ d'une remise en question de la figure et des fonctions de l'écrivain telles qu'elles étaient sorties des pratiques d'écriture de la Résistance, des débats suscités au CNE et au-dehors par l'épuration littéraire des positions de Sartre dans *les Temps modernes*, etc. [94]. Dans les revues qui naissent ou renaissent en 1953 (*NNRF*, *Lettres nouvelles*, *la Parisienne,* etc.), l'enjeu, selon des modalités différentes, est le même : redistribuer les rôles, redéfinir une nouvelle *littérarité* de la littérature, retirer à l'écrivain les garanties de légitimation qu'il avait cru trouver dans l'Histoire, le Peuple, la Révolution. Porte-parole de l'humanité souffrante et sauvée, l'écrivain martyr et prophète avait pris l'habitude de s'abolir spéculairement dans la voix unanime et impersonnelle de l'Histoire, abolition par laquelle il était censé assurer le passage de « l'horizon d'un seul à l'horizon de tous [95] ». Mais la République des lettres, dont la guerre et l'Occupation avaient permis de réactiver le fantasme, a de nouveau éclaté : les écrivains se reconnaissent brusquement comme divisés, en même temps qu'ils reconnaissent la nécessité d'un nouveau consensus. Le vacillement des instances traditionnelles de consécration et d'autorisation (académies, université, critique journalistique), sous la pression des débats idéologiques, libère pour un temps le champ intellectuel de ses structures, tandis que la commercialisation de plus en plus poussée de la production littéraire conduit l'écrivain, marginalisé par sa fidélité même à l'idéologie littéraire, à trouver dans cette illégitimité le principe même de son autorité. Le concept d'*écriture* tend ainsi à prendre le relais de celui d'*universel,* encore vivace dans l'idéologie poétique qui, unissant chrétiens et marxistes, confortait le poète dans sa position de frère différent/semblable, solitaire/solidaire de tous les hommes. En fait, l'*écriture* (la *neutralisation* scripturaire) ne s'oppose pas à l'*universel :* elle le récupère [96]. L'écriture selon Blanchot est comme la garantie d'une communication généralisée sans intermédiaire (ni auteur, ni lecteur), qui assure le remplacement de la foi unanimiste par la mystique utopiste et ne se réalise si parfaitement à travers l'écriture que parce qu'elle était d'abord en elle : « La communication de l'œuvre n'est pas dans le fait qu'elle est devenue communicable, par la lecture à un lecteur. L'œuvre est elle-même communication [...] [97]. »

Si bien que la problématique de la gloire chez Blanchot n'est là que pour manifester *in fine* la réussite du projet initial : s'autoriser d'une autorité perdue. En désignant la place de l'idéologie et des représentations comme vacante (mais si elle est vacante, elle devient à prendre), la gloire blanchotienne liquide les postures du sujet en lui imposant une transcendance en creux : elle est l'aveuglement de la figure par l'éblouissement de la tombe vide. Le procès de la gloire et l'efficace du mot-absence sont en effet inclusifs : l'oubli devient le rayonnement, l'absence du sujet dans la nomination se renverse en épiphanie glorieuse du nom, la thanatographie en calligraphie :

> C'est un homme, un étranger, un homme gravement malade [...]. Il me semble être entièrement oublié. Cet oubli est l'élément que je respire quand je passe dans le couloir. Je devine pourquoi lorsqu'il revenait pour prendre ses repas avec nous il nous étonnait par son *doux visage effacé,* qui n'était pas terne, *mais au contraire rayonnant, d'une presque invisibilité rayonnante* [98].

Ce rayonnement de l'invisible a déjà son histoire. J'ai esquissé, à propos d'Apollinaire et du *Poète assassiné,* la fiction du passage de la gloire classique devenue problématique, celle qui vient *au* nom du dehors, à la gloire-fleur, celle qui vient *du* nom, dans un temps où les États prennent « des mesures contre le nom même du poète [99] ». *Le Poète assassiné* peut être lu comme le mythe pré-blanchotien de la néo-figuration du poète. Si « la gloire de Croniamantal est aujourd'hui universelle [100] », c'est parce que le nom de *Croniamantal* (qui n'est pas un nom, mais déjà un re-nom) est vibratoirement équivalent à l'abolition en lui de tout référent : dans *Croniamantal,* il n'y a rien.

Même coup de force stratégique chez Blanchot où la renommée est liée à la dé-nomination, telle qu'elle se réalise dans l'indétermination mythique de ce que Blanchot appelle « le public », donateur absent par excellence, donateur parce qu'absent : « Dans le public [...] il n'y a de place pour aucune personne déterminée, et pas davantage pour des structures sociales déterminées, famille, groupe, classe, notion. Personne n'en fait partie, et non seulement le monde humain, mais tous les mondes, toutes choses et nulle chose : les autres [101]. » L'avantage de cette institution sans statut dont l'écrivain s'autorise est évident puisque la question n'est plus : qu'est-ce qui hors du texte le rend digne d'être signé?, mais : qu'est-ce qui dans le texte le rend digne de ne pas être signé? La réponse se trouve dans la « rumeur », figure de l'abolition du lecteur en tant que sujet idéologique donateur d'autorité, la « rumeur » qui est la même instance légitimante au-dehors et au-dedans du texte dans la mesure où elle redouble le *neutre* du langage : « Le lecteur et l'auteur participent, l'un à une entente neutre, l'autre à une parole neutre [102]. » Ou encore : publier « appartient à l'œuvre, comme un souvenir du mouvement d'où elle vient [103] ». Il n'est jusqu'à « la satisfaction qu'à peu d'exception près l'écrivain ne manque pas d'éprouver en recevant un prix qui souvent *ne représente rien* » (je souligne), qui ne puisse s'expliquer par « le fort besoin de cette communication d'avant la communication qui est l'entente publique, par l'appel de cette rumeur profonde, superficielle, où tout se tient [104] ». Soit. Mais ainsi ajusté à la rhétorique sociale de la rumeur, de la répétition, du cliché et du stéréotype, figure à chaque instant de la déliaison textuelle comme nom de rien, l'écrivain n'a peut-être jamais été aussi exhibé. Devenu l'Érostrate du signe-absence [105] qui trouve dans le discours social de la rumeur la représentation de sa propre mise entre guillemets et en italique, il a toujours la possibilité de « fuguer dans le presque anonymat d'une aura redoutable [106] » que la bibliothèque attend toujours, comme le pot attend la fleur.

Ce déplacement-enfouissement du donateur d'autorité aura au moins permis l'émergence d'une nouvelle figure de l'intellectuel-écrivain. Ne se définissant plus par rapport à « sa double situation de héraut de la vérité et de la justice et d'individu maudit rejeté dans les marges de la société [107] », il n'en fonde pas moins une nouvelle représentation où, bien loin de disparaître, l'idéologie règne en maître dans la mesure où elle énonce comme nouvelle vérité le combat mythique entre le signe-trou et la plénitude étatique [108]. Affirmant avec insistance son « non-savoir » [109] et son « non-pouvoir », l'écrivain s'invente une nouvelle mission qui serait celle de contester graphiquement le « langage-moyen », les « significations interchangeables », « l'indifférence, l'insignifiance surtout de la parole eudémoniste de notre culture [110] ». Fonction qui est « la non-fonction de l'écrivain [111] » : « Écrire est une activité qui, dans le système, échappe à la loi du système et la contredit [112]. » Cette exclusion fantasmatique de la fonction sociale rend possible la distinction idéologique de l'*écrivain* et de l'*auteur* : d'un côté ce « monstre à plusieurs faces et souvent sans visage, ce juste traître [113] », de l'autre celui qui publie, « quelqu'un dont la réalité sociale va être définie par la place qu'il occupera sur le marché spécifique de la non-fonction [114] ». Ce déplacement de la représentation dans l'invention d'un nouveau statut n'est pas la moindre *performance* du discours en question.

Notes

1. Pierre Bourdieu, « Champ intellectuel et projet créateur », *Temps modernes*, novembre 1966, p. 882.

2. Cf. Jean-Marie Goulemot, *Pourquoi écrire? Devoir et plaisir dans l'écriture de Jean-Jacques Rousseau*, Colloque Rousseau-Voltaire, Columbia University.

3. *L'Entretien infini*, Paris, Gallimard, 1969.
4. *Ibid.*, p. 628.
5. *Ibid.*, p. 629.
6. *Ibid.*
7. Cf. Maurice Blanchot, *Le Livre à venir*, Paris, Gallimard, coll. « Idées », p. 333, et *passim*.
8. F. Gaillard, « La liquidation de l'héritage kantien », *RSH*, 165, p. 67.
9. Ch. Grivel, *Production de l'intérêt romanesque*, Paris, Mouton, 1973, p. 130-131.
10. J. Derrida, *Francis Ponge*, Colloque de Cerisy, p. 124.
11. Gilles Deleuze, *Dialogues*, Paris, Flammarion, 1977, p. 13.
12. Roland Barthes, *Mythologies*, Paris, Éditions du Seuil, coll. « Points », p. 201.
13. Barthes, *op. cit.*, p. 216.
14. M. Blanchot, *Le Pas au-delà*, Paris, Gallimard, 1973, p. 22.
15. *Ibid.*
16. *Ibid.*, p. 53.
17. J.-L. Nancy, dans *Misère de la littérature*, Paris, Bourgois, 1978, p. 83.
18. Blanchot, *Le Pas au-delà*, *op. cit.*, p. 52.
19. *Ibid.*, p. 53.
20. J. Derrida, *op. cit.*, p. 134.
21. Blanchot, *op. cit.*, p. 54.
22. B. Noël, *Treize Cases du Je*, Paris, Flammarion, 1975, p. 281.
23. J. Sojcher, *Un roman*, Paris, Flammarion, 1978.
24. M. Bénézet, « Ce qui reste... », dans *Misère de la littérature*, Paris, Bourgois, 1978, p. 19.
25. J. Sojcher, *op. cit.*, p. 87.
26. Luce Irigaray, « Négation et transformation négative dans le langage des schizophrènes », *Langages*, mars 1967, p. 98.
27. J. Sojcher, *Un roman*, *op. cit.*
28. B. Noël, *Treize Cases*, *op. cit.*, p. 31.
29. *Ibid.*, p. 30-31.
30. Cf. B. Noël, *Le Lieu des signes*, Paris, Pauvert, 1971 : « Devenir mot, c'était donc échanger la mort brutale contre une désagrégation lente, en vérité n'en pas finir de mourir » (p. 154). Ou encore : « Même le mot mourir doit mourir » (*ibid.*, p. 148).
31. « Tant de différences dans le blanc [...]. Blanc liquide, poudre blanche. Combien de degrés dans le blanc. Du blanc glacial des sommets au blanc chaud du feuillet gardé en réserve pour son nom » *(ibid.)*.
32. B. Noël, *Deux Lectures de Maurice Blanchot*, Paris, Fata Morgana, 1973, p. 19.
33. B. Noël, *Treize Cases*, *op. cit.*, p. 281.
34. *Ibid.*, p. 27.
35. B. Noël, *Deux Lectures*, *op. cit.*, p. 14.
36. *Ibid.*, p. 20.
37. *Ibid.*, p. 21.

38. R. Barthes, *S/Z*, Paris, Éditions du Seuil, coll. « Points », p. 101.

39. E. Jabès, interview, *Les Nouvelles littéraires*, 25 mai 1978.

40. B. Noël, *Treize Cases, op. cit.*, p. 271.

41. J. Frémon, « Fable », dans *Givre*, numéro d'hommage à Bernard Noël, 2/3, p. 5-9.

42. Nous renvoyons ici aux travaux de Paul Bénichou : *Le Sacre de l'écrivain, 1750-1830*, Paris, Corti, 1973, et *Le Temps des prophètes*, Paris, Gallimard, 1977, dont la problématique nous paraît digne d'être poursuivie jusqu'aujourd'hui.

43. M. Blanchot, *Celui qui ne m'accompagnait pas*, Paris, Gallimard, 1953, p. 65.

44. *Évangile selon saint Matthieu* 28,6.

45. « Les femmes au tombeau », *Langages* nº 22, p. 47.

46. J.-M. Labadie, « Le Tombeau vide », *Nouvelle Revue de psychanalyse*, Paris, Gallimard, printemps 1975, nº 11.

47. Louis Marin, *Utopiques, jeux d'espaces*, Paris, Éditions de Minuit, 1973, p. 115.

48. Louis Marin, *La Critique du discours*, Éditions de Minuit, 1975, p. 126.

49. Blanchot, *Celui qui ne m'accompagnait pas, op. cit.*, p. 138-139.

50. *Ibid.*, p. 139.

51. *Le Pas au-delà, op. cit.*, p. 11. Cf. encore : « Il, un mot de trop [...], soit le rapport de l'écriture à l'écriture, lorsque celle-ci s'indique au bord d'elle-même » (p. 14).

52. *Le Dernier Homme*, p. 7. Cf. aussi *Celui qui ne m'accompagnait pas*, p. 7, *Au moment voulu*, p. 7, etc.

53. Louis Marin, *Critique du discours, op. cit.*

54. *Ibid.*, p. 176.

55. *Ibid.*, p. 288 et sq.

56. D. Wilhelm, *Maurice Blanchot : la voix narrative*, Paris, UGE, coll. « 10/18 », p. 259.

57. *Ibid.*, p. 261.

58. *Ibid.*, p. 162. Le récit blanchotien est en effet assuré dans son effet d'incertitude par des opérateurs lexicaux que la narration aurait pour fonction d'abolir par répétition, dissémination, écho, dérive, etc. « Il multiplie le signe par lui-même, il le nombre » (*ibid.*, p. 268). Rites textuels auxquels il faudrait ajouter l'exhibition de la tournure négative et des figures-ratures telles que « Elle ne pouvait parler, et pourtant elle parlait » (*Thomas l'obscur*, Paris, Gallimard, 1950, p. 77).

59. *Le Très-Haut*, Paris, Gallimard, 1978, p. 243.

60. *Le Dernier Homme, op. cit.*, p. 34.

61. Claude Louis-Combet, *L'Enfance du verbe*, Paris, Flammarion, 1975.

62. *Ibid.*, p. 113.

63. *Ibid.*, p. 117.

64. *Ibid.*, p. 119-120.

65. *Ibid.*, p. 70.

66. *Ibid.*, p. 53-54.

67. « Ce qui m'empêchait de la décrire, de la maintenir fermement dans une

description, je ne le saisissais pas. [...] Pourquoi décrire? lui dis-je. Il n'y a rien à décrire, il n'y a presque plus rien » (*Celui qui ne m'accompagnait pas, op. cit.*, p. 100-113).

68. « Là près de la table, dont je voyais la surface tourner, elle aussi, avec la légèreté d'un mouvement vide, et celui qui se trouvait là, peut-être était-il en train d'écrire, et moi-même je m'appuyais sur lui, sur moi quelqu'un d'autre, sur celui-ci quelqu'un : à l'autre bout de la chaîne, c'était encore cette salle et cette table. J'étais sans appui contre un tel infini, sans force contre le vide que la question ouvrait et fermait sans relâche, de sorte que je ne pouvais même pas y tomber » (*ibid.*, p. 78).

69. Cf. H. Meschonnic, « Fonctionnement du sacré dans le signe chez Hegel », dans *Le Signe et le Poème*, Paris, Gallimard, 1975, p. 110-122.

70. M. Blanchot, *La Part du feu*, Paris, Gallimard, 1975, p. 77.

71. Cf. Pierre Verstraeten, *Violence et Éthique*, Paris, Gallimard, 1972.

72. *Ibid.*, p. 427.

73. *Ibid.*, p. 428-429.

74. M. Blanchot, *La Part du feu, op. cit.*, p. 329.

75. Tuer et mourir sont, on le voit, équivalents. Sur ce supplément de mort, cf. *Le Pas au-delà, op. cit.*, p. 144 : « [...] comme si, écrivant, nous avions à mourir supplémentairement, et plus injustifiés [..]. »

76. M. Blanchot, *L'Espace littéraire*, Paris, Gallimard, coll. « Idées », p. 259.

77. *Ibid.*

78. P. Verstraeten, *op. cit.*, p. 432.

79. M. Blanchot, *La Part du feu, op. cit.*, p. 386-387. Nous soulignons.

80. M. Blanchot, *l'Amitié*, Paris, Gallimard, 1971, p. 273.

81. M. Blanchot, *Le Pas au-delà, op. cit.*, p. 122.

82. *L'Amitié, op. cit.*, p. 241.

83. *Ibid.*, p. 242.

84. *Ibid*, p. 299.

85. *L'Entretien infini, op. cit.*, p. 544.

86. *Ibid*, p. 555.

87. J.-P. Sartre, *Qu'est-ce que la littérature?*, Paris, Gallimard, 1964, p. 147. Esquisse inévitable, décisive, de toute future histoire de la gloire littéraire. Voir également Françoise Joukovsky, *La Gloire dans la poésie française et néolatine du XVIe siècle*, Paris, Droz, 1969.

88. Remarquons toutefois que l'interview du « grand écrivain » est devenue un rite initiatique de transformation du quidam-écrivant en écrivain. L'écriture doit être redoublée et justifiée par les marques de son « origine » pour pouvoir s'ancrer dans le système des valeurs véhiculées par le code « littérature ».

89. Cf. sur ce point J.-C. Bonnet, « Naissance du Panthéon », *Poétique* 33, et « Voltaire tel qu'il posait », *Les Nouvelles littéraires*, n° 2642. Et Sartre, *Situation II*, Paris, Gallimard, 1948, p. 147 : « Une jeune idée de gloire se lève, selon laquelle la véritable récompense d'un écrivain c'est qu'un obscur médecin de Bourges, c'est qu'un avocat sans causes de Reims dévorent presque secrètement ses livres. »

90. *L'Entretien infini, op. cit.*, p. 555.

91. *Ibid.*

92. M. Blanchot, « La solitude essentielle », *NNRF* I, janvier 1953, p. 83.

93. M. Blanchot, *L'Espace littéraire, op. cit.*, p. 258.

94. Cf., entre mille exemples, le débat entre Denys Mascolo, auteur du *Communisme* (1953), et Maurice Nadeau dans les *Lettres nouvelles.*

95. Cf. sur le point des analyses de J. Perrot sur la pratique de Paul Éluard dans *Littérature* 23 et 25.

96. Elle s'oppose plus réellement à la réactivation parallèle et contemporaine de la figure privée de l'homme-écrivant, fondée sur le mythe concurrent de la présence, de la voix, qu'analyse Ph. Lejeune.

97. *L'Espace littéraire, op. cit.*, p. 265. Ou encore, F. Collin, *M. B. et la Question de l'écriture,* Gallimard, 1971 : « Le besoin qui semble hanter l'œuvre de devenir publique n'a rien à voir avec l'idée, exprimée par Sartre, que l'écrivain écrit toujours pour quelqu'un » (p. 69).

98. *Le Dernier Homme, op. cit.*, p. 24.

99. *Le Poète assassiné,* Paris, Gallimard, 1970, p. 100.

100. *Ibid.*, p. 7.

101. M. Blanchot, *Le Livre à venir,* Paris, Gallimard, coll. « Idées », p. 360.

102. *Ibid.*, p. 361.

103. *Ibid.*, p. 362.

104. *Ibid.*, p. 361-362.

105. On pense ici comme à un modèle fondateur au roman-poème de Polonius, *Érostrate,* 1829 :

> « Tombez donc, murs fameux!
> Mon nom, phénix brûlant, sortira de vis feux! [...]
> Des murs que j'ai brûlés ce nom a pris la place [...]. »

106. J.-M. Geng, *L'Illustre inconnu,* Paris, UGE, coll. « 10-18 », p. 114.

107. F. Châtelet, *Récit* dans *La Crise dans la tête,* l'Arc, 70, p. 13.

108. On renvoie ici à la notion d'« idéologie invisible » et aux analyses de Claude Lefort, dans *Les Formes de l'histoire,* Paris, Gallimard, 1978, p. 318 et sq.

109. J. Sojcher, *La Démarche poétique,* Paris, UGE, coll. « 10/18 », p. 11 et *passim.*

110. *Ibid.*, p. 23 et sq.

111. B. Pingaud, *L'Arc, op. cit.*, p. 74.

112. *Ibid.*, p. 76.

113. M. Blanchot, *L'Amitié, op. cit.*, p. 76.

114. B. Pingaud, art. cité, p. 76.

Interruptions avec graphies

Excès d'ellipse. Je manque d'excès d'ellipse...

Rassurant : « et moi qui faute de tout esprit de repartie ne peux déjà rien dire dans une conversation téléphonique » (Kafka, *Lettres à Felice*). C'est aussi Rousseau et l'esprit d'escalier. Esprit d'intervalle, lacunes, empêchements, envahissements par le vide...

Pour prendre un exemple vraiment simple, Novalis peut bien écrire : « l'artiste est debout sur l'humanité comme la statue sur le piédestal » – la chose ne devient réellement grave qu'à partir du moment où un jeune homme se met à croire Novalis sur parole...

« Les vérités parfaites ne nous servent à rien : notre X est une série infinie de vérités imparfaites » (Novalis). Tout à fait valéryen.

Assister à la confection de la nouvelle vulgate, nouveau système d'interdits : *ne rien dire contre* le gouvernement, les femmes, les poètes, l'école publique, etc. La politique comme gratification du sur-moi.

Contrebalancer l'inévitable oppression sociale par la culture? La culture ne contrebalance rien, elle balance tout : son histoire est celle des négations, exhibition de notre incompétence essentielle, exhaustion, destruction...

Le petit-bourgeois est *le barbare* des temps modernes : livré à sa voracité confusionniste, poussé par sa boulimie métaphorique, il juxtapose tout : une porte Renaissance dans une ferme picarde, des musiciens en jabot dans un décor Napoléon III, le scrabble et la langue française...

Voix sentencieuse, tremblotante, très Troisième République de Camus. S'adresse directement au public, pas au lecteur. Pose des problèmes qui pourraient sembler dérisoires (entre ma mère et la vérité, etc.) en dehors de leur contexte. Koan de l'engagement...

Toujours sous la phrase d'autres phrases, infinies, innombrables, sans langue identifiable, qui la contrecarrent. Dès qu'on creuse un peu on trouve un chaos de langues. Une autre langue. La facilité avec laquelle on peut « adopter un autre langage ».

Toujours cette menace : sensibilité, mémoire, petits tremblements, goût de persuader, de dialoguer, s'adresser à, s'exprimer, etc. Comment *écrire* avec ça!

Qu'est-ce qu'un fouillis? une charnière? une bifurcation?

Est-ce la même chose qu'un fragment, deux fragments, des fragments, des milliers de fragments?

De temps à autre, par instants, tantôt/tantôt...

Un peu plus loin, à droite de la colline, l'œil apercevait une digression...

Une littérature sans performance est réduite au sujet, à la contingence de ses fantasmes, à la puérilité de sa petite mythologie...

Chaque écrivain rencontre au moins une fois la panne, l'illumination, la révélation qui le délivreraient du pacte ridicule qui le lie au livre, mais combien tiennent compte de cette collision avec le vide?

Quiconque a fait la preuve qu'il pouvait lui aussi rédiger un petit roman d'une honnête médiocrité devrait par la suite s'abstenir...

« Vous pouvez être sûrs que je dis la vérité » (Georges Marchais). Toute la littérature réside dans ce mystère...

Écrire : se refaire. Sinon? Avoir son nom dans le journal?

« Notre but est de rétablir la position de la classe ouvrière dans la construction du socialisme » (Jaruzelski). Comment de tels énoncés sont-ils possibles?, je ne vois pas d'autre question. Jaruzelski est l'écrivain. La question incontournable de toute littérature est : comment faire croire à ce que j'écris? Comment interdire la contingence et imposer l'autorité? Une littérature qui ne cherche pas d'abord à construire sa légitimité n'existe pas.

Je sens confusément, non : je sais – que les grandes questions ne sont pas papa-maman-zizi, etc., mais « moi » – là – maintenant, y a t-il un maintenant-là pour « moi », autrement dit : espace/temps.

Qu'est-ce que le *pasage?* Dans *Écartèlement,* Cioran rapporte cette anecdote : une petite fille tombe sur le mot « passage » et en demande à sa mère la signification. Celle-ci répond par des exemples : le train qui passe, un homme qui passe, etc. « La gamine ne semble pas satisfaite de la réponse. Sans doute trouve-t-elle les exemples trop concrets. » Effectivement la mère n'a rien dit. Et qu'est-ce que *peindre* un passage? Le plaisir du roman tient à ce qu'il est la fiction euphorique du passage comme évidence immédiate. Introduisez une bribe de discontinu et vous êtes mort.

Plus proche de nous qu'Œdipe, le premier homme qui, ayant connu et divulgué l'irrationalité de $\sqrt{2}$, périt noyé. Suicide, meurtre ou accident? Il fit retour à ἄπειρον marin. Pour cet homme la mer était l'infini actuel, il avait entrevu l'espace d'un instant aussi proche que possible du zéro, dans lequel il s'est dissous. L'histoire des énigmes de l'esprit commence ainsi par un cadavre.

Nihilisme : ce qui arrive chaque fois que l'on quitte un point d'appui. Exemple : la marche.

Lorsqu'il parle de *passage*, Montaigne entend la mort, c'est-à-dire cet instant « si court et si bref », ou encore « si précipité », qui s'oppose à tous les autres : interruption incontournable, insensible, dont on ne revient pas. Quelque chose comme *écrire*. Ce qui est avant par rapport à ce qui est après, mais qui abolit toute idée de rapport, irruption de l'intervalle.

Écrire une phrase sans s'être d'avance donné rendez-vous à l'endroit prévu pour la finir. Phrase : non simultanéité absolue. Une phrase commencée à tel instant et terminée à tel autre. Elle marque un écart, laps de temps, lapsus. Une phrase dit : Achille, la tortue et la mort. Perdre son temps en route de phrase, perdre la phrase dans le temps-route de la phrase : le parcours parcouru, éternité et clôture. On oublie que la phrase n'a pas été parcourue comme phrase, encore moins comme *cette* phrase. « Tu ne finis pas tes phrases » : tu meurs.

Exercices. Aller au bout de la phrase pour voir si c'était bien là. S'arrêter à mi-parcours et laisser l'eau envahir la lagune. Dans ce cas, phrase = polder. Si je vais jusqu'au bout de la phrase je ne pourrai jamais savoir si je suis allé au bout de la vraie phrase plutôt qu'au bout d'une autre. Qu'est-ce que le bout de la phrase? par rapport au début? par rapport à la phrase entière? à ses parties? Généralement la phrase a horreur de son bout (dans sa jeunesse). Phrase déboutée : en phase, au seuil. Paradoxe de la phrase sans bout. Où commence le bout? où finit-il?

L'éthique de la forme n'est pas moins répugnante qu'une autre.

Un mot-valise désigne toujours son porteur.

Je me fiche de l'ombre métaphorique et de la métonymie des feuilles. Je me fiche du « vrai » lieu dans le lieu où j'ai lieu.

Gustave Flaubert a choisi d'assassiner en Emma Bovary la Bernadette Soubirous de l'idéologie poétique.

Comme ils ont été faits, les mots, les phrases, les corps, les principes seront défaits.

Pour tenter d'y voir clair dans l'intelligence, partir de ces brusques pertes d'intelligence qui font l'effet d'une chute. Déliaison, rupture, abolition d'une certaine continuité, désastre. L'intelligence est ce qui fait le plus constamment *défaut.*

Penser deux choses à la fois est impossible. Penser au carré (penser qu'on pense) est possible à la suite, non simultanément (dans ce cas le carré s'abolit lui-même). La pensée au carré ramène son total à zéro. Il devrait être clair que des énoncés comme : je suis marxiste, je crois en Dieu, etc., n'ont aucun sens précisément parce qu'*ils n'ont que du sens,* mais aucune réalité, n'étant pas pensables.

Je ne mourrai pas sur le lieu de ma naissance : tout est là : parcourir *l'espace* d'une vie.

La nullité, la rogne, l'astuce, la béance, l'ankylose, la répulsion, le gel, comment les décrire ? Y a-t-il une écriture possible pour la débâcle ?

Le mal de vivre n'est tout de même pas une excuse pour quoi que ce soit.

Ce n'est pas d'amour, de certitude, de savoir, d'amitié ou de rigueur que sont faites nos journées, mais de confusion, de hontes, d'intempéries et de décrochements.

Les ruines sont le seul rempart contre la mort.

Parvenu à un carrefour, Œdipe tue son père. Ce qu'il faut voir ce n'est pas le meurtre, c'est le carrefour. Ce qu'Œdipe a tué c'est la question en choisissant le sens : un sens. Œdipe ou la peur de l'instant nul, du zéro.

Admirable leçon des œuvres : elles ne resplendissent qu'après leur mort. Ce qui ne signifie pas du tout que cet éclat soit une lumière.

Ce qui resplendit en elles, c'est plutôt leur mort et notre incapacité à la faire nôtre. Et ce qui devrait fasciner, ce n'est pas cette illusoire proximité qu'on leur prête, mais la distance absolue qu'elles irradient.

Il n'y a pas de « penseur » aztèque.

Je crois qu'il est temps – sans illusion – de constituer les archives de ce qui fut notre monde.

Si mon système, voire ma contre-utopie, n'intègre pas en lui-même l'expérience mentale qui le pense, et sans doute le rend impensable, il est voué d'avance à l'idéologie, à la croyance. Tout rapporter sans cesse à l'acte mental qui ne tolère aucun arrêt hors de lui-même.

« Pour autant que les propositions mathématiques se rapportent à la réalité, elles ne sont pas certaines, pour autant qu'elles sont certaines, elles ne se rapportent pas à la réalité » (Einstein). On peut en dire autant de la littérature. Il faut du jeu, du bruit, entre au moins quatre éléments : l'énoncé, l'énonciation, le donné, le vrai. C'est dans cet espace d'incertitude que se produit le mouvement vibratoire qui déclenche le texte. Le réel n'est jamais qu'un butoir imaginaire nécessaire à la mise en œuvre d'un « ensemble infini borné de réels » (Balzano). La littérature n'existe qu'en tant qu'elle est incertaine sur le réel, y compris sur sa propre réalité.

En littérature, les mots importants sont ET, OU, ENTRE. Qu'est-ce qui se passe quand on passe de A à B? telle est sa question.

« Plus le poète progresse vers l'immense, et plus sa pensée et son langage doivent gagner en précision. » Qu'il progresse plutôt vers l'infime et qu'il abandonne l'idée que son langage doit *gagner*.

Littérature qui dégouline de croyances, de croyances en elle-même, de croyances en la stylité, en l'individualité, en la métaphoricité, littérature obscène.

Écire, n'est-ce pas s'attacher à la fiction d'un espace mental où les mots sincérité, liberté, progrès, vérité, perdraient tout leur sens et leur efficacité pratique? Il faut que dans et par le texte ils soient réduits à l'état de nombres irrationnels de type π : alors ils marquent un rapport constant entre ce qui est donné et ce qui est pensé, ils sont ailleurs, ils ne sont ni donné ni pensé, trace et seulement trace de l'illimité.

La littérature qui m'importe doit répondre à deux conditions : elle ne cherche pas à réduire les situations paradoxales, elle est telle que la notion de « totalité infinie » ne lui paraît pas une notion paradoxale.

Bien des gens mourraient pour 14 ou pour 1416, qui refuseraient de se battre pour π.

Toute action menée contre « l'union sacrée du langage et des choses » est salutaire.

Illumination simple : Je ne me sens pas en mesure d'écrire, fût-ce quelques mots.

Astuce : un autre le fera à ma place.

Je regrette de devoir rappeler au passage que la petite bourgeoisie est hystérique et que son hystérie individuelle est une hystérie collective. La petite bourgeoisie ronge nos cœurs et nos esprits. Ce qui la caractérise : méchanceté, envie, barbarie, religiosité, snobisme, populisme, esprit de corps, revendication, absence de critères, suivisme, et sur un autre plan : dessus de lit, plats cuisinés, exotisme, sucettes, cuir, s'exprimer, sentiments, Marquez, etc.

Petite bourgeoisie : elle intériorise son improductivité dans le culte de la littérature comme non productive. Archiviste des valeurs classiques sous formes d'ersatz. Récupère l'universalité dont elle a la nostalgie (encore un de ses mots) sous forme de micro-universels. Son lieu de prédilection : le grand magasin, qui renferme à la fois la totalité et l'émiettement.

Son problème : comment passer des pantoufles indice nouveau 815 à un système de rénovation de l'Humanité?

Aucune œuvre n'est née du loisir.

Une société est composée d'une infinité d'énoncés. Il arrive que les énoncés forment une masse suffisamment homogène pour satisfaire les besoins des micro-groupes qui composent cette société. A l'intérieur de chaque groupe, la question de la réalité ou de la vérité de ces énoncés ne se pose pas : ils sont reconnus et reproduits sur le mode de la certitude et de l'évidence. Lorsqu'un porteur d'énoncés ne parvient pas à reproduire comme certains et évidents les énoncés d'un groupe, il est exclu ou il s'exclut du groupe. Périodiquement, les porteurs d'énoncés de chaque mini-groupe se réunissent pour tester la cohérence relative de leurs énoncés ou pour en réassurer magiquement la cohérence. Lorsqu'un porteur d'énoncés d'un mini-groupe concurrent ou ennemi s'est introduit frauduleusement dans un autre micro-groupe, il est aussitôt utilisé comme spectateur-voyeur ou comme bouc émissaire. Dans les deux cas, sa présence sert à conforter la cohérence du micro-groupe. Les énoncés de chaque micro-groupe ne sont ni vérifiables, ni vérifiés, mais distingués. Un énoncé est constitué d'un sujet de l'énoncé, d'un jugement de vérité et d'une énonciation. La forme de l'énonciation est le plus souvent l'énoncé lui-même. Les énoncés se distinguent d'abord par la forme de l'énonciation où s'abolit toute question sur la relation de l'énoncé au vrai ou au réel. Cette prééminence de la forme permet la juxtaposition des énoncés car on peut juxtaposer un carré, un cercle, un triangle, etc., mais non dire qu'un carré est un triangle, etc. C'est par la forme de l'énonciation que les porteurs d'énoncés se reconnaissent et s'incarnent. Tout porteur d'énoncés est le média de lui-même et des autres. Tout énoncé est le média de son porteur d'énoncés. La forme de l'énonciation a pour fonction immédiate de détourner de toute interrogation sur l'énoncé. Toute interrogation sur l'énoncé consiste à considérer l'immédiat de l'énoncé comme médiat. Le paradoxe de l'énoncé, c'est qu'il demande à être énoncé. Ce qui révèle ce paradoxe, c'est que l'objet de l'énoncé n'est pas son objet mais sa transmission sur le mode de l'immédiat, c'est-à-dire du non-transmis. Les énoncés individuels n'existent pas. Les énoncés sont transmis par les porteurs d'énoncés comme énoncés individuels. Il est impossible de distinguer entre deux énoncés autrement que par un autre énoncé. Débattre de la valeur c'est débattre des énoncés. Tout énoncé énonce une valeur et en dénonce une autre. La conscience est constituée d'énoncés. L'activité diurne de la conscience consiste en une succession d'énoncés ou de morceaux d'énoncés. Il est impossible d'énoncer deux énoncés en un seul énoncé. Le croisement de deux énoncés est un troisième énoncé. Si le croisement de deux énoncés aboutit au blocage de tout énoncé, ce blocage devient lui-même un énoncé. La folie est un système constitué d'énoncés. La psychanalyse révèle que les énoncés sont à la limite invérifiables. Elle vérifie cet invérifiable au moyen d'énoncés eux-mêmes invérifiables. La psychanalyse est une somme d'énoncés. La somme des énoncés possibles n'existe pas. Si la somme des énoncés possibles existait, elle serait égale à zéro. Zéro est un énoncé. Le non-énoncé n'existe pas. N'existe pas est un énoncé.

Il paraît que Sartre répétait toujours : « Mais qu'est-ce que les gens vont penser si je fais ou si je dis cela? »

L'immuable est dans le pot de confiture.

Elle ne comprend rien à la révolution joyeuse de Cuba.

Ceci n'est pas une lapalissade.

Une énorme quantité de voyelles et de consonnes y est brassée.

La non-compétitivité des producteurs de fruits et légumes du Languedoc-Roussillon en raison des charges sociales.

Comment faut-il comprendre cela?

Le professeur Moscato a établi que si on supprime – couteau, poison, pendaison, ou tout autre moyen approprié – un sujet X, il ressort que, du point de vue de ce sujet, le langage n'existe plus.

Il est regrettable qu'un écrivain aussi considérable et intelligent que Vladimir Nabokov se soit obstiné à rédiger ses remarquables romans en langue anglo-saxonne.

Je prononçais plusieurs fois la même conférence, le nombre des assistants pourtant était variable.

Ceci est une phrase courte mais incompréhensible.

Il se conduit rarement de manière à être compris.

Ma mère n'a jamais rien compris à son fils (je me comprends).

La question de ce qu'il est possible ou impossible de comprendre reste ouverte.

Que je puisse parfois me comprendre est incompréhensible.

Cette explication est inexplicable.

A quarante-huit ans et après trois mariages (consécutifs) Maureen n'y comprenait toujours rien (extrait d'un roman anglo-saxon à paraître).

La mort ne me fait pas peur, pour ainsi dire.

Il est difficile d'échapper au salpêtre, la plupart des produits que l'on vend dans le commerce sont bidons.

La Parole survient dans les poutres sous forme de petits trous.

N'allez pas dire que vous n'alliez pas le dire.

La poésie est tantôt une paire de besicles, tantôt un remonte-pente, rarement les deux ensemble, mais ça se trouve.

Je le suis toujours mais parfois jamais.

Il est rarement ce qu'il est fréquemment.

Une seule fois il le fut pour toujours.

Les frontières sont seules au monde mais pas toujours.

On descend les degrés de cet empire incertain, sûrement.

Ce qui est sûr n'est pas divisible par deux.

Le sable porte son avenir loin devant lui, parfois à l'inverse.

L'Être, parfois au contraire.

Il faut diminuer ce qu'il ne faut pas augmenter.

Les schizophrènes marchent généralement le pied droit en dehors.

Deux arbres, trois arbres, quatre arbres.

La solitude est absente de la solitude, c'est ce qui la rend à la fois si futile et si terrible.

Le silence est coupé par plusieurs routes forestières.

Le partage se fait hors de la ligne de partage.

L'efficacité s'obtient parfois dans les feuillages.

Il est impossible d'additionner la nuit sauf si on additionne aussi le jour.

Les murs de la profondeur sont piqués puis blanchis à la chaux. Le ciment ne tient pas.

La Parole est servie accompagnée d'oignons frits et de laitages.

Si ça vous chante d'entrer dans ce langage, allez-y.

Il est plus agréable et plus sain de rester en surface.

La surface d'un texte est le texte.

Valéry est peut-être le seul écrivain vraiment superficiel de ce siècle.

Le matérialisme historique est une âme.

Peux-tu nous parler de cette articulation à partir de ton travail d'écriture?

Je maintiens que la littérature que je signe n'est pas résolument prolétarienne.

La question des antinomies est insoluble. Toute réponse à cette question serait antinomique.

Abolir les antinomies ou les exacerber est également antinomique.

Les schizophrènes sont scientifiques.

Cette monotonie est inépuisable par accès.

Il a fait une sorte de coupe de l'intelligence créatrice.

Que la page reste blanche le plus longtemps possible.

Que la page soit retardée au maximum, qu'elle le soit si possible totalement.

L'espace est plus vaste que la pulsion.

A l'idéologie poétique, je répondrai sur le même ton péremptoire, avec un zeste de bonne foi, un soupçon inhumain de scepticisme.

Le véritable poète est celui qui, patiemment, apprend à faire taire le poète en lui-même.

Le premier problème du poète est de ne pas croire qu'il parviendra à se servir du langage pour « exprimer son propre univers ». Le poète est celui pour qui « poète », « exprimer », « propre univers » sont des figures vides de sens : il l'a expérimenté.

L'universelle analogie n'est analogique qu'à l'universelle analogie.

Enlevez la métaphore, enlevez la croyance en la métaphore, enlevez la croyance et vous avez la poésie.

La distance est ce qu'elle est. La distance d'un point à un autre, de l'herbe au nuage, de la vie à la mort, cette distance telle quelle est l'espace où doit s'abîmer l'esprit sous peine de mort.

Combattre la métaphore dans chaque scène de notre vie mentale.

L'idéologie poétique oppose aux langages pétrifiants et abstraits le langage contraignant et abstrait de l'idéologie poétique.

La beauté est dans la distance. La distance est dans la distance. Le verbe ÊTRE est dans la distance. La distance distance la distance.

Les significations sont des choses où les choses n'entrent que comme significations.

Le « sens antérieur », la « signification transcendante » d'un mot est la somme de ses emplois. Cette somme n'existe pas.

Le langage usuel est infini, le langage poétique est fini.

L'idéologie poétique prétend à la fois transmuer les choses selon le langage et ne jamais y parvenir. De cette aporie même, elle fait sa légitimation.

« Établir entre les mots des rapports aussi consubstantiels que possible » : qu'est-ce que des rapports « consubstantiels » qui sont « établis »?

Illusion propre à l'idéologie poétique comme à toutes les idéologies : elle n'est pas une idéologie.

Si le poème est « cette chose inexplicable et fulgurante, immédiatement probante », ce qui brille d'abord c'est l'éclat probant de son idéologie.

Les uns combattent pour la présence et l'accomplissement, les autres pour l'absence et le silence : le clan de l'idéologie poétique est ainsi divisé en deux factions rivales qui pourtant s'entendent toujours sur « l'essentiel ».

« La poésie est le réel absolu. » Le réel est ce qui n'est pas absolu. Le réel non absolu est le contraire du réel absolu de la poésie.

L'idéologie poétique prétend « réconcilier les contraires ». Passez plutôt de 2 à 1, si vous pouvez, et vous explorerez un espace dont vous n'avez aucune idée, mais dont le parcours est sans doute la poésie même.

Derrière les allées, les châteaux (Maisons-Maugis, Corboyer, Bellême).

D'où vient la difficulté de faire comprendre à quelqu'un la route à suivre? Cette fontaine, cette maison à peine retirée, ce point de vue sont si proches, mon imagination s'y meut avec aisance, mais dès qu'il faut y conduire verbalement un autre, quel égarement. Les traces cessent vite d'être des projets. Personne n'ira jamais là comme j'y vais. C'est comme si je cherchais à décrire avec sûreté la route inverse qui me conduirait à ce si fringant et douloureux souvenir : autant l'inventer.

Le paradoxe de la description : elle représente le langage, ses particularités, sa syntaxe, ses limites, elle construit une scène mentale où elle dispose des pulsions géométriques, soumet l'imaginaire à un quadrillage plus ou moins rigoureux fait d'espacements internes, de fondus contrôlés, arrange sur le devant un cadavre complexe de désignations et d'effacements – et elle prétend n'être rien de tout cela.

Aucun paysage n'est profond, heureusement. Regardé de près, c'est-à-dire de loin (comment faire autrement?), il est plat comme une image qui me dit de ne pas m'en mêler.

D'autres fois il est un mythe, une explication binaire, une rédemption, comme chanté par un aède pour moi seul. On dirait qu'il me vise.

Pourquoi le dedans d'une forêt n'est-il jamais un paysage?

Je me refuse à coïncider, même avec un paysage : la coïncidence m'aveugle.

Peu à peu, la fréquentation des paysages me débarrasse sans effort de tout ce qui pourrait participer de près ou de loin du « poétique ». Autrefois nous n'allions guère à la vue que dans le souffle ou l'émotion, les mots prêts à tomber des lèvres dans l'oreille du visible. Aujourd'hui le paysage me requiert d'abord par cette quasi irrémédiable hétérogénéité qui me laisse tout à coup disqualifié, stupide. Cette déliaison est toujours la première façon d'être du paysage à mon égard. Qui n'a pas connu cette pure, parfois douloureuse stupeur, n'a jamais rien vu. C'est elle d'abord qu'il faut voir : il n'y a pas d'urgence à combler une distance qui de toute façon nous survivra. N'ayant plus contact qu'avec la distance qui me sépare du paysage, j'entre vigoureusement dans le rigoureux vertige de l'expérience.

Laisser au paysage son caractère local de localité. Il existe par restriction du global, découpe dans le global. C'est l'impossibilité pratique de passer ailleurs et même de se mouvoir d'un point à un autre qui fait qu'on ne peut plus le prendre pour autre chose, qu'on est incapable de le *dépayser*. Rien ne cadre. Le paysage n'a pas été fait pour moi, il ne cadre ni avec moi, ni avec lui-même, ni avec autre chose, il est justement cette impossibilité de cadrer quoi que ce soit parce qu'il faudrait tout cadrer. L'infinité des cadrages possibles désigne le paysage comme lieu de l'impossibilité de tout repérage : ce n'est pas dans un cadre mais dans le passage perpétuel d'un cadre à un autre, dans ce hors cadre, cet instant zéro, qu'il est ce qu'il est.

Marcher circulairement jusqu'à devenir une ligne droite.

Il a construit sa maison à son image, plus exactement à l'image de la représentation conforme qu'il a de « lui-même ». Ce n'est plus une maison, ce sont des topiques maçonnées et gazonnées. Voilà pourquoi sa maison est obscène et qu'on s'y sent aussi mal que dans une confidence ou un cliché.

L'esprit ne construit pas, il est par nature locataire.

Cette maison est sans espoir, elle n'est l'original d'aucune énigme. Nous n'y installerons pas non plus nos nostalgies.

Rien ne va plus, le paysage ne figure rien, il casse le morceau. Je n'y contemple qu'une chose : le clinamen des illégitimités.

L'intervalle est le contraire du rythme, un principe de dérégulation, une promesse de nouvelle régulation. Ce qui est *entre,* ce qui coule. Il faut choisir, il est impossible de choisir. « On entendait par intervalles le grignotement d'une souris » (*Bouvard et Pécuchet*). L'intervalle n'est pas une fenêtre par où se livre le paysage, il est la fenêtre par où il disparaît. J'ouvre la fenêtre *et je ne vois rien.* J'écoute l'intervalle et j'entends ceci : l'espacement qui entre en moi, dilaté comme un gaz, qui absorbe tout. Les paysages sont des rumeurs d'intervalles qui parfois rendent fou. Parfois libèrent.

Table

I

Biographie avec interruption 11
Kafka, Rimbaud, espace vital avec intervalles 19
Bergson ou la littérature déniée. 30
Lent Retour de Peter Handke : une expérience contradictoire de la souffrance de l'espace 53
Valéry ou la désorganisation 62

II

Ernst Jünger ou le refus de dire n'importe quoi 83
Paul et Françoise 91
Benjamin Fondane en idéologue 94
André Breton ou le chanteur de Mexico 98
Artaud, le Mexique, la culture 100
La sottise d'Œdipe 104
Liquider la métaphore. 111

III

L'écrivain comme représentation 117
La poésie est une paire de bretelles 132
Comment devenir légitime 141
Comment faire croire 148
La littérature comme désarticulation 157

IV

Gide et Lime : le prolo et son maître, histoire d'un malentendu 173
Retour de l'URSS d'André Gide : du performatif à l'ambigu 195

V

Statue et statut du poète dans *le Poète assassiné* d'Apollinaire 205
D'un statut d'évangéliste. 218
Interruption avec graphies 240

Quelques-uns des textes publiés ici ont fait l'objet d'une publication antérieure en revue : « Statue et statut du poète dans le *Poète assassiné* d'Apollinaire », dans *Stanford French Review,* III, 2, Anma Libri, 1979; « D'un statut d'évangéliste : Blanchot et les siens », dans *Littérature* 33, février 1979; « Valéry clinamen », dans *Poétique* 52, novembre 1982; « Gide et Lime : le prolo et son maître, histoire d'un malentendu », dans la *Revue des sciences humaines,* Lille III, 1983; « *Lent retour* de Peter Handke : une expérience contradictoire de la souffrance de l'espace », dans *Austriaca* 16, mai 1983.

CET OUVRAGE A ÉTÉ COMPOSÉ ET ACHEVÉ D'IMPRIMER
PAR L'IMPRIMERIE FLOCH À MAYENNE
D.L. NOVEMBRE 1983. N° 6611 (21027)